Obra Completa de C.G. Jung
Volume 1

Estudos psiquiátricos

Comissão responsável pela organização do lançamento da Obra Completa de C.G. Jung em português:
Dr. Léon Bonaventure
Dr. Leonardo Boff
Dora Mariana Ribeiro Ferreira da Silva
Dra. Jette Bonaventure

A comissão responsável pela tradução da Obra Completa de C.G. Jung sente-se honrada em expressar seu agradecimento à Fundação Pro Helvetia, de Zurique, pelo apoio recebido.

Dados Internacionais de Catalogação na Publicação (CIP)
(Câmara Brasileira do Livro, SP, Brasil)

Jung, Carl Gustav, 1875-1961.
Estudos Psiquiátricos / C.G. Jung; tradução de Lúcia Mathilde Endlich Orth. – 5. ed. – Petrópolis, Vozes, 2013.
Psychiatrische Studien
Bibliografia.

19ª reimpressão, 2024.

ISBN 978-85-326-1102-4
1. Jung, Carl Gustav, 1875-1961 2. Psicanálise 3. Psicoterapia I. Título.

93.3054 CDD-150.1954

Índices para catálogo sistemático:
1. Jung, Carl Gustav : Psicologia analítica 150.1954
2. Psicologia junguiana 150.1954

C.G. Jung

Estudos psiquiátricos

1

Petrópolis

Tradução do original em alemão intitulado
Psychiatrische Studien (Band 1)

Editores da edição suíça:
Marianne Niehus-Jung
Dra. Lena Hurwitz-Eisner
Dr. Med. Franz Riklin
Lilly Jung-Merker
Dra. Fil. Elisabeth Rüf

Rua Frei Luís, 100
25689-900 Petrópolis, RJ
www.vozes.com.br
Brasil

Tradução: Lúcia Mathilde Endlich Orth
Revisão literária: Edgar Orth
Revisão técnica: Dra. Jette Bonaventure

Diagramação: AG.SR Desenv. Gráfico
Capa: 2 estúdio gráfico

ISBN 978-85-326-2424-6 (Obra Completa de C.G. Jung)

ISBN 978-85-326-1102-4 (Brasil)
ISBN 3-530-40701-1 (Suíça)

Este livro foi composto e impresso pela Editora Vozes Ltda.

Sumário

Prefácio dos editores

A edição alemã da *Obra Completa de C.G. Jung* aparece em conformidade com a edição inglesa de *Collected Works of C.G. Jung* que se publica nos Estados Unidos da América, sob os auspícios da Fundação Bollingen, pela Pantheon Books Inc. e, na Inglaterra, pela Routledge & Kegan Paul Ltd.

Na edição atual da *Obra Completa* há alguns escritos que foram revistos pelo próprio autor. Assim, por exemplo, o conhecido escrito *Wandlung und Symbole der Libido* (1912) foi cuidadosamente reelaborado pelo autor e aparece agora com o título *Symbole der Wandlung* (Símbolos da transformação, 1955). O trabalho *Psychologie und Religion*, publicado primeiramente em inglês, integra agora as *Obras Completas* em sua redação alemã. Outros escritos que ainda não haviam sido traduzidos para o alemão aparecem agora na versão traduzida.

Foi desejo do autor manter a organização de *Collected Works* também nos volumes individuais da edição alemã, o que permite uma utilização científica uniforme da obra nas duas línguas.

Não foi possível obedecer sempre à ordem cronológica dos diversos escritos, pois alguns volumes haveriam de apresentar um conteúdo muito heterogêneo. Os estudos psiquiátricos, por exemplo, ficariam misturados com escritos de cunho psicológico-religioso, psicoterapêutico e alquímico. Impunha-se uma organização da *Obra Completa* de forma que alguns assuntos mais ou menos correlatos fossem incluídos no mesmo volume. Para satisfazer também o aspecto do desenvolvimento histórico dos trabalhos de Jung, os editores tentaram uma conciliação entre a ordem cronológica e temática da *Obra Completa.*

C.G. Jung nasceu em 1875, no lugar chamado Kesswil, no cantão Thurgau, filho de um pastor. De início seu interesse científico e filosófico inclinou-se para o campo da arqueologia. Mas, por circunstâncias de ordem prática, Jung decidiu-se pelo estudo da medicina que concluiu com êxito em 1900. A princípio teve sua atenção voltada para a fisiologia e a química fisiológica, que lhe acenavam um futuro promissor. Rapidamente, porém, mudou de objetivo, depois do interesse que lhe despertou a obra de Krafft-Ebing, *Lehrbuch der Psychiatrie auf klinische Grundlage*. Tomou a decisão de estudar mais a fundo os quadros patológicos descritos naquela obra, para melhor compreender esses fenômenos.

Encontrou em Eugen Bleuler, então diretor da clínica psiquiátrica da Universidade de Burghölzli em Zurique, uma pessoa que soube incentivá-lo e apoiá-lo em suas pesquisas. São dessa época seus primeiros trabalhos no campo da psiquiatria.

A dissertação de Jung *Zur Psychologie und Pathologie sogenannter okkulter Phänomene* (1902), como também seus primeiros estudos psiquiátricos, contidos no vol. 1, já mostram claramente a orientação de suas pesquisas subsequentes. A psiquiatria descritiva por si só não conseguiu satisfazer Jung. Deu então um passo importante ao introduzir na psiquiatria os conhecimentos da psicologia experimental. Os amplos resultados de seu trabalho de pesquisa estão contidos nos volumes 2 e 3 da *Obra Completa*. Esses trabalhos experimentais básicos tiveram grande influência sobre a psiquiatria de então. A simples classificação estático-descritiva dos quadros patológicos deu lugar a uma atitude científica e dinâmico-interpretativa. A monografia *Sobre a psicologia da dementia praecox* (1907), no volume 3 da *Obra Completa*, representa um ponto alto e precoce na pesquisa psiquiátrica de Jung.

As pesquisas experimentais levaram Jung a uma colaboração frutífera, ainda que cheia de tensões, com Sigmund Freud. O resultado daquela época se encontra nos escritos do vol. 4. A primeira observação crítica à psicanálise de Freud, sob o título *Tentativa de apresentação da teoria psicanalítica* (1913), constitui a parte principal desse volume. *Símbolos da transformação*, em sua nova redação, aparece como volume 5 da *Obra Completa*, dividido em duas partes. *Tipos psicológicos* (1921) constitui o volume 6, praticamente sem alterações, e representa o afastamento decisivo em relação à psicanálise de

Freud. Também o volume 7, *Estudos sobre psicologia analítica,* apresenta de novo a atitude crítica de Jung em relação à teoria de Freud. São as contribuições mais importantes para a fundamentação da psicologia analítica.

É possível reconhecer o desenvolvimento, transformação e aprofundamento constantes da psicologia analítica através das inúmeras reelaborações do que já fora publicado. Assim, por exemplo, o primeiro dos (dois) *Estudos sobre psicologia analítica* sofreu várias reformulações, diferentes umas das outras. Foram também introduzidos acréscimos ao vol. 12, *Psicologia e alquimia* (datado originalmente de 1935-1936), e em alguns escritos de outros volumes.

Após o surgimento de *Tipos psicológicos* (1921) até 1946, Jung não publicou nenhuma obra maior. Neste longo período dedicou-se, além de seu vasto trabalho psicoterapêutico, a depurar os resultados de suas pesquisas e a uma intensa atividade de professor. Nestes anos foi cunhando seus conhecimentos fundamentais em escritos menores que estão reunidos principalmente no vol. 8, *A dinâmica do inconsciente.* Também a primeira parte do vol. 9 contém sobretudo escritos dessa época. Tratam da realidade do inconsciente coletivo e do fenômeno do arquétipo. A segunda parte é constituída pela obra posterior *Aion. Estudos sobre o simbolismo do si-mesmo* (1951). Cronologicamente deveria este trabalho figurar em outro volume, mas foi incluído aqui porque trata das formações arquetípicas e do si-mesmo.

Os volumes 10 a 17 abrangem os escritos que tratam do uso dos conhecimentos básicos adquiridos. Abarcam áreas mais ou menos adjacentes, como civilização e educação, religião ocidental e oriental, alquimia, psicoterapia e desenvolvimento da personalidade. Após a publicação de alguns escritos menores, embora muito importantes, Jung escreveu novamente, em seus últimos anos, obras mais volumosas como *Aion* e *Mysterium Coniunctionis.* Encerrou sua obra criativa com *Erinnerungen, Träume, Gedanken* (Lembranças, sonhos, reflexões), como testemunho de seu ser e agir, em colaboração com Aniela Jaffé. Esta obra, por vontade expressa de Jung, não foi incluída na *Obra Completa.* Só foi publicada após sua morte, em 6 de junho de 1961. O conteúdo dos volumes finais que se seguirão ao vol. 17 da *Obra Completa* é uma seleção de comunicados feitos em seminários, outros trabalhos ainda não publicados em livro, prefácios e talvez cartas que tratam de assuntos científicos.

Pequenos artigos, colaborações em jornais e outros escritos do gênero que não puderam ser inseridos nos anexos dos volumes singulares serão reunidos num volume final. Também haverá um índice geral e uma bibliografia completa.

A Obra Completa de C.G. Jung abrange um período de mais de meio século e trabalha "terra virgem". É compreensível, pois, que a terminologia não esteja completamente padronizada. Conceitos técnicos usados nos escritos mais antigos foram posteriormente substituídos por Jung e/ou empregados com sentido novo e mais adequado. Quando ele mesmo não trocou esses conceitos por outros, foram mantidos na *Obra Completa* para resguardar a fidelidade histórica.

* * *

O presente volume 1 da *Obra Completa* contém os primeiros estudos psiquiátricos de Jung sobre os fenômenos chamados ocultos: Dissertação (1902), Erros histéricos de leitura (1904), Criptomnésia (1905), Distimia maníaca (1903) e alguns trabalhos casuísticos. Já se percebe nestes escritos sua polêmica com a psiquiatria de então e sua tendência futura de pesquisa.

Na época dos preparativos da edição, faleceu em 4 de janeiro de 1965 a senhora Lena Hurwitz-Eisner, coeditora, e a 15 de março de 1965 o grupo de editores perdeu mais um membro na pessoa da senhora Marianne Niehus-Jung. A elas deve muito a edição alemã da *Obra Completa*. Eram de grande dedicação, não mediam esforços na busca dos manuscritos originais, recorrendo a eles na preparação dos textos. Como almas do trabalho de edição, agiram com muita prudência e contribuíram para o êxito da *Obra Completa*. A obra engrandece sua memória.

Na publicação do presente volume ajudou-nos a senhora Lilly-Jung-Merker que trabalhou por longo tempo com a senhora Marianne Niehus-Jung. Com a valiosa ajuda da senhorita Dra. Elisabeth Rüf, levou a termo este trabalho. Agradecemos penhoradamente.

Somos gratos à senhorita Dra. Marie-Louise von Franz e à senhora Aniela Jaffé por sua ajuda na redação dos textos, como também à senhora Sophie Baumann-van Royen e à senhorita Marie-Luise Attenhofer pela elaboração dos índices.

Sobre a psicologia e patologia dos fenômenos chamados ocultos[1]

Dedicado à minha esposa

1. (Para a tradução inglesa deste trabalho foi usado o texto da dissertação de C.G. Jung que se encontra na Bodleian Library, Oxford; na edição alemã, em que se baseia a versão portuguesa, foi usado o texto de uma edição posterior da dissertação; difere da edição inglesa apenas na parte da conclusão que foi levemente alterada, isto é, recebeu um cunho mais genérico.)

1 No vasto campo da inferioridade psicopática, do qual a ciência separou os quadros mórbidos da epilepsia, histeria e neurastenia, encontramos poucas observações que se refiram a estados raros da consciência sobre os quais os autores ainda não chegaram a um acordo. São aquelas observações, que aparecem esporadicamente na literatura, sobre narcolepsia, letargia, *automatisme ambulatoire*, amnésia periódica, *double conscience*, sonambulismo, fantasias patológicas, mentira patológica etc.

2 Estes estados são atribuídos em parte à epilepsia, à histeria, ao esgotamento do sistema nervoso e à neurastenia; às vezes também se lhes confere a dignidade de doença *sui generis*. Os próprios pacientes passam às vezes por uma série de diagnósticos, desde a epilepsia, chegando à histeria e até à insanidade simulada.

3 Por um lado, é muito difícil e, em alguns casos, impossível, separar estes estados das neuroses mencionadas e, por outro, certos traços apontam para além do campo da inferioridade patológica, para uma afinidade mais que simplesmente analógica com fenômenos da psicologia normal, inclusive da psicologia do supranormal, do gênio.

4 Por mais que os fenômenos individuais neste campo sejam distintos um do outro, não existe caso algum que não esteja ligado de perto a outro caso típico, através da ponte de um caso intermédio. Esta afinidade tem extensão profunda no quadro mórbido da histeria e da epilepsia. Recentemente levantaram-se inclusive vozes dizendo não existir um limite definitivo entre epilepsia e histeria e que a diferença entre elas só aparecia nos casos extremos. Assim diz, por exemplo, B. Steffens: "Chegamos naturalmente à conclusão de que a natureza da histeria e da epilepsia não diferem em princípio uma da outra, mas que é a mesma causa patológica que se manifesta apenas sob forma, intensidade e duração diferentes"[2].

---

2. STEFFENS, P. "Über drei Fälle von 'Hysteria Magna'". *Arch. f. Psychiat. u. Nervenkr.* XXXIII, 1900, p. 928.

5 A delimitação da histeria e de certas formas limítrofes de epilepsia com a inferioridade psicopática hereditária ou adquirida encontra igualmente as maiores dificuldades. Os sintomas de um ou de outro quadro clínico penetram por vários lados e profundamente no campo vizinho, de modo que é preciso violentar os fatos se quisermos examiná-los em separado, como pertencentes a este ou àquele campo. Separar a inferioridade psicopática do normal é algo totalmente impossível. A diferença é apenas o "mais" ou o "menos". Na mesma dificuldade incide a classificação no campo da própria inferioridade. Aqui só podemos extrair certos grupos em geral que se cristalizam em torno de um centro marcado por caracteres bem típicos. Abstraindo dos dois grandes grupos da inferioridade intelectual e emocional, restam-nos ainda as inferioridades de coloração eminentemente histérica, epiléptica (epileptoide) ou neurastênica, que não são marcadas pela inferioridade do intelecto nem da emoção. É neste campo, inacessível a uma classificação segura, que têm lugar de preferência aqueles estados acima referidos. Conforme se sabe, podem manifestar-se fenômenos parciais de uma típica epilepsia ou histeria, ou podem existir separadamente no campo da inferioridade psicopática, onde sua qualificação como "epiléptico" ou "histérico" é devida muitas vezes a fenômenos secundários, insignificantes e acessórios. Costumamos incluir o sonambulismo entre as doenças histéricas porque às vezes é manifestação parcial de grave histeria ou porque vem acompanhado de sintomas mais leves, assim ditos "histéricos". Binet diz: "Não existe um sonambulismo, um estado nervoso sempre idêntico a si mesmo; existem sonambulismos"[3]. Como manifestação parcial de grave histeria, o sonambulismo não é um fenômeno desconhecido, mas como entidade patológica especial, como doença *sui generis*, deve ser muito raro, conforme se conclui da escassez de literatura alemã competente. O chamado sonambulismo espontâneo, calcado numa inferioridade psicopática de coloração histérica, não é um fenômeno muito frequente e estes ca-

3. "Il n'y a pas un somnambulisme, un état nerveux toujours identique à lui-même, il y a des somnambulismes". BINET, A. *Les Altérations de la personnalité*. Paris: [s.e.], 1892, p. 2.

sos mereceriam um estudo mais acurado, pois apresentam às vezes uma série de observações interessantes.

6 A Srta. E., de 40 anos, solteira, contadora de uma grande casa comercial, não apresentava nenhum problema hereditário. No máximo se podia dizer que um irmão dela, após uma desgraça familiar e doença, ficou levemente nervoso. Boa educação, caráter alegre e bem disposto, não conseguia economizar, "sempre tinha algo grande na cabeça". Era muito prestativa, terna, fazia muito por seus pais que viviam em condições modestas e também por outras famílias. Apesar disso, não se sentia feliz, pois achava que não era bem compreendida. Sempre tivera boa saúde, mas nos últimos anos teve que ser tratada por causa de dilatação do estômago e de uma solitária. Durante a doença, os cabelos dela embranqueceram. Mais tarde foi também acometida de tifo. Seu noivado terminou porque o noivo morreu de paralisia. De um ano e meio para cá a paciente estava muito nervosa. No verão de 1897 submeteu-se a uma hidroterapia e mudança de ares. Contou que há aproximadamente um ano lhe ocorriam muitas vezes no trabalho momentos em que suas ideias ficavam como que paradas, mas sem que adormecesse. Apesar disso não cometia erros em suas contas neste estado. Mas, quando isso lhe ocorria na rua, ia em geral a lugares errados, percebendo depois que não estava na direção certa. Nunca teria havido vertigens ou desmaios. Sua menstruação sempre fora regular, sem dores, a cada quatro semanas; desde que ficou nervosa e extenuada, passou a menstruar de duas em duas semanas. Há bastante tempo vinha sofrendo de dor de cabeça constante. Como contadora de grande casa comercial, a paciente executava um trabalho penoso e o fazia com grande capacidade e eficiência. No último ano, além do trabalho profissional, passou por todo tipo de contrariedades: o irmão teve que divorciar-se; ela teve que assumir o cuidado da casa dele, tratando dele e de seu filho bastante doente. Para recuperar-se, viajou no dia 13 de setembro para a casa de uma amiga no sul da Alemanha. A grande alegria de rever a amiga depois de muito tempo e a participação numa festa tornaram impossível o descanso necessário. No dia 15, contrariando totalmente seu hábito, bebeu, junto com a amiga, meio litro de vinho tinto. Depois disso, foram passear num

cemitério. Aí ela começou a arrancar flores dos túmulos e a escavar com as mãos as sepulturas. Depois, não se lembrou de nada disso. No dia 16 permaneceu na casa de sua amiga sem que nada de especial acontecesse. No dia 17, a amiga a trouxe para Zurique. Durante a viagem conversou normalmente, mas dizia estar muito cansada. Uma conhecida acompanhou-a a caminho da clínica e ao chegar lá encontrou três rapazes que ela identificou como sendo os três mortos que ela havia desenterrado. Queria, agora, ir ao cemitério que existia nas proximidades e só a muito custo foi levada para dentro da clínica.

7 A paciente era pequena, franzina e levemente anêmica. O lado esquerdo do coração um pouco dilatado, nenhum sopro claramente perceptível; alguns batimentos duplos. Na região mitral ruídos especialmente fortes. A amortização hepática só atingia a borda da costela superior. Reflexos patelares algo intensos, nenhum outro reflexo tendinoso. Nada de anestesias e analgesias, nenhuma paralisia. Um exame perfunctório do campo de visão não demonstrou nenhuma deficiência. Os cabelos da cabeça bem claros, de um grisalho amarelado. No mais, a paciente aparentava a idade que tinha. Contou suas vivências e os acontecimentos dos últimos tempos com muita clareza, só não se lembrava do acontecido no cemitério de C. e diante da clínica. Na noite de 17 para 18, em conversa com a enfermeira, disse que via o quarto cheio de mortos que apareciam como esqueletos. Não tinha medo algum, mas se admirava de que a enfermeira não os visse também. Uma vez foi até a janela. De resto permaneceu quieta. Na manhã seguinte, na cama, via sempre de novo esqueletos, depois do almoço não mais. Na noite seguinte, por volta das quatro horas, acordou e escutou as crianças mortas do cemitério próximo gritando que haviam sido enterradas vivas. Quis sair para desenterrá-las, mas deixou que a segurassem. De manhã, às sete horas, ainda em estado de delírio, lembrou-se perfeitamente do acontecido no cemitério de C. e diante da clínica. Contou que no cemitério de C. queria desenterrar as crianças mortas que chamavam por ela. As flores ela só as arrancara para limpar as sepulturas e poder abri-las. Neste estado foi-lhe dito pelo professor Bleuler que ela se haveria de lembrar de tudo isso também quando estivesse em estado normal. Nesta manhã ainda dormiu algum tempo, acordou lúcida e se sentia bastante bem.

Lembrou-se realmente dos incidentes, mas comportou-se de maneira indiferente em relação a eles. Nas noites seguintes, com exceção das de 22, 23, 25 e 26 de setembro, teve novamente curtos acessos de delírio em que lidava com mortos; os acessos divergiam entre si quanto aos detalhes. Duas vezes viu mortos em sua cama; contudo, parecia não temê-los. Preferia sair da cama para não "irritar" os mortos. Muitas vezes queria até sair do quarto.

8 Após algumas noites tranquilas, aconteceu, na noite de 30 de setembro para 1° de outubro, um rápido acesso durante o qual foi à janela e chamou pelos mortos. Durante os dias estivera sempre lúcida neste tempo todo. No dia 3 de outubro, segundo ela mesma contou, estando em plena consciência, viu na sala de visitas uma grande quantidade de esqueletos. Ainda que duvidasse da realidade dos esqueletos, não conseguia convencer-se de que se tratava de alucinação. Na noite seguinte, entre meia-noite e uma hora – a maioria dos acessos anteriores havia acontecido neste horário – lidou novamente com os mortos, pelo espaço de uns dez minutos. Sentou-se na cama, fixou os olhos num canto e disse: "Agora eles vêm, mas ainda não são todos, podem vir, a sala é grande que chega, todos terão lugar. Quando todos estiverem aqui, também virei junto". Deitou-se então com as palavras: "Agora estão todos" e voltou a dormir. Na manhã seguinte não se lembrava de nada. Acessos bem curtos aconteceram ainda nas noites de 4/5, 6/7, 9/10, 13/14 e 15/16 de outubro entre meia-noite e uma hora. Os últimos três coincidiram com o período da menstruação. A enfermeira tentou várias vezes conversar com ela, mostrava-lhe os lampiões acesos na rua e as árvores; mas a paciente não reagia a esta conversa. Desde então, os acessos pararam por completo, mas a paciente se queixava de uma série de incômodos que já sentia antes dos últimos acontecimentos. Queixava-se de dor de cabeça que aumentou até um ponto insuportável na manhã após um acesso, como disse a paciente. 0,25 Sacch. lactis ajudaram prontamente. Reclamava então da dor nos dois antebraços que, segundo descrição dela, mais se assemelhava a uma tendinite. A saliência do bíceps ela a interpretava como inchação e queria ser massageada. Objetivamente nada havia a tratar e quando as queixas eram ignoradas o mal desaparecia. Devido a uma inflamação na unha de um dedo

do pé, queixou-se muito e por longo tempo, mesmo depois de sarada a inflamação. Muitas vezes tinha sono inquieto. A doente recusou seu consentimento para uma hipnose contra os acessos noturnos. Mas finalmente resolveu submeter-se a um tratamento hipnótico devido às dores de cabeça e às perturbações no sono. Mostrou-se facilmente influenciável e já na primeira sessão caiu em profundo sono, com analgesia e amnésia.

9 Em novembro foi novamente perguntada se se lembrava do acesso de 19 de setembro para o qual fora sugestionada sua capacidade de recordação. Já lhe causava dificuldade lembrar-se disso, finalmente conseguiu narrar apenas o principal, os detalhes já os havia esquecido.

10 É preciso dizer que a paciente não era supersticiosa e, quando saudável, nunca se interessou muito pelas coisas suprassensíveis. Durante todo o período do tratamento, que terminou no dia 14 de novembro, chamou a atenção a grande indiferença da paciente em relação à doença e, inclusive, à melhora. Na primavera seguinte, a paciente se apresentou de novo para tratamento ambulatorial das dores de cabeça que haviam voltado lentamente devido ao trabalho cansativo dos últimos meses. De resto, seu estado de saúde não deixava nada a desejar. Constatou-se que já não se lembrava dos acessos do outono passado, nem daquele do dia 19 de setembro ou dos anteriores. Mas, sob hipnose, conseguia narrar bastante bem os acontecimentos no cemitério, diante da clínica e durante os ataques noturnos.

11 Devido às alucinações típicas e devido à sua configuração geral, nosso caso lembra os estados que von Krafft-Ebing descreve como "estados protraídos de delírio histérico". Diz ele: São casos mais brandos de histeria onde se manifestam estes estados de delírio. – O delírio histérico protraído tem sua raiz num esgotamento temporário. – As comoções parecem fomentar seu aparecimento. A recaída é fácil. – Na maioria das vezes encontramos o delírio de perseguição juntamente com um forte medo reativo, depois o delírio religioso e erótico. Não são raras as alucinações de todos os sentidos. As mais frequentes e importantes, contudo, são as ilusões de ótica, de olfato e de tato. As alucinações de ótica são em geral visões de animais, cortejos fúnebres, procissões fantásticas onde abundam mortos, diabos, fantasmas e coisas semelhantes. – As ilusões auditivas são simples efei-

tos acústicos (gritaria, estrondos, estampidos) ou verdadeiras alucinações, muitas vezes de conteúdo sexual[4].

12 As visões fúnebres de nossa paciente e a manifestação delas através de acessos lembram estados que são observados às vezes na epilepsia histérica. Ali também aparecem as visões específicas e, ao contrário do delírio protraído, estão ligadas aos acessos individuais. Darei dois exemplos:

13 Uma senhora de 30 anos, com *grande hystérie,* tinha estados crepusculares de delírio durante os quais era torturada com alucinações assustadoras: via como os filhos lhe eram arrebatados, como eram devorados por animais ferozes etc. A paciente tinha amnésia quanto ao conteúdo desses acessos[5].

14 Uma paciente de 17 anos, também com grave histeria, via em seus acessos o féretro de sua falecida mãe que dela se aproximava para levá-la consigo. A paciente tinha amnésia quanto aos acessos[6].

15 Os casos citados são histerias graves onde a consciência atua em estágios profundos de sonho. Somente a natureza dos acessos e a estabilidade das alucinações mostram certa afinidade com nosso caso que a este respeito tem múltiplas analogias com estados histéricos correspondentes como, por exemplo, com aqueles casos em que um choque psíquico (estupro etc.) foi a causa do surgimento de acessos histéricos e onde o fato gerador é outra vez experimentado na forma de um estereótipo alucinatório. Mas nosso caso tem um cunho específico por causa da identidade da consciência nos diversos acessos. Trata-se de um *état second* (segundo estado) com memória própria, mas separado do estado de vigília por uma total amnésia. É isto que o diferencia dos estados crepusculares mencionados acima e se aproxima dos chamados estados sonambúlicos.

---

4. KRAFFT-EBING, R. von. *Lehrbuch der Psychiatrie auf klinischer Grundlage für practische Ärzte und Studirende*. Stuttgart: [s.e.], 1879.

5. RICHER, P. *Etudes cliniques sur l'hystéro-épilepsie ou grande hystérie*. Paris: [s.e.], 1881, p. 483.

6. Ibid., p. 487s. • ERLER. "Hysterisches und hystero-epileptishes Irresein". *Allg. Z. f. Psychiat*. XXXV, suplemento, 16 f., 1879, p. 28. Berlim. • CULLERRE, A. "Un Cas de somnambulisme hystérique". *Ann. méd. psychol.*, ano 46, t. VII, 1888, p. 356.

16 Charcot[7] divide os sonambulismos em duas formas básicas:

1. Delírio com evidente falta de coordenação das ideias e ações;

2. Delírio com ações coordenadas. Este estado se aproxima daquele em que a pessoa está acordada.

17 Nosso caso pertence a esta última forma. Se entendermos por sonambulismo um estado de *vigília sistematicamente parcial*[8], então, ao se falar dessa afecção, é preciso considerar também os casos particulares de amnésia que acontecem por causa de ataques e que volta e meia são observados. Com exceção do sonambulismo noturno, são esses os estados mais simples de vigília sistemática e parcial. O caso mais interessante já publicado é, sem dúvida, o de Naef[9]. Refere-se a um senhor de 32 anos que, com pesada carga hereditária, apresentava muitos sinais de degeneração, em parte funcionais e em parte anatômicos. Devido a excesso de trabalho teve, já aos 17 anos, um estado crepuscular característico com alucinações que durou alguns dias e que desapareceu com a súbita recuperação da memória. Mais tarde sofreu de muitas vertigens com palpitações e vômitos; mas esses ataques nunca se deram com perda de consciência. Acometido de doença febril, viajou de repente da Austrália para Zurique onde passou algumas semanas despreocupado e feliz, só voltando a si quando leu no jornal a notícia de seu repentino desaparecimento na Austrália. Teve em parte uma amnésia total e retrógrada pelo período de vários meses abrangendo sua viagem à Austrália, a estadia ali e a viagem de volta. Azam publicou um caso de amnésia periódica[10]: Albert X, rapaz de 12 anos, com sintomas histéricos, foi acometido, no correr de alguns anos, por diversos estados de amnésia em que, durante várias

---

7. In: GUINON, G. "Documents pour servir à l'histoire des somnambulismes". *Progr. Méd.*, XIII, 1891.

8. "Caminhar sonhando deve ser considerado como um estar acordado sistemático e parcial durante o qual um complexo de ideias limitado, mas logicamente conexo, entra na consciência. Não se apresentam ideias opostas e ao mesmo tempo a atividade mental continua com maior energia dentro da esfera limitada do estado de vigília." LOEWENFELD, L. *Der Hypnotismus*. Wiesbaden: [s.e.], 1901, p. 289.

9. NAEF, M. *Ein Fall von temporärer, totaler, theilweise retrograder Amnesie.*

10. AZAM, C.M.E.-E. *Hypnotisme, double conscience et altérations de la personnalité*. Paris: [s.e.], 1887. Caso semelhante in: WINSLOW, F.B. *On Obscure Diseases of the Brain and Disorders of the Mind*. Londres: [s.e.], 1860, p. 405.

semanas, não se lembrava de como ler, escrever, fazer contas e, em parte, falar. Entrementes, intervalos de comportamento normal.

18 Proust publicou um caso de *automatisme ambulatoire* (automatismo de locomoção), com base evidentemente histérica, que se distingue do caso de Naef pelo número maior de ataques: Um homem de 30 anos, com boa formação intelectual, apresentava todos os sinais de *grande hystérie*, era muito sugestionável e tinha de tempos em tempos e muitas vezes por influência de comoções ataques de amnésia que se prolongavam de dois dias até algumas semanas. Nesta situação, viajava, visitava parentes, na casa deles destruía alguns objetos, fazia dívidas, sendo inclusive levado a julgamento e condenado por *acte de filouterie* (atos de espertalhão)[11].

19 Caso semelhante de instinto nômade relata Boeteau: Uma viúva de 22 anos, gravemente histérica, apavorou-se devido à premente necessidade de uma cirurgia de salpingite; saiu do hospital onde estivera internada até então e entrou em estado sonambúlico do qual acordou após três dias com amnésia total. Nesses três dias percorreu em torno de 60 quilômetros procurando sua filha[12].

20 William James narra um caso do "tipo ambulativo": Rev. Ansel Bourne, pregador itinerante, 30 anos, psicopata, tinha às vezes ataques de perda de consciência durante uma hora. Certo dia (17 de janeiro de 1887) desapareceu de Greene, depois de haver retirado de um banco 551 dólares. Ficou desaparecido por dois meses. Durante este tempo dirigiu, como A.J. Brown, um pequeno armazém em Norristown, Pensilvânia, cuidando normalmente de todas as compras, ainda que nunca tivesse feito isto antes. No dia 14 de março acordou de repente e voltou para casa. Amnésia total com referência ao período[13].

21 Mesnet publicou o seguinte caso: 27 anos de idade, sargento da tropa africana, ferido no osso parietal em Bazeilles. Teve durante um ano, até o ferimento sarar, uma hemiplegia que desapareceu com a cura da ferida. Durante o período de convalescença, teve ataques de

11. PROUST, A.A. "Cas curieux d'automatisme ambulatoire chez un hystérique". *Trib. méd.*, ano 23, 1890, p. 202s.

12. BOETEAU, M. "Automatisme somnambulique avec dédoublement de la personnalité". *Ann. méd-psychol.*, ano 50, t. XV, 1892.

13. JAMES, W. *The Principles of Psychology*. Vol. I. Londres/Nova York: [s.e.], 1891, p. 391.

sonambulismo com forte diminuição da consciência; as funções sensoriais, com exceção do tato e de pequena parte da visão, ficaram paralisadas. Os movimentos possuíam coordenação, mas a objetividade deles para vencer empecilhos ficou fortemente limitada. Durante os ataques, o paciente apresentava uma estranha mania de acumular coisas. No decorrer de várias manipulações, era possível atribuir à sua consciência um conteúdo alucinatório; se, por exemplo, lhe fosse dado nas mãos um pedaço de pau, ele se imaginava num cenário de guerra. Considerava-se em postos avançados, via o inimigo se aproximando etc.[14]

22 Guinon e Sophie Woltke fizeram a seguinte experiência com histéricos: colocaram diante dos olhos de uma paciente em estado de ataque histérico um vidro azul. Ela sempre via nele a figura de sua mãe no céu azul. Um vidro vermelho mostrava-lhe uma ferida sangrando e um vidro amarelo uma vendedora de laranjas ou uma senhora de vestido amarelo[15].

23 O caso de Mesnet lembra os casos de brusca diminuição da memória.

24 Mac Nish conta um caso semelhante: Jovem senhora, aparentemente sadia, caiu de repente num sono profundo, de duração anormal e aparentemente sem sintomas prodrômicos. Ao acordar, esquecera as palavras e as noções das coisas mais simples. Teve que aprender novamente a ler, escrever e calcular. No aprendizado disso fez rápidos progressos. Após um segundo ataque de sono, acordou no estado normal anterior sem se lembrar do episódio intermédio. Durante mais de quatro anos se alternaram esses estados em que a consciência mostrou continuidade dentro dos dois estados, mas estava separada pela amnésia da consciência do estado normal[16].

25 Estes casos selecionados de mudanças heterogêneas da consciência lançam certa luz sobre o nosso caso. O caso de Naef mostra dois

---

14. MESNET, E. "De l'automatisme de la mémoire et du souvenir dans le somnambulisme pathologique". Apud BINET, A. *Les altérations...* Op. cit., p. 37. • MESNET, E. "Somnambulisme spontané dans ses rapports avec l'hystérie". *Archs. de Neur.*, n. 69, 1892, p. 289-304.

15. GUINON, G. & WOLTKE, S. "De l'influence des excitations des organes des sens sur les hallucinations de la phase passionnelle de l'attaque hystérique". *Archs. de Neur.*, XXI, 1891, p. 346-365.

16. *The Philosophy of Sleep*. Apud *BINET, A. Les altérations...* Op. cit., p. 4s.

eclipses histeriformes de memória, caracterizando-se um deles pelo surgimento de obsessões e o outro, por causa da longa duração, por diminuição da consciência e nomadismo. Os impulsos peculiares e inesperados estão bem claros sobretudo nos casos de Proust e Mesnet. Podemos colocar perfeitamente em paralelo com isso o arrancar instintivo de flores e o revolver sepulturas de nosso caso. A continuidade da consciência, demonstrada por nossa paciente nos acessos individuais, lembra o comportamento da consciência no caso de Mac Nish, devendo por isso nosso caso ser considerado um fenômeno transitório de consciência alternada. O conteúdo alucinatório e onírico da consciência diminuída em nosso caso parece não justificar a inclusão sem mais desse caso naquele grupo da dupla consciência *(double conscience)*. As alucinações no segundo estado apresentam uma certa criatividade que parece condicionada por sua autossugestionabilidade. No caso de Mesnet, vemos o surgimento de fenômenos alucinatórios por simples estímulo táctil. A subconsciência da paciente usa as percepções para a construção automática de cenários complicados que, então, prendem a consciência diminuída. No caso das alucinações de nossa paciente, temos que pensar em algo semelhante; ao menos as condições externas sob as quais acontece o surgimento das alucinações parecem reforçar nossa suposição:

26

O passeio pelo cemitério induz à visão dos esqueletos, o encontro com os três rapazes desperta a alucinação de crianças enterradas vivas cujas vozes a paciente ouve de noite. A paciente chegou ao cemitério em estado sonambúlico que dessa vez era especialmente intenso devido à ingestão de álcool; pratica ações instintivas das quais sua subconsciência recebe sem dúvida algumas impressões (O papel que o álcool aqui desempenha não deve ser menosprezado; segundo a experiência, ele atua sobre estados semelhantes não só de forma agravante, mas deve-se atribuir a ele também, como a qualquer outro narcótico, certo aumento da sugestionabilidade). As impressões obtidas no sonambulismo evoluem subconscientemente como vegetação autônoma e se manifestam finalmente como alucinações na percepção. Com isso nosso caso se vincula estreitamente aos estados oníricos sonambúlicos que são atualmente objeto de aprofundados estudos principalmente na Inglaterra e na França.

27 Os lapsos de memória que pareciam inicialmente sem conteúdo recebem, através de eventual autossugestão, um conteúdo que se amplia automaticamente até certo grau, mas que, num desenvolvimento ulterior, talvez sob a influência da melhora incipiente, chega a estagnar e, finalmente, com o início da cura, desaparece completamente.

28 Sobre a implantação de sugestões num estado parcial de sono, Binet e Féré fizeram diversas experiências. Mostraram, por exemplo, que bastava colocar um lápis na mão anestesiada de um histérico para obter, de pronto, longas e automáticas cartas que eram totalmente estranhas à consciência do paciente. Estímulos cutâneos em regiões anestesiadas são percebidos às vezes como imagens visuais ou ao menos como representações visuais vivas que surgem automaticamente. Estas transmutações autônomas de estímulos simples devem ser consideradas como o fenômeno primário do surgimento de ilusões sonambúlicas. Mesmo na esfera da consciência acordada, acontecem em alguns casos fenômenos análogos. Goethe conta, por exemplo, que quando estava sentado, com a cabeça inclinada para a frente, e se imaginava vivamente uma flor, via como ela se mudava automaticamente, ocorrendo novas combinações de formas[17]. No estado meio-acordado, estes fenômenos são relativamente frequentes, sendo conhecidos como alucinações hipnagógicas. Os automatismos, conforme vimos no exemplo de Goethe, diferem dos fenômenos sonambúlicos propriamente ditos, pois a representação inicial neste caso é consciente e o desenvolvimento ulterior do automatismo se mantém dentro dos limites colocados pela representação inicial, portanto dentro dos limites do simplesmente motor ou visual.

29 Se a representação inicial cair abaixo do limiar da consciência, ou se nunca tiver sido consciente, e o desenvolvimento automático passar para campos vizinhos como, por exemplo, se a percepção da flor viesse também associada à ideia de uma mão que a colhesse, ou

---

17. GOETHE, J.W. von. *Zur Naturwissenschaft im allgemeinen*. Stuttgart: Cotta XXX, 1858. "Quando fechava os olhos e curvava a cabeça, tinha o dom de colocar uma flor no centro de meu órgão visual. Ela não permanecia, por um instante sequer, em sua forma primitiva, mas de seu interior brotavam constantemente novas flores multicores e folhas verdes. Não eram flores naturais, mas fantásticas e, no entanto, regulares como rosetas de um escultor. Era impossível fixar a criação que brotava, mas durava o tempo que eu quisesse, não se enfraquecia e nem aumentava" (p. 333).

com a ideia do cheiro da flor, perderíamos toda a possibilidade de delimitar o automatismo em estado de vigília daquele que ocorre em estado sonambúlico. O único marco diferenciador seria então apenas o "mais" ou "menos". Falamos, no primeiro caso, de "alucinações em estado de vigília da pessoa sadia" e, no outro, de "visões oníricas do sonâmbulo". A qualificação dos ataques de nossa paciente como histéricos ganha em certeza se pudermos demonstrar que as alucinações provavelmente têm origem psicógena. Isto foi confirmado pelos incômodos da paciente (dores de cabeça e "tendinite") que se mostraram acessíveis a um tratamento por sugestão. O único fator que o diagnóstico de "histeria" não leva suficientemente em consideração é o etiológico, pois seria de se esperar *a priori* que no decorrer de uma doença, que corresponde perfeitamente à cura de um esgotamento através de repouso, se encontrassem cá e lá características que pudessem ser interpretadas como sinais de esgotamento. Surge, portanto, a questão se os ataques a princípio parecidos com lapsos de memória e, mais tarde, sonambúlicos não poderiam ser tomados como estados de esgotamento e, respectivamente, como "crises neurastênicas". Sabemos que no campo da inferioridade psicopática podem ocorrer diversas espécies de estados epileptoides que sem dúvida devem ser atribuídos à epilepsia ou histeria. C. Westphal diz textualmente: "Baseado em diversas observações, digo que os referidos ataques epileptoides são um dos sintomas mais gerais e frequentes [...] fazem parte do grupo de doenças que incluímos entre as doenças mentais e neuropatías e que não é determinante para o caráter e forma da doença e nem para seu desenrolar e prognóstico a simples presença de um ou mais ataques epilépticos ou epileptoides [...] Empreguei aqui o conceito *epileptoide* no sentido mais amplo para o próprio ataque"[18].

30 Os fatores epileptoides de nosso caso não precisam ser ressaltados; pode-se objetar que a coloração de todo o quadro seja extremamente histérica. Mas contra isso é preciso dizer que nem todo sonambulismo é *eo ipso* histérico. Acontece às vezes que estados típicos de epilepsia sejam colocados, por pessoas competentes, diretamente em

18. WESTPHAL, C. "Die Agoraphobie, eine neuropathische Erscheinung". *Arch. F. Psychiat. u. Nervenkr.*, III, 1871, p. 158.

paralelo com estados sonambúlicos, ou considerados diferentes do estado histérico somente pela ocorrência de autênticas convulsões[19].

31 Mostra Diehl[20] que também podem ocorrer "crises" no terreno da inferioridade neurastênica, o que muitas vezes confunde o diagnosticador. Um conteúdo definido de ideias pode, inclusive, repetir-se estereotipadamente nas crises individuais. Recentemente também Mörchen[21] publicou um caso de estado crepuscular epileptoide-neurastênico.

32 O caso seguinte devo à narrativa do professor Bleuler: Um senhor de meia-idade, boa cultura, sem antecedentes epilépticos, chegou ao esgotamento devido a intenso trabalho intelectual por anos a fio. Sem outros sintomas prodrômicos (nenhuma depressão etc.), tentou suicídio por ocasião de um período de férias: acometido por um autêntico estado crepuscular, atirou-se nas águas de um rio em cuja margem havia outras pessoas. Foi imediatamente tirado da água e tinha apenas vaga memória do acontecido.

33 Em vista destas observações, é preciso atribuir à neurastenia uma participação importante nos ataques de nossa paciente. As dores de cabeça e a "tendinite" apontam para uma histeria relativamente leve, normalmente latente e que só aparece sob influência do esgotamento. A gênese dessa doença peculiar explica a afinidade dela com a epilepsia, histeria e neurastenia. Resumindo: a Srta. Elise K. sofre de inferioridade psicopática com tendência à histeria. Por causa de um esgotamento nervoso tem ataques de torpor "epileptoide" cuja interpretação ainda é incerta à primeira vista. Como consequência de uma dose incomum e maior de álcool, os ataques evoluem para um nítido sonambulismo com alucinações que se vinculam oniricamente a percepções fortuitas e externas. Após a cura do esgotamento nervoso também desaparecem os fenômenos histeriformes.

---

19. PICK, A. "Vom Bewusstsein in Zuständen sogenannter Bewusstlosigkeit". *Arch. f. Psychiat. u. Nervenkr.*, XV, 1884, p. 202. • PELMAN, C. "Über das Verhalten des Gedächtnisses bei den verschiedenen Formen des Irreseins". *Allg. Z. f. Psychiat.*, XXI, 1864, p. 78.

20. DIEHL, A. "Neurasthenische Krisen". *Münch, med. Wschr.*, ano 49, n. 9, 1902, p. 366: "Quando os doentes descrevem suas crises é geralmente um quadro que nos faz pensar em crise epiléptica. Muitas vezes me enganei neste sentido [...]"

21. MÖRCHEN, F. "Über Dämmerzustände. Ein Beitrag zur Kenntnis der pathologischen Bewusstseinsveränderungen". Marburg, 1901, caso 32, p. 75.

34 No campo da inferioridade psicopática de coloração histérica encontramos fenômenos que trazem em si, como no caso acima, os sintomas de diferentes quadros clínicos, mas sem que possamos atribuí-los com certeza a nenhum destes em particular. Alguns destes estados já são, em parte, considerados como quadros clínicos autônomos, como, por exemplo, a mentira patológica, as fantasias patológicas etc. Muitos desses estados, porém, ainda carecem de um trabalho científico mais profundo; por enquanto, permanecem mais ou menos no campo do boato científico. Exibem esses estados as pessoas com alucinações habituais e as inspiradas; chamam a atenção dos outros sobre si mesmas, ora como poetas e artistas, ora como santos, profetas ou fundadores de seitas.

35 A gênese da mentalidade peculiar dessas pessoas está, em grande parte, oculta na escuridão absoluta, uma vez que é raro conseguir submeter essas figuras singulares a uma observação mais exata. Considerando a importância histórica, em geral, grande dessas pessoas, parece imprescindível que se tenha material científico suficiente pelo qual possamos penetrar mais de perto no desenvolvimento psicológico de suas peculiaridades. Sem considerar os produtos, hoje em dia praticamente inúteis, da orientação pneumatológica dos inícios do século XIX, a literatura científica em língua alemã é muito pobre em observações competentes neste campo; parece mesmo haver certa aversão aos trabalhos neste sentido. O que sabemos de fato sobre o assunto devemo-lo quase exclusivamente aos pesquisadores de língua francesa e inglesa. Desejaríamos que nossa literatura fosse enriquecida sob este aspecto. Estas reflexões me levaram a publicar algumas observações que talvez contribuam para ampliar nossos conhecimentos sobre as relações dos estados crepusculares histéricos com os problemas históricos e da psicologia normal.

Um caso de sonambulismo com carga hereditária (Médium espírita)

36 O caso a seguir foi observado por mim em 1899 e 1900. Como eu não tinha um relacionamento médico-clínico com a senhorita S.W., não pude fazer um exame físico para detectar estigmas histéricos. Das sessões fiz um diário minucioso que ia completando após cada entrevista. O relato a seguir é uma exposição resumida com base nestas anotações. Em respeito à família e à pessoa da senhorita S.W. foram modificados alguns dados sem importância e omitidos detalhes de seus "romances" que, em grande parte, se constituíam de assuntos bem íntimos.

37 A senhorita S.W. tinha 15 anos e meio de idade, e era protestante. O avô por parte do pai era muito inteligente, pertencia ao clero e tinha muitas vezes alucinações enquanto acordado (na maioria das vezes eram visões, em geral, de cenas dramáticas inteiras, com diálogo etc.). Um irmão do avô era débil mental, um excêntrico que também tinha visões. Uma irmã do avô também tinha um caráter estranho. A avó por parte do pai teve, aos 20 anos e após uma doença febril (tifo?), um ataque de morte aparente que durou três dias e do qual acordou aos poucos somente depois que lhe queimaram o topo da cabeça com um ferro em brasa. Depois disso, quando emocionalmente excitada tinha desmaios que, normalmente, eram seguidos de breve sonambulismo durante o qual ela profetizava. O pai era uma personalidade diferente e original, com ideias bizarras. Dois de seus irmãos eram semelhantes a ele. Todos os três tinham alucinações enquanto acordados (dupla fisionomia, premonições etc.). O terceiro irmão tinha um caráter bizarro e esquisito, unilateralmente bem-dotado. A mãe

tinha uma inferioridade psicopática congênita, beirando o psicótico. Uma irmã era histérica e visionária e a outra sofria de "ataques cardíacos nervosos".

A senhorita S.W. era de constituição franzina, formação craniana algo raquítica, mas sem manifestar hidrocefalia, rosto pálido, olhos negros com um brilho muito penetrante. Nunca teve qualquer doença mais grave. Na escola era aluna mediana, mostrava pouco interesse e era desatenta. De modo geral, seu comportamento era reservado, mas podia repentina e frequentemente dar lugar à mais barulhenta e exaltada euforia. De inteligência mediana, não era dotada de dons especiais. Não gostava de música nem de livros, preferia trabalhos manuais ou apenas ficar sonhando. Na escola parecia muitas vezes ausente de espírito, cometendo erros, especialmente quando lia em voz alta: por exemplo, em vez de ler "Ziege" (cabra), lia a palavra "Geiss" e, em vez de "Treppe" (escada), lia "Stege", e isto acontecia com tanta frequência que seus irmãos riam dela. De resto, nada de anormal se mostrava na senhorita S.W.; jamais se manifestaram fenômenos histéricos graves. Sua família era composta de trabalhadores braçais e comerciantes com interesses bastante limitados. Não se toleravam livros de conteúdo místico. A educação de S.W. fora deficiente. Abstraindo do fato de serem muitos os irmãos e irmãs, tratando-se, portanto, de uma educação em massa, as crianças sofriam sob o tratamento inconsequente, vulgar e às vezes brutal da mãe. O pai, comerciante muito ocupado, pouco se dedicava aos filhos e morreu quando S.W. ainda era adolescente. Não é de estranhar que, num ambiente tão adverso, a senhorita S.W. se sentisse deprimida e infeliz. Muitas vezes tinha medo de ir para casa e gostava de ficar em qualquer outro lugar que não fosse sua casa. Ficava a maior parte do tempo com suas colegas de infância, não se dedicando muito à cultura. Por isso, seu grau de formação era baixo e seus interesses bastante limitados. Seus conhecimentos literários eram reduzidos. Conhecia os poemas mais comuns de Schiller, de Goethe e de alguns outros poetas que aprendera de cor na escola; além disso, alguns cantos e trechos de salmos. Na prosa, as novelas baratas de jornais e revistas eram o limite máximo. Até a época do sonambulismo, não havia lido nenhum livro de conteúdo mais erudito.

38

39 Ouviu falar em casa e da parte de colegas sobre mesas que respondiam a certos estímulos e começou a interessar-se pelo assunto. Pediu que a deixassem participar dessas experiências e foi atendida. Em julho de 1899 realizou, a título de brincadeira, algumas sessões com a mesa falante na presença de amigas e de seus irmãos. Descobriu-se, então, que ela era uma excelente "médium". Recebeu da mesa algumas comunicações de caráter sério que causaram espanto geral nos espectadores. Era surpreendente o tom pastoral da voz. O espírito se apresentou como sendo o avô da médium. Sendo eu conhecido da família, tive oportunidade de assistir a estas experiências. Em inícios de agosto de 1899, verificaram-se, na minha presença, os primeiros ataques de sonambulismo. Na maior parte das vezes, transcorriam desta maneira: a senhorita S.W., muito pálida, desabava lentamente para o chão ou sobre uma cadeira, fechava os olhos, tornava-se cataléptica, respirava profundamente algumas vezes e começava então a falar. Neste estágio, estava geralmente bem relaxada, os reflexos das pálpebras eram normais como também a sensibilidade do tato. Era sensível a toques inesperados e muito assustadiça, ao menos no estágio inicial.

40 Não reagia ao ser chamada pelo nome. Em suas conversas sonambúlicas copiava de modo perfeito parentes e conhecidos falecidos, a ponto de impressionar até mesmo pessoas não influenciáveis. Copiava também pessoas das quais só tinha conhecimento por ouvir falar e o fazia tão bem que qualquer espectador devia confessar no mínimo que se tratava de excelente atriz. Aos poucos foram se somando às conversas também gestos que culminavam em "atitudes passionais" e em cenas bem dramáticas. Assumia uma postura de oração e êxtase, tinha um olhar faiscante e falava com retórica apaixonada e arrebatadora. Nestas ocasiões só usava o alemão clássico que falava com perfeita segurança e naturalidade, em absoluto contraste com sua maneira insegura e atrapalhada quando em estado de vigília. Seus movimentos eram desembaraçados e graciosos, tornando mais encantadores os estados emocionais que se alternavam. Neste estágio e durante os diversos ataques, seu comportamento era bastante irregular e variava muito. Ora ficava deitada quieta, de olhos fechados, de dez minutos até duas horas, no chão ou no sofá, ora permanecia meio-sentada e falava com voz e dicção alteradas, ora estava em cons-

tante movimento fazendo todo tipo de gestos e pantomimas. Também era irregular e variável o conteúdo de sua fala. Às vezes falava de si na primeira pessoa, mas não por muito tempo, e só para anunciar seu próximo ataque; às vezes falava de si na terceira pessoa (era o mais comum). Representava então alguma outra pessoa, algum conhecido já morto ou alguém que ela mesma inventava; representava este personagem perfeitamente segundo as características que ela mesma lhe atribuía. Ao final do êxtase sobrevinha ainda um estágio cataléptico com *flexibilitas cerea* (flexibilidade de cera) que, aos poucos, ia levando a paciente a acordar. Quase sempre era acometida de forte palidez que lhe dava um aspecto anêmico de cera, capaz de amedrontar qualquer um. Em geral, isso acontecia no início do ataque, mas também podia ocorrer na segunda metade dele. Nesta ocasião seu pulso ficava fraco, mas regular e de frequência normal, a respiração fraca, superficial, quase imperceptível. Como dissemos, a senhorita S.W. prenunciava muitas vezes os ataques. Pouco antes de ser acometida, tinha sensações estranhas, ficava agitada, um pouco medrosa e não raro manifestava ideias de morte: provavelmente haveria de morrer durante um ataque desses, que sua alma estava presa ao corpo apenas por um fio muito tênue de forma que o corpo mal podia viver. Certa vez, após o estágio cataléptico, foi constatada uma taquipneia por dois minutos, com uma frequência de 100 respirações por minuto. No início, os ataques eram espontâneos, mais tarde ela conseguia provocá-los sentando-se num canto escuro e tapando o rosto com as mãos. Muitas vezes, porém, a tentativa não surtia efeito. Isso dependia dos "bons" ou "maus" dias dela.

41

A questão da amnésia, após os ataques, infelizmente ficou sem esclarecimento. É certo que depois de cada ataque estava bem orientada sobre as experiências específicas que tivera durante o "êxtase". Mas é incerto até que ponto se lembrava das conversas que tinha enquanto servia como médium e das mudanças ao seu redor durante os ataques. Muitas vezes parecia que tinha vaga lembrança de tudo isso. Ao acordar, perguntava quase sempre: "Quem esteve aqui? Foi Fulano ou Sicrano? O que ele disse?" Demonstrava também que possuía vago conhecimento do conteúdo das conversas. Dizia então que os espíritos lhe haviam contado, um pouco antes de acordar, o que fora falado. Muitas vezes, porém, isto não acontecia.

Quando, a seu pedido, alguém lhe contava o conteúdo das conversas ocorridas durante o transe, ficava indignada e por horas a fio mostrava tristeza e depressão, sobretudo quando havia ocorrido alguma indiscrição desagradável. Chegava mesmo a xingar e garantia que haveria de pedir, na próxima vez, a seus guias que mantivessem afastados tais espíritos. Sua indignação não era fingida, pois quando acordada mal conseguia controlar-se a si mesma e suas emoções, refletindo-se logo em sua face qualquer mudança de disposição. Às vezes parecia não se dar conta do que acontecia ao seu redor durante os ataques. Raramente percebia se alguém entrava ou saía da sala. Certa vez proibiu-me de entrar na sala porque esperava uma comunicação especial que desejava ocultar de mim. Entrei assim mesmo, sentei-me junto aos outros três presentes e escutei tudo. Ela tinha os olhos bem abertos, falava diretamente com alguns dos presentes, mas ignorava a minha presença. Quando comecei a falar, deu-se conta de minha presença, o que provocou verdadeira onda de indignação. Lembrava-se melhor, mas também em traços aparentemente vagos, dos comentários dos participantes que se referiam às conversas durante o transe ou a ela pessoalmente. Nunca descobri se havia algum entendimento especial nesta relação.

42 Além desses "grandes" ataques, que mostravam certo ordenamento em seu transcurso, S.W. apresentava ainda grande número de outros automatismos. Pressentimentos, premonições, atitudes inesperadas, disposições de espírito em constante mutação eram coisas de todo dia. Nunca observei estados comuns de sono. Mas observei que, em meio a uma conversa bem animada, de repente ficava confusa e continuava falando de forma bem monótona e sem sentido, olhando para a frente com os olhos semicerrados e sonolentos. Estas "ausências" duravam apenas alguns minutos. Dizia, então: "O que foi que você disse?" No começo, não queria dar nenhuma informação sobre estas ausências e se saía com evasivas: fiquei um pouco tonta, estava com dor de cabeça etc. Mais tarde se restringia a dizer: "Estiveram novamente aqui", isto é, seus espíritos. Era submetida a estas ausências contra a sua vontade e às vezes se revoltava contra isso: "Não quero, não posso agora, venham em outra oportunidade, pensam que estou disponível só para eles". Estes lapsos de ausência aconteciam na rua, no estabelecimento comercial e, na verdade, em qualquer lugar. Quando ocorriam

na rua, encostava-se numa casa e esperava o ataque passar. Durante esses lapsos, que variavam de intensidade, tinha normalmente visões; muitas vezes também – sobretudo nos ataques em que empalidecia ao extremo – ela "viajava", isto é, segundo palavras dela mesma, saía de seu corpo e se transferia para lugares distantes, guiada por seus espíritos. As viagens para longe, durante o êxtase, provocam-lhe grande cansaço. Ficava esgotada por várias horas depois e se queixava às vezes de que os espíritos lhe haviam tirado muita força, de que estes esforços já eram demais para ela e gostaria que os espíritos procurassem outro médium etc. Certa vez, após um êxtase deste tipo, teve uma cegueira histérica durante meia hora. Seu andar era cambaleante, ia tateando, tinha que ser conduzida, não enxergava a luz do lampião sobre a mesa. Depois, as pupilas reagiram.

43

Tinha muitas visões também sem lapsos de ausência propriamente ditos (se entendermos por isso apenas os distúrbios de atenção de alto grau). A princípio, as visões se restringiam ao início do sono. Algum tempo depois de deitar-se, o quarto se iluminava e da claridade nebulosa iam surgindo figuras brancas e brilhantes. As vestes eram véus brancos; as mulheres usavam cinto e uma espécie de turbante na cabeça. Mais tarde (segundo relato dela), "os espíritos muitas vezes já estavam presentes" quando ela queria ir para a cama. Finalmente, via as figuras em plena luz do dia, mas só de modo difuso e por pouco tempo; quando porém se verificava um autêntico lapso de ausência, as figuras se condensavam a ponto de poderem ser tocadas. A senhorita S.W. preferia, porém, o escuro. Segundo informação dela, o conteúdo das visões era, na maioria das vezes, muito agradável. Olhando para as belas figuras sentia grande felicidade. Raríssimas eram as visões assustadoras, de caráter demoníaco. Estas se restringiam sempre a altas horas da noite ou a ambientes escuros. Às vezes via figuras negras na rua à noite ou em seu quarto; certa vez assustou-se, no corredor escuro, com um rosto terrível, cor de cobre, que a encarou face a face. Nada de satisfatório consegui saber sobre o primeiro caso de visão. S.W. contou que quando tinha 5 ou 6 anos vira certa vez, de noite, o seu guia, o avô (que ela não conhecera em vida). Não consegui obter, junto a seus parentes, algum ponto de referência objetivo para esta visão antiga. Depois, nada mais aconteceu até a primeira sessão. Com exceção da claridade hipnagógica e de "ver faíscas" não houve alucinações elementares; desde o começo, as alucinações eram de natureza sistemática, envolvendo todos os sentidos orgânicos por igual. Quanto à reação intelectual a esses fenômenos, é digno de nota a surpreendente naturalidade com que aceitava seus sonhos. Seu desenvolvimento todo em direção ao sonambulismo e suas inúmeras experiências enigmáticas eram para ela algo perfeitamente natural. Todo o seu passado ela o via apenas nesta luz. Todo e qualquer acontecimento mais importante de sua vida anterior tinha uma relação clara e necessária com seu estado atual. Estava feliz porque tinha a consciência de haver encontrado sua tarefa vital. Inabalável era sua convicção da realidade de suas visões. Tentei várias vezes dar-lhe uma explicação crítica, mas não a aceitava; quando estava em seu estado normal não era capaz de compreender uma explicação racional, e quando em estado semissonambúlico achava que minha explicação era besteira, diretamente contrária aos fatos. Disse-me certa vez: "Não sei se aquilo que os espíritos me falam e me ensinam é verdadeiro, também não sei se eles são aqueles que dizem ser, mas que meus espíritos existem não há dúvida alguma. Vejo-os diante de mim, posso tocá-los, falo com eles sobre tudo que quero e de maneira tão clara e natural como estou falando agora. Evidentemente, eles existem". Não queria nem ouvir falar que esses fenômenos teriam algo a ver com doença. Duvidar de sua saúde ou da realidade de seu mundo de sonhos afligia-a ao extremo. Minhas observações a magoavam muito, de modo que se fechava em minha presença e se recusou por longo tempo a fazer experiências se eu estivesse por perto; por isso tomei cuidado em não manifestar em alta voz minhas dúvidas e restrições. Entrementes ia angariando grande respeito e admiração por parte de seus parentes e conhecidos mais chegados que buscavam junto a ela conselhos para tudo. Conseguiu aos poucos tal influência sobre seus adeptos que três de suas irmãs também começaram a ter alucinações bem semelhantes. As alucinações começavam geralmente como sonhos noturnos bem vívidos e dramáticos que passavam aos poucos para o estado de vigília, sendo em parte hipnagógicas e em parte hipnopômpicas. Uma irmã casada de S.W. tinha sonhos muito vivos que tinham sequência noite após noite e que, finalmente, apareceram também na sua consciência acordada, a princípio como ilusões não muito claras, mas, depois, como verdadeiras alucinações, sem contudo atingir a clareza plástica das visões de S.W. Viu, por exemplo, no sonho, uma figura demoníaca preta aproximando-se de sua cama, discutindo acaloradamente com uma figura branca e bela que procurava deter a figura preta; mas a figura preta agarrou-a pelo pescoço e começou a estrangulá-la; acordou neste instante. Viu, inclinada sobre ela, uma sombra escura com traços humanos e ao lado dela uma figura branca e nebulosa. A visão só desapareceu quando acendeu a luz. Visões semelhantes repetiram-se dezenas de vezes. As visões das outras duas irmãs eram parecidas, mas de menor intensidade.

44

O tipo de ataques que descrevemos, com a abundância de visões e ideias fantásticas, desenvolveu-se ao máximo no período de quase um mês, não sendo jamais ultrapassado no futuro. O que aconteceu depois foi apenas uma elaboração de todos aqueles pensamentos e ciclos de visão que foram prenunciados de certa forma já desde o começo. Além dos "grandes" ataques e dos "pequenos" estados de "ausência", cujo conteúdo, porém, era idêntico, chamava a atenção uma terceira categoria de estados. Eram os *estados semissonambúlicos* que surgiam no início ou no fim dos "grandes" ataques, mas que também se manifestavam independentemente deles. Desenvolveram-se aos poucos no decorrer do primeiro mês. Foi impossível fixar uma data mais precisa de seu aparecimento. Neste estado chamava a atenção a rigidez da expressão facial, os olhos brilhantes, uma certa dignidade e moderação dos movimentos. Mas neste estado a senhorita S.W. era ela mesma ou, melhor, seu eu sonambúlico. Estava perfeitamente orientada em relação ao mundo externo, mas parecia ter um pé em seu mundo de sonhos. Via e ouvia seus espíritos, via como eles andavam pelo quarto entre os presentes ficando ora perto de um ora de outro. Tinha clara memória de suas visões, de suas viagens e das instruções recebidas. Falava com calma, clareza e precisão e tinha um ar sempre sério, quase solene. Todo o seu ser traduzia profunda religiosidade, sem qualquer ressaibo pietista, e seu linguajar não estava absolutamente influenciado por algum jargão bíblico de seu guia. Sua postura solene tinha algo de sofrido, de melancólico. Padecia por causa da grande diferença entre seu mundo noturno ideal e a crua realidade do dia a dia. Este estado estava em franca oposição ao seu estado quando acordada: não se encontrava nele qualquer vestígio daquele ser inseguro e desarmônico, daquele temperamento brusco e nervoso, tão característico de seu comportamento usual. Ao falar com ela, tinha-se a impressão de estar falando com pessoa bem mais velha que chegou a uma atitude segura e equilibrada por causa de muitas experiências na vida. Neste estado chegava também a seus melhores resultados, ao passo que suas ficções correspondiam mais ao objeto de seu interesse quando acordada. O semissonambulismo surgia na maior parte das vezes de modo espontâneo, em geral durante as experiências com a mesa, quando S.W. começava a conhecer de antemão as mensagens automáticas da mesa. Normalmente abandonava então os movimentos da mesa e, após pequeno lapso de tempo, passava de repente ou aos poucos para o êxtase. Provava ser muito sensitiva. Conseguia adivinhar e responder às perguntas mais simples que algum dos presentes – que não era "médium" – apenas havia pensado. Bastava que ele colocasse a mão sobre a mesa ou sobre as mãos dela para lhe dar as pistas necessárias. Nunca pôde ser constatada uma transmissão direta de pensamento. Ao lado do óbvio desenvolvimento de toda a sua personalidade, a persistência de seu caráter antigo e comum era impressionante. Falava com evidente prazer sobre todas as suas pequenas experiências da infância, sobre os namoricos e segredos do coração, sobre as diabruras e grosserias de seus companheiros e colegas. Para quem não conhecia seu segredo, ela era uma moça de 15 anos e meio, em nada diferente de milhares de outras. Por isso era grande o espanto quando se chegava a conhecê-la também sob o outro aspecto. Seus parentes mais chegados não conseguiam, a princípio, entender esta transformação; alguns nunca chegaram a compreendê-la de forma que havia frequentes discussões na família sobre ela, tomando alguns partido a favor e outros contra. Aqueles a defendiam ardorosamente, estes a censuravam com igual ardor, acusando-a de "supersticiosa". E assim, pelo período que mantive contato com ela, a senhorita S.W. levou uma vida singular e contraditória, verdadeira "vida dupla" com duas personalidades existindo lado a lado ou sucessivamente, cada qual lutando pela supremacia. Darei agora, em ordem cronológica, alguns detalhes mais interessantes das sessões.

Relato das sessões

45 *Primeira e segunda sessão*, agosto de 1899. A senhorita S.W. assumiu de imediato o controle das "comunicações". O "psicografa-

dor", neste caso um copo emborcado sobre o qual foram colocados dois dedos da mão direita, movia-se com impressionante rapidez de letra para letra (folhinhas de papel, com letras e números, haviam sido colocados em volta do copo). Foi comunicado que o avô da médium estava presente e que falaria conosco. Seguiram-se comunicações em rápida sucessão, a maioria delas de conteúdo religioso e edificante. Algumas vinham escritas de forma correta, outras com alguma troca de letras e outras ainda de trás para frente. Estas últimas palavras ou frases eram produzidas de forma tão rápida que não era – possível captar seu conteúdo de imediato, mas só posteriormente, ao inverter as letras. Em dado momento, as comunicações foram interrompidas de maneira brusca por nova comunicação anunciando a presença do avô do autor deste livro. Neste momento alguém fez uma observação jocosa: "Evidentemente os dois espíritos não se entendem muito bem". Durante a experiência, anoiteceu. De repente, a senhorita S.W. ficou inquieta, ergueu-se assustada, caiu de joelhos e gritou: "Aqui, aqui, não estão vendo esta luz, esta estrela?" e indicava um canto escuro do quarto. Ficava cada vez mais agitada e, apavorada, pedia que trouxessem luz. Estava pálida e dizia chorando que "se sentia muito estranha e não sabia o que estava acontecendo com ela". Quando trouxeram a luz, ficou calma. As experiências foram suspensas.

46 Na próxima sessão, que se realizou alguns dias depois, também à noite, comunicações semelhantes foram recebidas por S.W. de seu avô. Ao escurecer, recostou-se de repente no sofá, ficou pálida, fechou os olhos deixando só pequena fresta aberta e aí permaneceu imóvel. Os globos oculares estavam voltados para cima, o reflexo das pálpebras era normal, como também a sensibilidade táctil. A respiração era suave, quase imperceptível. O pulso estava fraco e lento. Isto durou em torno de meia hora quando então S.W. se levantou com um profundo suspiro. A forte palidez que a acometera durante todo o ataque deu lugar à sua cor rosada normal. Estava algo confusa e perturbada, disse ter visto muita coisa, mas não queria falar nada. Somente após grande insistência contou que, num estado de lucidez especial, vira seu avô de braços dados com meu avô. Depois foram embora, sentados lado a lado, numa carruagem aberta.

47 *Terceira sessão.* Nesta sessão, realizada alguns dias depois, S.W. teve um ataque semelhante que durou mais de meia hora. Contou a

seguir que vira várias figuras de branco estendendo-lhe cada qual uma flor de grande valor simbólico. A maioria eram parentes falecidos. Quanto ao conteúdo da conversa com as figuras, manteve absoluto silêncio.

48 *Quarta sessão.* Após entrar no estado sonambúlico, S.W. começou a fazer movimentos estranhos com os lábios emitindo ao mesmo tempo sons de engolir e gargarejar. Depois passou a sussurrar algo ininteligível. Isto se prolongou por alguns minutos. De repente começou a falar com voz grave e mudada. Falava de si na terceira pessoa: "Ela não está aqui, saiu". Seguiram-se então algumas frases de conteúdo religioso. Da formulação e conteúdo delas, podia-se deduzir que estava imitando seu avô que fora clérigo. O conteúdo da conversa não ultrapassava o nível mental das "comunicações". O tom de voz tinha um quê de artificial e forçado que só foi assumindo naturalidade na medida em que se aproximava, no decorrer da conversa, da voz da médium (em sessões posteriores, a voz só se alterava por alguns momentos, quando se manifestava novo espírito). Depois disto, não se lembrava das conversas ocorridas durante o transe. Deu algumas indicações sobre uma estadia no além. Falou de uma felicidade inimaginável que experimentara. Note-se que durante o ataque falava de forma espontânea sem interferência de nenhuma sugestão.

49 Logo depois dessa sessão, S.W. tomou conhecimento do livro de Justinus Kerner, *A vidente de Prevorst*[22]. Começou então a magnetizar-se após os ataques, por meio de passes regulares e por estranhos círculos e formas em oito que executava simetricamente com os dois braços ao mesmo tempo. Fazia isto, segundo informação dela mesma, para dissipar as fortes dores de cabeça que a atormentavam após os ataques. Nas sessões de agosto (não mencionadas aqui), juntaram-se ao avô inúmeros outros espíritos afins que não produziram nada de especial. Sempre que novo espírito aparecia, os movimentos do copo se alteravam de modo impressionante: corria ao longo da série de letras, tocava em uma ou outra letra, sem contudo formar nenhum sentido. A ortografia era bastante irregular e arbitrária; as primeiras frases eram muitas vezes incompletas ou interrompidas por

22. Primeira edição em 1829.

um amontoado de letras sem sentido. Só então começava a escrita fluente. Algumas vezes tentou-se a escrita automática na escuridão completa. Os movimentos começavam com violentas convulsões do braço todo, de modo que o lápis furava o papel. A primeira tentativa resultou numa série de desenhos e linhas em zigue-zague com aproximadamente oito centímetros de altura. Nas outras tentativas surgiram palavras incompreensíveis, escritas com letra bem grande, mas aos poucos a letra tomou-se menor e mais compreensível. A letra não era muito diferente daquela da médium. O espírito controlador era novamente o avô.

50 *Quinta sessão.* Ataques sonambúlicos em setembro de 1899. S.W. reclinou-se no sofá, fechou os olhos, respirava baixinho e com regularidade. Aos poucos foi ficando cataléptica. A catalepsia desapareceu uns dois minutos após e S.W. entrou aparentemente em sono calmo com os músculos bem relaxados. De repente começou a falar com voz surda: "Não, pegue você o vermelho que eu pego o branco. Você pode pegar o verde e você o azul. Estão prontos? Vamos então" (Pausa de vários minutos durante os quais seu rosto ficou com palidez cadavérica. As mãos estavam frias e sem cor). De repente chama em voz alta e solene: "Alberto, Alberto, Alberto! (depois quase sussurrando): Agora fale você", seguindo-se pausa maior durante a qual a palidez do rosto atingiu o grau máximo. (Novamente em voz alta e solene:) "Alberto, Alberto, você não acredita em seu pai? Eu lhe digo que há muitos erros nos ensinamentos de N. Pense nisso". Pausa. A palidez do rosto diminuiu. "Ele ficou tão assustado que nem conseguiu mais falar" (estas palavras foram ditas em tom de conversa normal). Pausa. "Ele certamente vai pensar no caso". No mesmo tom de conversa, S.W. continuou a falar numa língua estranha que se assemelhava ao francês e às vezes ao italiano. Falava com graça, fluência e bem depressa. Era possível entender algumas palavras, mas não memorizá-las por causa da estranheza da língua. De vez em quando, repetiam-se palavras como *wena, wenes, wenai, wene* etc. Era surpreendente a absoluta naturalidade do espetáculo. De vez em quando ela também fazia uma pausa, como se alguém lhe estivesse respondendo. De súbito, falou em alemão: "Já está na hora?" (com voz triste) "Devo ir agora? Adeus, adeus!" A estas palavras, apareceu em seu rosto uma indescritível expressão de felicidade extática. Levantou os

braços, abriu os olhos que até então estavam fechados e dirigiu um olhar brilhante para o alto. Ficou um instante nesta posição. Depois os braços caíram relaxados, os olhos se fecharam, a expressão do rosto era de cansaço e esgotamento. Após curto período cataléptico, acordou com um suspiro. Olhou ao redor de si e disse: "Dormi de novo, não é?" Contaram-lhe que falara durante o sono, o que a deixou sumamente irritada; e ficou mais irritada ainda quando soube que falara numa língua estranha. "Eu disse aos espíritos que não queria, que não podia ser, que isto me cansava muito". (Começou a chorar:) "Ó Deus, será que tudo tem que recomeçar como da última vez? Não serei poupada em nada?"

51 No dia seguinte, à mesma hora, novo ataque teve lugar. Depois que S.W. adormeceu, apresentou-se de repente Ulrich von Gerbenstein, que se mostrou um conversador bem-humorado; falava com desenvoltura o alemão clássico com acento do Norte da Alemanha. Perguntado sobre o que estaria fazendo agora a senhorita S.W., informou, após alguma hesitação, que ela estava bem longe, mas que ele estava aí para cuidar de seu corpo, de sua circulação sanguínea, de sua respiração etc. Também precisava evitar que algum preto dela se apossasse e lhe fizesse mal. Interrogado com mais insistência, disse que S.W. tinha ido com os outros ao Japão para encontrar-se com um parente longínquo e impedi-lo de fazer um casamento estúpido. Com voz bem baixa anunciou o exato momento em que o encontro estava acontecendo, proibiu qualquer conversa por alguns minutos, chamou a atenção para a momentânea palidez de S.W. e disse que a materialização a tão grande distância exigia o dispêndio de muita energia. Mandou que aplicassem compressas frias em sua testa para abrandar a forte dor de cabeça que ela sentiria depois. Com a volta da cor à sua face, a conversa tornou-se mais animada. Houve todo tipo de chistes infantis e trivialidades quando, de repente, U.v.G. disse: "Vejo-os chegando, mas ainda estão muito longe, vejo-os lá como uma estrelinha". S.W. apontou para o Norte. Perguntou-se naturalmente por que não vinham do Oriente. Ao que U.v.G. respondeu sorrindo: "Eles vêm pelo caminho direto do Polo Norte. Já vou indo. Adeus!" Logo a seguir S.W. suspirou e acordou. Estava de mau humor e se queixou de forte dor de cabeça. Disse que sabia que U.v.G. estivera ao lado de seu corpo e queria saber o que nos havia falado.

Ficou furiosa por causa dessa "tagarelice boba" que ele poderia ter evitado pelo menos uma vez.

52 *Sexta sessão.* O começo foi o costumeiro. Grande palidez. Jazia esticada, respirando mal e mal. De repente, falou com voz alta e solene: "Sim, pode assustar-se, sou eu mesmo. Eu o previno contra os ensinamentos de N. Veja que a esperança contém tudo que faz parte da fé. Gostaria de saber quem sou? Deus dá onde menos se espera. Não me conhece?" Depois disso, alguns sussurros ininteligíveis e, poucos momentos depois, acordou.

53 *Sétima sessão.* S.W. caiu imediatamente no sono. Jazia estendida no sofá. Estava muito pálida. Não dizia nada, mas suspirava profundamente de tempos em tempos. De repente abriu os olhos, levantou-se e ficou sentada no sofá, inclinou-se para frente e disse baixinho: "Você pecou gravemente, você caiu fundo". Inclinou-se para diante como se estivesse falando com alguém de joelhos diante dela. Levantou-se a seguir, voltou-se para a direita, estendeu a mão para o lugar sobre o qual estava inclinada antes e perguntou em voz alta: "Quer perdoá-la? Não perdoe à pessoa, mas a seu espírito. Não foi ela, mas seu corpo humano que pecou". Ajoelhou-se e permaneceu em atitude de oração durante uns dez minutos. Levantou-se bruscamente, ergueu um olhar de êxtase ao céu, prostrou-se novamente de joelhos com a face nas mãos tocando o chão, enquanto murmurava palavras incompreensíveis. Permaneceu por vários minutos nesta posição. Levantou-se, olhou novamente para o céu com o rosto radiante, deitou-se no sofá e acordou pouco depois.

Desenvolvimento das personalidades sonambúlicas

54 No início de muitas sessões deixava-se o copo mover-se espontaneamente, quando então seguia o convite em forma estereotipada: "Vocês precisam perguntar". E uma vez que vários espíritas convictos participavam das sessões, as perguntas seguiam naturalmente a linha das peculiaridades espíritas, principalmente sobre os "espíritos protetores". Como resposta eram às vezes trazidos nomes de defuntos conhecidos e às vezes nomes desconhecidos como Berthe de Valours, Elisabeth von Thierfelsenburg, Ulrich von Gerbenstein etc. O

espírito controlador era quase exclusivamente o avô da médium que certa vez afirmou gostar dela mais do que de qualquer outra coisa no mundo, porque a protegera desde criança e porque conhecia todos os seus pensamentos. Esta personalidade produziu uma enxurrada de máximas bíblicas, comentários edificantes, versos de hinos religiosos e também versos próprios (?) como a seguir:

> Seja fiel na fé. Segure-se em seu Deus.
> Não permita que lhe roubem o consolo celestial,
> Pois este não deixa a vergonha imperar.
> Procure em Deus o consolo do céu
> Quando a necessidade terrena oprime a alma.
> Quem sabe rezar, rezar de coração,
> Este sabe suportar tudo que Deus manda.

55 Várias elaborações semelhantes eram trazidas. Devido ao seu conteúdo banal e meloso, certamente tinham sua origem em algum tratado de cunho espiritual. Desde que S.W. começou a falar no êxtase, houve diálogos bem animados entre os participantes do círculo e a personalidade sonambúlica. O conteúdo das respostas obtidas era essencialmente o mesmo, banal e edificante em geral, como o das comunicações psicográficas. O caráter dessa personalidade se apresentava com solenidade seca e entediante, rigorosa moralidade e religiosidade pietista (o que não concordava com a realidade histórica). O avô era o protetor e guia da médium. Durante o êxtase dava todo tipo de conselhos, predizia futuros ataques e o que aconteceria quando ela acordasse etc. Mandava aplicar compressa fria, dava instruções sobre o modo de ela deitar-se ou sentar-se etc. Sua relação com a médium era de extrema delicadeza. Em profundo contraste com esta personalidade onírica e lerda, apareceu uma personalidade que já esteve esporadicamente presente nas comunicações psicográficas das primeiras sessões. Revelou-se de imediato como sendo o irmão falecido de um senhor R. que participava das sessões de outrora. Este irmão falecido, um senhor P.R. falou a respeito de seu irmão generalidades sobre o amor fraterno etc. Esquivava-se de qualquer pergunta mais detalhada. Mas desenvolveu uma loquacidade extraordinária com relação às mulheres do círculo e dedicou especial atenção a uma senhora que nunca conhecera enquanto vivo. Afirmou que já em vida gostava dela, que a tinha encontrado várias vezes na rua sem a conhe-

cer e que se sentia profundamente feliz em conhecê-la agora nesta curiosa situação. Seus cumprimentos insípidos, suas observações impertinentes quanto aos homens, suas pilhérias infantis e inofensivas etc., tomaram grande parte da sessão. Várias pessoas do círculo fizeram restrições à frivolidade e banalidade desse "espírito"; sumiu, depois disso, por uma ou duas sessões, mas voltou a seguir, bem comportado a princípio, citando inclusive frases cristãs, mas logo descambou para o comportamento primitivo.

56

Além dessas duas personalidades bem diferentes apareceram outras que pouco se distinguiam do tipo do avô; a maioria eram parentes falecidos da médium. A atmosfera geral das sessões dos dois primeiros meses foi solene e edificante, só perturbada vez por outra pelo falatório trivial de P.R. Algumas semanas depois do início das sessões, o senhor R. deixou o nosso círculo causando grande modificação no comportamento de P.R. Ficou taciturno, aparecia menos vezes e, após algumas sessões, desapareceu por completo, só aparecendo mais tarde, em raras ocasiões e quando a médium estava sozinha com a senhora em questão. Foi então que entrou nova personalidade. Esta, ao contrário do senhor P.R. que sempre usava dialeto, empregava uma linguagem afetada, com sotaque do Norte da Alemanha. No mais era cópia perfeita do senhor P.R. Sua loquacidade era impressionante. Ainda que a senhorita S.W. só possuísse um conhecimento precário do alemão clássico, esta personalidade – que se apresentou como Ulrich von Gerbenstein – falava um alemão quase impecável, cheio de frases e cumprimentos amáveis[23].

57

U. von Gerbenstein era um falador espirituoso, com respostas sempre prontas, um pândego, grande admirador das mulheres, leviano e muito superficial. Durante o inverno de 1899/1900, dominou a situação sempre mais, foi assumindo uma após outra todas as funções acima mencionadas do avô, de forma que o caráter sério das sessões foi desaparecendo sob sua influência. Todas as sugestões mostraram-se inúteis e por causa disso as sessões tiveram que ser suspensas por períodos cada vez mais longos.

---

23. É de notar que frequentava a casa da senhorita S.W. um senhor que falava o alemão do Norte.

58 É preciso mencionar uma circunstância comum a todas essas personalidades sonambúlicas. Todas têm completo domínio sobre a memória da médium, mesmo sobre a parte inconsciente dela; também conhecem as visões que a médium tem durante os êxtases, mas só têm *um conhecimento bem superficial das fantasias da médium no estado de êxtase.* A respeito delas sabem apenas o que conseguem captar dos participantes do círculo. Sobre pontos duvidosos nada sabem informar ou somente aquilo que contradiz as explicações da própria médium. A resposta estereotipada a todas as perguntas desse gênero é: "Perguntem a Ivenes, Ivenes sabe"[24]. Dos exemplos dos diversos êxtases podemos concluir que a consciência da médium não fica inativa durante o transe, mas desenvolve uma atividade fantasiosa fora do comum. Para reconstruir o eu sonambúlico da senhorita S.W., dependemos totalmente daquilo que ela nos relata posteriormente, pois, em primeiro lugar, as manifestações espontâneas de seu eu associado com o estado de vigília são raras e em geral desconexas; e, em segundo lugar, muitos êxtases se passam sem pantomimas ou falas, sendo impossível tirar conclusões a respeito de processos internos com base nas manifestações externas. A senhorita S.W. tem, na maioria das vezes, *total amnésia em relação aos fenômenos automáticos durante o êxtase, na medida em que eles caem na esfera das personalidades estranhas a ela. Quanto a todos os outros fenômenos, como falar em voz alta, glossolalia etc., diretamente vinculados ao seu eu, havia memória perfeita.* Em todos os casos, só havia completa amnésia nos primeiros momentos depois do êxtase. Durante a primeira hora, quando ainda se verificava uma espécie de semissonambulismo com devaneios, alucinações etc., a amnésia ia desaparecendo aos poucos e surgiam lembranças fragmentárias ainda que de maneira irregular e arbitrária.

59 As últimas sessões começavam em geral com a colocação de nossas mãos juntas sobre a mesa que imediatamente começava a movimentar-se. Enquanto isso, a senhorita S.W. entrava lentamente no estado sonambúlico, tirava as mãos da mesa, recostava-se no sofá e caía no sono extático. Às vezes contava, depois, suas experiências, mas era muito reticente se houvesse pessoas estranhas no círculo. Logo depois dos primeiros êxtases, deu a entender que exercia um papel proemi-

---

24. Ivenes é o nome místico do eu sonambúlico da médium.

nente entre os espíritos, que, como todos eles, tinha um nome especial, *Ivenes,* que seu avô a cercava de especiais atenções, e que durante o êxtase com visão das flores aprendera alguns segredos especiais; mas sobre eles manteve completo silêncio. Durante as sessões em que falavam seus espíritos fazia longas viagens, a maioria delas até parentes aos quais aparecia; ou ficava no além, naquele "lugar entre as estrelas que todos julgam estar vazio, mas que está cheio de mundos espirituais". No estado semissonambúlico que muitas vezes se seguia aos ataques, falou certa vez e de forma bastante poética sobre uma região no além, "um vale maravilhoso, iluminado pela lua e reservado aos que ainda não haviam nascido". Descrevia seu eu sonambúlico como uma personalidade quase totalmente liberta do corpo: era uma senhora adulta, mas de baixa estatura, cabelos pretos, feições judias, usando roupas brancas e um turbante na cabeça. Entendia e falava a língua dos espíritos. Estes falavam entre si, devido ao costume de quando eram pessoas humanas, mas não precisavam disso, uma vez que viam os pensamentos uns dos outros. Ela também "não falava sempre com os espíritos, bastava olhar para eles para entender seus pensamentos". Viajava na companhia de quatro ou cinco espíritos, parentes falecidos, e visitava parentes e conhecidos vivos para investigar suas vidas e sua índole. Visitava também todos os lugares que ficavam dentro do seu território espectral. Após conhecer o livro de Kerner (a exemplo da vidente de Prevorst), achou que seu destino era ensinar e melhorar os espíritos negros que são banidos de certos lugares ou se encontram sob a superfície da terra. Esta atividade lhe causava muitos incômodos e sofrimentos; durante e após os êxtases queixava-se de sensações sufocantes, fortes dores de cabeça etc. Mas, em compensação, podia passar, a cada quinze dias, a noite inteira da quarta-feira nos jardins do além, em companhia de espíritos bem-aventurados. Lá recebia instruções sobre as forças do mundo, sobre as relações de parentesco infindamente complicadas entre os seres humanos, sobre as leis da reencarnação, sobre os habitantes das estrelas etc. Infelizmente só conseguiu explicar um pouco o sistema das forças do mundo e da reencarnação. Sobre os outros assuntos só fez ligeiras observações. Certa vez voltou muito agitada de uma viagem de trem. Pensávamos que algo muito desagradável lhe houvesse acontecido; finalmente conseguiu dominar-se e contou que no banco à sua frente estava sentado um habitante das estrelas.

Pela descrição desse ser, reconheci tratar-se de um comerciante já idoso, que tinha uma fisionomia pouco simpática, e que eu por acaso conhecia. A propósito do acontecido, começou a falar sobre todo tipo de peculiaridades dos habitantes das estrelas: não tinham uma alma divina como as pessoas, não tinham interesses científicos, não tinham filosofia, mas eram mais adiantados na tecnologia do que os humanos. Assim, por exemplo, já existiam máquinas voadoras em Marte; todo o planeta Marte estava cheio de canais; os canais eram lagos artificiais, usados para irrigação. Os canais eram escavações bem rasas e a água pouco profunda. A escavação dos canais dera pouco trabalho aos habitantes de Marte, uma vez que o solo era mais leve do que o da Terra. Os canais não tinham pontes, o que não perturbava o trânsito, pois todos andavam em máquinas voadoras. Não havia guerras nas estrelas uma vez que não existia diferença de opiniões. Os habitantes das estrelas não tinham aparência humana: eram figuras muito grotescas, difíceis de ser imaginadas. Os espíritos humanos que no além recebiam permissão para viajar não podiam pisar nas estrelas. Igualmente os habitantes das estrelas não podiam pisar na Terra, tinham que ficar a uma distância aproximada de 25 metros da superfície superior da Terra. Infringindo esta lei, ficavam sob o poder da Terra, tinham que encarnar-se como pessoas e só eram libertados após sua morte natural. Enquanto pessoas, eram frios, duros de coração e cruéis. S.W. era capaz de reconhecê-los por causa de seu olhar típico, onde faltava o "espiritual" e por causa do rosto sem barba, sem sobrancelhas e de traços afilados. Napoleão I teria sido um habitante das estrelas.

60 Em suas viagens não via os lugares por onde passava. Tinha a impressão de estar pairando e os espíritos lhe diziam quando chegava ao lugar determinado. Olhava então apenas para o rosto ou para a parte superior do corpo das pessoas a quem queria aparecer ou simplesmente queria ver. Raramente sabia dizer em que lugar havia visto determinada pessoa. Às vezes via a mim, mas só a cabeça, sem qualquer outro ambiente. Ocupava-se muito com a expulsão de espíritos e, para isso, escrevia bilhetinhos com dizeres em língua estranha e que escondia em todos os lugares possíveis. Em minha casa, molestava-a sobremaneira um assassino italiano que ela chamava de Conventi. Tentou várias vezes expulsá-lo e, sem meu conhecimento, escondeu em minha casa vários desses bilhetes que,

por acaso, foram depois encontrados. Um deles trazia escrito (em tinta vermelha) o seguinte:

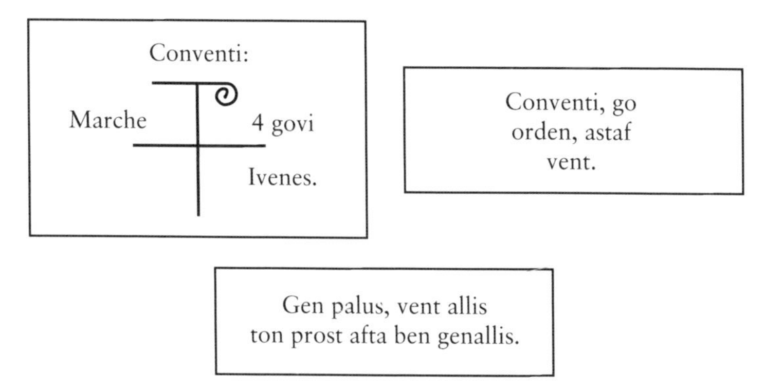

Fig. 1

Infelizmente, nunca consegui a tradução desse bilhete porque S.W. mostrou-se intransigente neste ponto. 61

Às vezes a sonambúlica Ivenes falava diretamente com o público. Fazia-o em linguagem tão dignificante que soava a sabedoria; mas Ivenes não era enfadonha e melosa ou excessivamente simplória como seus dois guias; era uma pessoa séria e madura, devota, com ternura feminina e grande modéstia, que sempre se submetia à opinião dos outros. Nela existia algo de apaixonado e elegíaco, de melancólico e resignado; gostaria de sair desse mundo, a ele retornava a contragosto, queixava-se de seu pesado destino e de seu relacionamento familiar antipático. Contudo, tinha algo de superior, impunha-se a seus espíritos, detestava o "palavrório" tolo de Gerbenstein, consolava os outros, animava os aflitos, prevenia e protegia os outros contra os perigos do corpo e da alma. Intermediava todo o resultado intelectual das manifestações, ainda que atribuísse isto às instruções recebidas dos espíritos. Era Ivenes que controlava diretamente o estado semissonambúlico de S.W. 62

Os romances

O olhar fantástico de S.W. quando em estado semissonambúlico levou alguns participantes do círculo a compará-la à vidente de Prevorst. Esta sugestão não ficou sem consequências. A senhorita S.W. 63

começou a falar de existências anteriores que tivera e depois de algumas semanas apresentou, de repente, todo um sistema de reencarnação, coisa que anteriormente nunca havia mencionado. Dizia que Ivenes era um ser espiritual que tinha certa vantagem sobre os espíritos de outros seres humanos. Todo espírito humano deve encarnar-se duas vezes no decorrer dos séculos. Ivenes, porém, deve encarnar-se ao menos uma vez a cada duzentos anos. Além dela só mais duas pessoas tinham este destino: Swedenborg e Miss Florence Cook (a célebre médium de Crookes[25]). A senhorita S.W. chamava estas personagens de seus "irmãos". Não deu nenhuma informação sobre as preexistências deles. No início do século XIX, Ivenes fora Frau Hauffe, a vidente de Prevorst. No final do século XVIII fora esposa de um pastor na Alemanha Central (localidade não especificada). Nesta última qualidade fora seduzida por Goethe e tivera dele um filho. No século XV fora uma condessa da Saxônia com o nome poético de Thierfelsenburg. Ulrich von Gerbenstein seria um parente daquela época. O período de trezentos anos antes de nova encarnação e o deslize com Goethe teve que expiá-los nos sofrimentos da vidente de Prevorst. No século XIII fora uma dama da nobreza com o nome de Valours, no sul da França, e fora queimada como bruxa. No período entre o século XIII e a perseguição aos cristãos no tempo de Nero passara por várias reencarnações, mas sobre elas não deu maiores detalhes. Na perseguição aos cristãos fora uma das mártires. Daí para trás, houve um espaço de tempo obscuro até a época de Davi, onde Ivenes era uma judia comum. Após sua morte naquela época recebera de Astaf, um anjo de um céu mais alto, a tarefa para sua carreira maravilhosa. Em todas as suas existências anteriores havia sido "médium" e intermediava o caminho entre o além e o lado de cá. Seus "irmãos" eram tão velhos quanto ela e tinham a mesma profissão. Em todas as existências anteriores fora casada, fundando assim uma colossal árvore de parentes cujas relações muito complicadas ocupavam grande número de seus êxtases. Assim aconteceu, por exemplo, que por volta do século VIII fora a mãe de seu pai carnal e, mais, de seu avô e do meu. Daí a grande amizade entre esses dois velhos que, no mais, são completamente diferentes. Como senhora de Valours fora a minha mãe. Quando de sua execução na fogueira, eu

25. (Sir William Crookes, médico e pesquisador psicológico, 1832-1919).

havia sofrido muito, tinha ido a um mosteiro em Rouen, tomado um hábito cinza, tomando-me prior, escrito um livro sobre botânica e falecido com mais de 80 anos de idade. No refeitório do mosteiro havia um quadro da senhora de Valours, mostrando-a numa posição meio-sentada e meio-deitada (A senhorita S.W. ficava muitas vezes nesta posição no sofá durante o estado semissonambúlico. Esta posição corresponde exatamente à de Madame Récamier no célebre quadro de Davi). Um senhor que muitas vezes participava das sessões e que tinha longínqua semelhança comigo também fora um de seus filhos daquela época. Em tomo dessc núcleo de parentescos se reuniam agora, em distância maior ou menor de tempo, todas as pessoas que de alguma forma eram conhecidas ou parentes dela. Um era um primo do século XV, outro um parente do século XVIII e assim por diante.

64

A maioria dos povos europeus provinha de três grandes troncos familiares. Ela e seus irmãos descendiam de Adão que se formara por materialização; as outras raças então existentes, dentre as quais Caim tomou sua esposa, descendiam de macacos. Partindo desses grupos inter-relacionados, S.W. produziu uma porção de fofocas familiares, isto é, uma avalanche de histórias romanceadas, aventuras picantes etc. O alvo especial de suas ficções era uma senhora, conhecida minha, que lhe era antipática por razões não sabidas. Dizia que esta senhora era a encarnação de uma envenenadora parisiense que no século XVIII havia conseguido grande notoriedade e que, ainda hoje, continuava com sua atividade, mas de forma bem mais refinada do que antigamente. Por inspiração dos maus espíritos que a acompanhavam descobrira um fluido que bastava ser colocado ao ar livre para atrair os bacilos de tuberculose que estavam soltos por aí e nele encontravam ambiente favorável para crescer. Com este fluido, que ela misturava com a comida, matara seu marido – que realmente morrera de tuberculose – e, mais tarde, um de seus amantes e o próprio irmão para tomar-lhe a herança. O filho mais velho dessa senhora era um fruto ilegítimo de seu amante. Durante a viuvez havia gerado secretamente um filho ilegítimo de outro amante e, finalmente, tivera um relacionamento imoral com o próprio irmão (mais tarde envenenado). Desse modo, a senhorita S.W. ia tecendo inúmeras histórias semelhantes nas quais acreditava piamente. As personagens desses romances também apareciam atuando em suas visões como, por exemplo, esta senhora na visão acima descrita com a confissão pantomímica e o perdão dos pecados. Tudo o que acontecia ao seu redor era incluído nesta estrutura romanceada e encaixado nas relações de parentesco com indicação mais ou menos precisa das preexistências e dos espíritos influenciadores. O mesmo acontecia com todas as pessoas conhecidas de S.W. Eram tachadas como de primeira ou segunda encarnação, dependendo do caráter que apresentassem: caráter marcante ou indefinido. Na maioria das vezes eram reconhecidas como parentes e ela dizia exatamente o tipo de parentesco. Só posteriormente, muitas vezes após várias semanas, surgia de repente novo romance complicado depois de um êxtase; explicava então os estranhos parentescos através de preexistências e de relações ilegítimas. As pessoas simpáticas à senhorita S.W. eram quase sempre parentes próximos. Esses romances familiares (com exceção do acima mencionado) eram construídos com muito cuidado de modo que era impossível fazer um controle deles. Eram apresentados com extrema segurança e muitas vezes surpreendiam pelo uso bem concatenado de detalhes que S.W. devia ter ouvido ou colhido em algum lugar. Em grande parte os romances tinham um caráter de horror: homicídio com veneno ou punhal, sedução e expulsão, falsificação de testamentos etc., tinham papel preponderante.

Ciência mística

65 A senhorita S.W. estava sujeita a inúmeras sugestões no tocante às questões científicas. Geralmente ao final das sessões eram discutidos diversos assuntos de ordem científica e espiritista. S.W. nunca participou dessas conversas; ficava sentada num canto como se estivesse sonhando, em estado semissonambúlico. Ouvia ora um, ora outro assunto que captava quase dormindo, mas nunca conseguia dar uma contribuição coerente sobre qualquer assunto, quando alguém a interrogava a respeito; e também só entendia as explicações pela metade. Durante o inverno ocorreram em diversas sessões algumas insinuações: os espíritos teriam feito a ela revelações estranhas sobre as forças do mundo e do além, mas não podia dizer tudo agora. Certa vez tentou fazer uma exposição, mas disse apenas: "Num lado está a

luz e no outro a força da atração". Finalmente, em março de 1900, depois que nada mais se ouvira por algum tempo sobre o assunto, anunciou de repente com rosto alegre que havia recebido agora tudo dos espíritos. Mostrou uma longa e estreita tira de papel onde estavam escritos muitos nomes. Apesar de minha insistência, não me entregou a lista, mas sugeriu-me que desenhasse o diagrama que está na página seguinte.

66 Lembro-me perfeitamente que, desde o inverno de 1899 até 1900, falou-se várias vezes, na presença da senhorita S.W., das forças repulsivas e atrativas com base na *História natural do céu*[26] de Kant. Falou-se também da conservação da energia, das diversas formas de energia e da questão se a gravidade seria também uma forma de movimento. Foi dessas conversas que S.W. certamente tirou as bases de seu sistema místico. Deu a seguinte explicação: As forças estão ordenadas em sete círculos. Além desses há mais três contendo forças desconhecidas que medeiam entre a força e a matéria. A matéria se encontra em sete círculos externos que circundam os dez círculos internos[27]. No centro está a força primitiva que é a causa da criação e é uma força espiritual. O primeiro círculo ao redor da força primitiva é a matéria que não é uma força propriamente dita e que também não provém da força primitiva. Mas ela se junta à força primitiva e dessa união nascem em primeiro lugar as forças espirituais, de um lado, as forças boas ou da luz e, de outro, as forças da escuridão. A força Magnesor contém a maior parte da força primitiva e a força Connesor contém a menor parte, e nela é maior o poder escuro da matéria. Quanto mais a força primitiva avançar para fora, mais fraca se tornará, mas também a força da matéria ficará mais fraca, pois seu poder é maior onde a colisão com a força primitiva é mais violenta, isto é, na força Connesor. Em cada círculo há forças análogas com a mesma intensidade de força, mas atuando em sentidos opostos. O sistema pode ser representado também numa única linha, começando com a força primitiva, Magnesor, Cafar etc. e então – indo da esquerda para a direita – passando por Tusa, Endos e terminando em Connesor, mas as-

26. KANT, I. *Allgemeine Naturgeschichte und Theorie des Himmels nebst zwei Supplementen*. Leipzig: [s.e.], 1884.

27. Na figura 2 estão apenas os sete primeiros círculos internos.

sim fica difícil ver os graus de intensidade. Cada força num círculo externo é composta das forças adjacentes mais próximas do círculo interno.

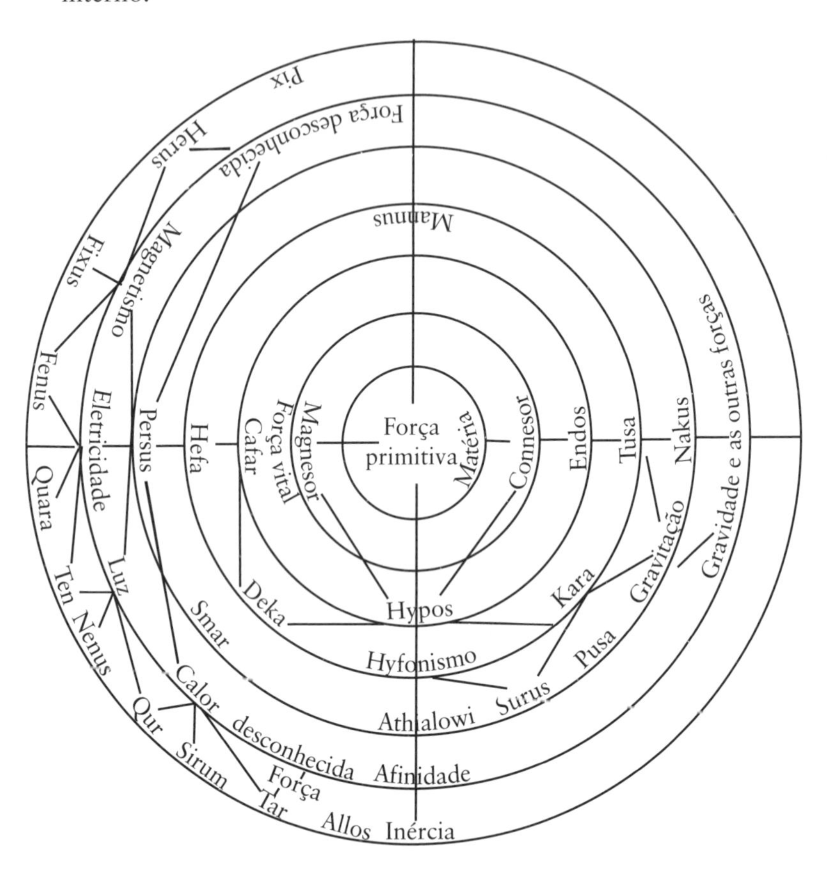

Fig. 2

67 *O grupo Magnesor.* De Magnesor descendem em linha direta as chamadas forças da luz, que são influenciadas apenas de leve pelo lado escuro. Magnesor e Cafar juntos formam a força vital que não é uniforme, mas constituída diferentemente nas plantas e nos animais. Entre Magnesor e Cafar está a força vital dos seres humanos. As pessoas moralmente boas e os médiuns que intermedeiam a comunicação entre os bons espíritos e a Terra têm muito Magnesor. Aproximadamente no meio estão as forças vitais dos animais e, em Cafar, as

das plantas. De Hefa nada se sabe ou, ao menos, S.W. nada sabe informar. Persus é a força básica que se manifesta nas forças do movimento. Suas formas conhecidas são calor, luz, eletricidade, magnetismo e duas forças desconhecidas, uma das quais só é encontrada nos cometas. Quanto às forças do sétimo círculo, S.W. só conseguiu mencionar o magnetismo Norte e Sul e a eletricidade positiva e negativa. Deka é desconhecida. Smar é de importância especial e será apresentada a seguir; ela encaminha para

O grupo Hypos. Hypos e Hyfonismo são forças que habitam em certas pessoas apenas, ou seja, naquelas que são capazes de exercer uma influência magnética sobre outras. Athialowi é o instinto sexual. A afinidade química deriva diretamente dele. No sétimo círculo, abaixo da afinidade está a inércia. A importância de Surus e Kara é desconhecida. Pusa corresponde a Smar em sentido inverso. 68

O grupo Connesor. Connesor é o polo oposto de Magnesor. É a força escura e má, igual em intensidade à boa força da luz. O que a força boa produz, ela o transforma no contrário. Endos é uma força básica dos minerais. De Tusa (importância desconhecida) deriva a gravitação que, por sua vez, é descrita como força básica que se manifesta nas forças de resistência (gravidade, capilaridade, adesão e coesão). Nakus é a força secreta de uma pedra muito especial que elimina o efeito do veneno da cobra. As forças Smar e Pusa têm importância especial. Segundo S.W., Smar se desenvolve no corpo das pessoas moralmente boas no momento da morte. Esta força toma a alma capaz de ascender às forças da luz. Pusa atua em sentido contrário; sua força conduz a alma moralmente má para o lado escuro, para o estado de Connesor. 69

Com o sexto círculo começa o mundo visível que parece estar tão separado do além devido à imperfeição de nossos órgãos sensoriais. Na verdade, a transição é bastante gradual; e há pessoas que vivem num grau mais elevado de conhecimento cósmico porque suas percepções e sensações são mais agudas do que as dos outros. Tais "videntes" são capazes de enxergar manifestações de força onde outras pessoas nada percebem. A senhorita S.W. vê Magnesor como um vapor de brilho branco ou azulado que aumenta em intensidade sobretudo quando há bons espíritos na proximidade. Connesor é um 70 fluido preto também semelhante ao vapor que, a exemplo de Magnesor, aumenta em intensidade quando aparecem espíritos “negros”. É precisamente nas noites antes do início das grandes visões que o brilhante Magnesor se condensa ao redor dela em densa névoa e, a partir dela, os bons espíritos se solidificam em figuras brancas e visíveis. O mesmo acontece com Connesor. Ambas as forças possuem seus próprios médiuns. S.W. é uma médium de Magnesor, assim como a vidente de Prevorst e Swedenborg. Os médiuns de materialização dos espíritos são na maioria de Connesor, porque a materialização ocorre mais facilmente através de Connesor, por causa de sua íntima vinculação com as propriedades da matéria. No verão de 1900, a senhorita S.W. tentou várias vezes produzir os círculos da matéria, mas não conseguiu mais do que indicações vagas e incompreensíveis; e, depois disso, não falou mais do assunto.

Desfecho

71 As sessões realmente interessantes e ricas em conteúdo tiveram seu fim com a produção do sistema de forças. Já antes disso dera mostras da diminuição gradual da vivacidade dos êxtases. A presença de Ulrich von Gerbenstein era cada vez mais frequente e ocupava, por horas a fio, a sessão com seu palavrório infantil. Também as visões que S.W. teve nesse meio-tempo pareciam haver perdido muito em riqueza e plasticidade na forma, pois só conseguia narrar depois as sensações deliciosas na presença de bons espíritos e as sensações desagradáveis na presença de espíritos maus. Nada mais foi produzido de novo. Nas conversas em estado de transe podia-se perceber certa insegurança, como se estivesse tateando e procurando impressionar os ouvintes, além de crescente insipidez de conteúdo. Também no comportamento externo, S.W. demonstrava grande acanhamento e insegurança de modo que se tornava mais forte a impressão de embuste premeditado. Por isso, afastei-me das sessões. A senhorita S.W. fez experiências em outros círculos e, seis meses após ter eu terminado minhas observações, foi pega em flagrante trapaça. Queria reacender a fé, abalada, em seus poderes sobrenaturais por meio de experiências tipicamente espíritas como *apport* etc., e para isso escondia em seu corpete pequenos objetos que jogava para o ar durante as sessões noturnas. Depois disso

acabou o seu papel. Desde então, dezoito meses se passaram sem que a tenha visto. Fui informado por alguém que a conhecia desde pequena que vez por outra tinha estados esquisitos, mas de pouca duração, em que ficava quieta, muito pálida, com olhar fixo e brilhante etc. Não consegui apurar se teve novas visões. Também parece que não participava mais de sessões espíritas. S.W. é agora funcionária de grande casa comercial e, ao que tudo indica, é pessoa aplicada e responsável que faz seu trabalho com zelo e capacidade para satisfação geral de todos. Segundo relato de pessoa confiável, seu caráter melhorou muito; tornou-se mais quieta, comedida e simpática. Nenhuma anormalidade mais foi constatada ou referida.

72 Apesar de incompleto, este caso encerra grande quantidade de problemas psicológicos cuja discussão mais detalhada ultrapassa os limites desse pequeno trabalho. Por isso devemos contentar-nos com um simples esboço dos fenômenos invulgares. Por razões de clareza, parece indicado abordar os diferentes estados de S.W. em itens separados.

O estado de vigília

73 A paciente apresentou em estado de vigília diversas particularidades. Como vimos, na época escolar mostrava-se muitas vezes deprimida, enganava-se na leitura de uma forma bem típica, era temperamental, seu comportamento mudava imprevisivelmente, às vezes era quieta, desconfiada e retraída, outras vezes era de uma vivacidade incomum, barulhenta e faladeira. Não se podia dizer que fosse desprovida de inteligência; surpreendia de vez em quando tanto por sua ignorância quanto por alguns rasgos de inteligência. Em geral sua memória era boa, mas prejudicada pela grande distração. Assim, por exemplo, apesar de muitas discussões e leituras sobre *A vidente de Prevorst*, de Kerner, ainda não sabia, depois de muitas semanas, se o nome do autor era "Koerner" ou "Kerner" e nem o nome da vidente quando interrogada a respeito. Contudo, nas comunicações automáticas aparecia o nome "Kerner" escrito corretamente quando às vezes ocorria nas sessões. Pode-se dizer em geral que havia em seu caráter algo de extremamente imoderado, instável, quase proteiforme (de Proteu). Desconsiderando as flutuações de caráter, próprias da puberdade, ainda restava um resíduo patológico que se expressava em

suas reações imoderadas e em sua conduta bizarra e imprevisível. Poderíamos designar este caráter de "desequilibrado" ou "instável". Seu cunho específico provinha de certos traços que podemos chamar de histéricos; sobretudo sua distração e sua natureza sonhadora devem ser vistas sob este ângulo. Conforme diz Janet, a base da anestesia histérica é a perturbação da atenção. Pôde ele constatar em histéricos jovens "uma grande indiferença e falta de atenção com relação a tudo que pertencesse ao campo das percepções"[28]. Momento notável que ilustra da melhor forma a distração histérica é *ler errado*. A psicologia desse processo pode ser entendida mais ou menos assim: Durante a leitura em voz alta, diminui a atenção para este ato e se volta para outro objeto qualquer. Enquanto isso continua mecanicamente a leitura, as impressões dos sentidos continuam sendo recebidas; mas, devido à distração, fica reduzida a excitabilidade do centro de percepção, de modo que a força da impressão sensória já não basta para prender a atenção a ponto de a percepção como tal ser passada adiante para a linha motora verbal, isto é, que sejam reprimidas todas as associações afluentes que se juntam imediatamente a toda e qualquer nova impressão sensorial. O mecanismo psicológico ulterior permite ainda duas explicações possíveis:

1. Devido à elevação do limiar da excitação no centro de percepção, a impressão sensorial é recebida *inconscientemente*, isto é, abaixo do limiar de excitação da consciência e por isso não é recebida pela atenção consciente e passada adiante como tal para a linha da fala, mas só chega à expressão verbal pela intermediação das associações mais próximas, neste caso, a expressão dialetal para o mesmo objeto.

2. A impressão sensorial é recebida *conscientemente*, mas no momento de entrar na linha da fala alcança um território em que a excitabilidade é reduzida pela distração. Neste ponto a palavra dialetal se introduz associativamente debaixo da imagem motora da fala e se expressa dessa forma. Em ambos os casos está presente a distração acústica que não corrige o erro. Não é possível de-

28. JANET, P. *Der Geisteszustand der Hysterischen* (*Os estigmas psíquicos*). Leipzig/Viena: [s.e.], 1894.

terminar neste caso qual é a explicação correta. Provavelmente ambas estão próximas à verdade, pois a distração parece ser geral e, seja como for, afeta mais de um centro envolvido no ato de ler em voz alta.

74 Este fenômeno tem para o nosso caso valor todo especial porque se trata de um fenômeno automático totalmente elementar. Podemos qualificá-lo de histérico porque no caso concreto está excluído o estado de exaustão e de intoxicação com seus fenômenos paralelos. Só em casos excepcionais uma pessoa sadia se deixa prender tanto pelo objeto a ponto de não corrigir os erros cometidos por falta de atenção como os descritos acima. A frequência com que isto acontecia com a paciente indica uma redução do campo da consciência, pois ela só conseguia controlar um mínimo das percepções elementares que lhe afluíam simultaneamente. Se quisermos qualificar o estado psicológico do "lado psíquico da sombra" podemos fazê-lo como um estado de sono ou de sonho, dependendo do domínio da passividade ou da atividade. Certamente temos aqui um estado patológico de sonho de extensão e intensidade bem rudimentares. Sua gênese é espontânea; e estados de sonho que surgem espontaneamente e que produzem automatismos são considerados normalmente como histéricos. E preciso lembrar que os casos de erro de leitura eram frequentes na paciente e que, portanto, o termo "histérico" é apropriado, pois, até onde sabemos, é somente numa constituição basicamente histérica que se manifestam, espontânea e frequentemente, estados parciais de sono ou de sonho.

75 A substituição automática de uma associação adjacente foi estudada experimentalmente por Binet em seus pacientes histéricos. Quando, por exemplo, espetava a mão anestesiada da paciente, ela não sentia a espetada e pensava em "pontos"; quando movia seus dedos anestesiados, ela pensava em "postes" ou "colunas". Ou quando a mão anestesiada, escondida da vista da paciente por um anteparo, escrevia "Salpêtrière", a paciente via diante de si a palavra "Salpêtrière" escrita em letras brancas sobre um fundo preto[29]. Lembramos aqui também as experiências acima mencionadas de Guinon e Sophie Woltke.

---

29. Ibid., p. 187 e p. 185.

76 Portanto, já encontramos na paciente, numa época em que nada ainda indicava os fenômenos futuros, automatismos rudimentares, fragmentos de sonhos que traziam em si a possibilidade de que um dia se infiltrasse mais de uma associação entre a percepção da distração e a consciência. O erro de leitura também revela certa autonomia automática dos elementos psíquicos que, já por ocasião de uma distração mais ou menos passageira, não percebida em outros contextos, desenvolveram uma produtividade, ainda que pequena, muito próxima da produção do sonho fisiológico. O erro de leitura pode ser considerado, pois, como sintoma prodrômico dos eventos futuros, principalmente porque sua psicologia é protótipo do mecanismo dos sonhos sonambúlicos que na realidade nada mais são do que uma multiplicação e infinda variação do processo elementar de que falamos acima. Na época de minhas observações, acima descritas, nunca consegui constatar automatismos rudimentares semelhantes; parecia que, com o tempo, os estados inicialmente em grau pequeno haviam crescido de certa forma debaixo da superfície da consciência, transferindo-se para aqueles ataques sonambúlicos notórios e desaparecendo portanto no estado de vigília imune aos ataques. No que se refere ao desenvolvimento do caráter da paciente, não se pôde constatar, durante os quase dois anos de observações, nenhuma mudança notável, com exceção de certo amadurecimento não muito intenso. Por outro lado, deve-se observar que nos últimos dois anos, desde a diminuição (e completa cessação?) dos ataques sonambúlicos, verificou-se enorme mudança de caráter. Falaremos mais adiante sobre a importância dessa constatação.

O semissonambulismo

77 Na exposição do caso de S.W. foi designado com o termo "*semissonambulismo*" o seguinte estado: Um pouco antes e um pouco depois dos ataques sonambúlicos propriamente ditos, a paciente ficava num estado cuja característica mais marcante deve ser descrita como "preocupação". Ela só participava da conversação com meio ouvido, respondia distraidamente, muitas vezes era afetada por todo tipo de alucinações, o semblante ficava solene, o olhar extático e penetrante. Uma observação mais atenta revelava profunda alteração

em todo o seu caráter. Ficava séria e comedida; quando falava, o tema era sempre um assunto muito sério. Neste estado sabia falar com tanta seriedade, insistência e convicção que a gente quase tinha que perguntar se se tratava realmente de uma moça de 15 anos e meio de idade. Tinha-se a impressão de estar diante de uma senhora madura com grande talento teatral. A seriedade e solenidade de comportamento se justificavam pela explicação da própria paciente: estaria, neste seu estado atual, no limite entre o aquém e o além e também em contato real tanto com os espíritos dos falecidos quanto com os dos vivos. E, de fato, sua conversação estava dividida entre respostas a perguntas objetivamente reais e entre respostas a alucinações. Ao designar este estado como *semissonambulismo*, baseio-me na definição de Richet, autor desse conceito: "A consciência desse indivíduo persiste na sua integridade aparente; contudo, ocorrem operações muito complicadas fora da consciência, sem que o eu voluntário e consciente pareça ressentir-se de qualquer modificação. Nele estará uma outra pessoa que agirá, pensará e quererá sem que a consciência, isto é, o eu reflexivo e consciente tenha a mínima noção"[30].

78 Binet observa quanto ao termo "*semissonambulismo*": "O termo indica o parentesco desse estado com o sonambulismo verdadeiro e, depois, nos dá a entender que a vida sonambúlica que se manifesta durante o estado de vigília é reduzida e suprimida pela consciência normal que a recobra"[31].

Os automatismos

79 O semissonambulismo se caracteriza pela continuidade da consciência com aquela do estado de vigília e pelo surgimento de vários

---

30. "La conscience de cet individu persiste dans son intégrité apparente: toutefois des opérations très compliquées vont s'accomplir en dehors de la conscience; sans que le moi volontaire et conscient paraisse ressentir une modification quelconque. Une autre personne sera en lui, qui agira, pensera, voudra, sans que la conscience, c'est-à-dire le moi réfléchi, conscient en ait la moindre notion": RICHET, C. "La Suggestion mentale et le calcul des probabilités". *Rev. philos.*, XVIII, 1884, p. 650.

31. "Le terme indique la parenté de cet état avec le somnambulisme véritable, et ensuite il laisse comprendre que la vie somnambulique qui se manifeste durant la veille est réduite, déprimée, par la conscience normale qui la recouvre". Ibid., p. 139.

automatismos que indicam a atividade de uma subconsciência independente da consciência do si-mesmo.

80 São os seguintes os fenômenos automáticos do nosso caso:

1. O movimento automático da mesa
2. a escrita automática
3. As alucinações

81 1. *O movimento automático da mesa.* Antes de a paciente ser por mim observada, já estava sob a sugestão do "movimento da mesa" que aprendera a conhecer como jogo de salão. Com seu ingresso naquele círculo, logo começaram a chegar comunicações de pessoas de sua família e ela foi imediatamente qualificada de médium. Só pude constatar que, tão logo ela colocava as mãos sobre a mesa, começavam os movimentos típicos. O conteúdo das comunicações não tem maior interesse aqui. Mas o caráter automático do ato em si merece algumas considerações, pois deve-se levantar sem mais a hipótese de que se tratava de puxões ou empurrões intencionais e arbitrários da paciente.

82 Sabemos pelas pesquisas de Chevreul, Gley, Lehmann e outros que os fenômenos motores do inconsciente são frequentes não apenas em histéricos ou em outras pessoas com disposição patológica, mas que podem ser provocados com relativa facilidade também em pessoas sadias que nunca apresentaram automatismos espontâneos[32]. Pessoalmente fiz várias experiências neste sentido e posso confirmar esta observação. Na grande maioria das pessoas é apenas uma questão de paciência, necessitando-se eventualmente de uma hora de espera silenciosa. Quando não se imiscui uma contrassugestão que venha perturbar, pode-se conseguir na maioria das pessoas experimentais os automatismos motores em grau maior ou menor. Numa porcentagem relativamente baixa, os fenômenos se apresentam espontaneamente, mas sempre sob influência da sugestão verbal ou de uma autossugestão de tempos passados. Em nosso caso, o sujeito estava fortemente afetado pela sugestão. Em geral, a disposição do paciente está sujeita às mesmas leis que se aplicam à hipótese normal. Mas é preciso levar sempre em consideração algumas cir-

---

32. Maiores detalhes em BINET, A. Op. cit., p. 197s.

cunstâncias especiais, recomendadas pela especificidade do caso. Não se trata de uma hipnose total e, sim, parcial, limitada à região motora do braço e semelhante à anestesia cerebral produzida por "passes" magnéticos para uma parte dolorida do corpo. Através da sugestão verbal ou de alguma autossugestão já presente, atingimos a respectiva parte do corpo e usamos o estímulo táctil, que sabemos atuar sugestivamente, para conseguir a hipnose parcial desejada. De acordo com este procedimento, pessoas refratárias podem facilmente ser levadas a exibir automatismos: a pessoa experimental dá um leve empurrão na mesa ou, melhor, uma série bem suave de empurrões rítmicos. Em breve a pessoa começa a notar que as oscilações se tornam mais fortes, que elas continuam, mesmo que os movimentos intencionais tenham cessado. A experiência deu certo, a pessoa assimilou, sem notar, a sugestão. Com este procedimento se consegue muitas vezes mais resultados do que pela sugestão verbal. Em pessoas muito receptivas e em todos aqueles casos em que o movimento parece surgir espontaneamente, os tremores intencionais, naturalmente não perceptíveis ao sujeito, assumem o papel do "agente provocador"[33]. Desse modo, pessoas que por si sós jamais conseguiriam ter movimentos automáticos de maior calibre podem às vezes assumir o controle inconsciente dos movimentos da mesa, pressuposto que seus tremores sejam fortes o bastante para o médium entender seu significado. O médium assume então as leves oscilações e as reproduz em grau bem mais forte; raramente, porém, no exato e preciso momento, em geral alguns segundos mais tarde, revelando dessa forma o pensamento consciente ou inconsciente do "agente". Em meio a este mecanismo tão simples podem ocorrer às vezes casos de leitura de pensamento, surpreendentes à primeira vista. Para ilustrar esta afirmação serve uma experiência bem simples que funciona muitas vezes também com pessoas não treinadas: a pessoa pensa, por exemplo, o número 5 e aguarda, com as mãos sobre a mesa, até

33. Como se sabe, as mãos e braços nunca ficam totalmente quietos numa pessoa acordada, mas apresentam constantemente leves tremores. Preyer, Lehmann e outros mostraram que estes movimentos são influenciados em grande parte pelas ideias predominantes; assim mostra, por exemplo, Preyer que a mão estendida desenha pequenas, mas mais ou menos bem-sucedidas, cópias das figuras que são vivamente imaginadas. Os tremores intencionados podem ser demonstrados de modo bem simples por experiência com o pêndulo.

sentir que a mesa faz a primeira inclinação para anunciar o número pensado. Neste momento, retira as mãos da mesa. O número cinco é anunciado com precisão. Nesta experiência é aconselhável colocar a mesa sobre um tapete bem grosso e macio. Prestando bastante atenção, a pessoa experimental vai perceber ocasionalmente um movimento da mesa que pode ser assim representado:

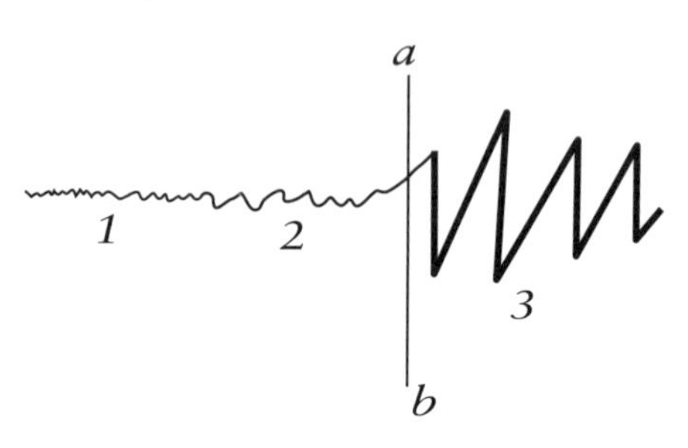

Fig. 3

a) Tremores intencionais leves que não podem ser percebidos pelo sujeito.

b) Várias oscilações mínimas, mas perceptíveis, da mesa que indicam a reação da pessoa aos tremores intencionais.

c) Os grandes movimentos que fornecem objetivamente o número 5 que foi pensado.

A linha vertical indica o momento em que foram retiradas as mãos.

84 Esta experiência tem bom êxito com pessoas de boas reações, mas ainda sem prática. Basta pequena prática para o fenômeno normalmente desaparecer, pois com a prática o número pode ser lido e reproduzido diretamente a partir de movimentos intencionados[34].

85 Com um médium receptivo, os tremores intencionados do agente atuam exatamente como os puxões intencionais da experiência acima mencionada; são recebidos, tornados mais fortes e reproduzidos, ainda que baixinho, quase timidamente. Mas, mesmo assim, são perceptíveis e, por isso, atuam sugestivamente como leves estímulos tácteis e produzem, com o aumento da hipnose parcial, os grandes movimen-

---

34. Cf. PREYER, W. *Die Erklärung des Gedankenlesens*. Leipzig: [s.e.], 1886.

tos automáticos. Esta experiência ilustra da melhor forma o aumento gradual da autossugestão. Ao longo do caminho dessa autossugestão desenvolvem-se todos os fenômenos automáticos do tipo motor. Após a exposição supra, não há necessidade de explicar como o conteúdo intelectual se introduz aos poucos no puramente motor. Não se exige sugestão especial para produzir fenômenos intelectuais, pois, pelo menos do ponto de vista do experimentador, trata-se de antemão de representações verbais. Depois das primeiras manifestações aleatórias das pessoas sem prática, são reproduzidos os produtos verbais do próprio sujeito ou as intenções do experimentador. A penetração do conteúdo intelectual pode ser entendida objetivamente como a seguir:

86 Em razão do aumento gradual da autossugestão, as áreas motoras do braço ficam isoladas relativamente à consciência, ou seja, a percepção dos leves impulsos motores fica encoberta para a consciência[35]. O conhecimento da possibilidade de um conteúdo intelectual, adquirido por via da consciência, produz uma excitação colateral no campo da fala como o meio mais próximo da formulação intelectual. A intenção de formular afeta necessariamente o componente motor[36], sobretudo da representação verbal, o que explica o transbordar inconsciente de impulsos da fala para a região motora[37] e, vice-versa, a penetração gradual da hipnose parcial no campo da fala.

87 Em inúmeras experiências com principiantes, observei, geralmente no início de fenômenos intelectuais, um número relativamente grande de palavras desconexas e, mesmo, de meras letras sem sentido. Mais tarde foram produzidos os mais diversos tipos de absurdos, por exemplo, palavras ou frases de trás para frente ou, ainda, com as letras posicionadas de forma a serem lidas com o espelho. O surgimento de uma letra ou palavra significava nova sugestão; espontaneamente se juntava algum tipo de associação que então se realiza-

---

35. Análogo a certos experimentos hipnóticos no estado de vigília. Cf. o experimento de Janet que, através de sugestão sussurrada, levou um paciente a deitar-se de comprido no chão sem se dar conta do que estava fazendo. Em *L'Automatisme psychologique*. Paris: [s.e.], 1889, p. 241.

36. O esquema de Charcot, da montagem da formação de palavras: 1. Imagem auditiva, 2. Imagem visual, 3. Imagens motoras, a) Imagem da fala, b) Imagem da escrita. In: BINET, A. *Die innerliche Sprache*.

37. Bain diz: A ideia é uma palavra reprimida ou uma ação reprimida. In: BAIN, A. *The Senses and the Intellect*. 4. ed. Londres: Longman and Co., 1894, p. 358.

va. Curiosamente estas associações, na maioria das vezes, não eram as conscientes, mas as totalmente inesperadas. Isto parece indicar que boa parte do campo da fala já está hipnoticamente isolada. O reconhecimento desse automatismo forma outra vez uma proveitosa sugestão, pois neste momento surge infalivelmente um sentimento de estranheza, se é que já não estava presente no automatismo puramente motor. A pergunta: Quem fez isto? Quem falou isto? atua como sugestão para sintetizar a personalidade inconsciente que, por sua vez, não demora a aparecer. Se algum nome se apresentar, geralmente alguém carregado de emoção, está pronta a divisão automática da personalidade. Os relatos da literatura que se seguem mostram quão fortuita e precária é esta síntese em seu início:

88 Myers relata uma observação interessante de um senhor A., membro da S.P.R. (O senhor A. fazia tentativas de escrita automática consigo mesmo):

Terceiro dia

89 O que é o homem? – Tefí hasl esble lies.

Isto é um anagrama? – Sim.

Quantas palavras contém? – Cinco.

Como soa a primeira palavra? – See.

Como soa a segunda? – Eeeee.

See? Posso interpretá-la? – Tente!

90 O senhor A. descobriu o seguinte: “Life is less able” (A vida é menos capaz). Ficou surpreso com esta formulação intelectual e achou que isto era prova da existência de uma inteligência independente da sua. Por isso continuou a perguntar:

Quem é você? – Clélia.

Você é mulher? – Sim.

Já viveu alguma vez na Terra? – Não.

Mas, vai viver? – Sim.

Quando? – Daqui a seis anos.

Por que está conversando comigo? – E if Clelia el.

O senhor A. interpretou a resposta como sendo: I Clelia feel (Eu, Clélia, sinto).

Quarto dia

Sou eu que faço a pergunta? – Sim. Clélia está presente? – Não. Então, quem está aí? – Ninguém. Por acaso, Clélia existe? – Não. 91

Então, com quem estava eu falando ontem? – Com ninguém[38].

Janet manteve a seguinte conversa com a subconsciência de Lucie que, naquele momento, estava falando com um outro observador: 92

(Janet perguntou:) Você está me ouvindo? (Lucie responde com escrita automática:) Não.

Mas, para poder responder, você tem que ouvir. – Sim, é claro.

Então, como é que você faz? – Não sei.

Mas, alguém deve estar me ouvindo, não é? – Sim.

Quem é? – Alguém que não é Lucie.

Ah! sim, uma outra pessoa. Gostaria que lhe déssemos um nome? – Não.

Vamos sim, será melhor. – Está bem: Adriana.

Então, Adriana, você está me ouvindo? – Sim[39].

A partir dessas citações pode-se ver como a personalidade subconsciente se constrói: deve sua existência simplesmente a perguntas sugestivas que vêm ao encontro de uma certa disposição do médium. Esta disposição pode ser explicada pela desagregação de complexos psíquicos e o sentimento de estranheza causado por esses automatismos atua como suporte assim que a atenção consciente se volta para o ato sintomático. Binet observa o seguinte sobre a experiência de Janet: "É preciso notar que, se a personalidade de Adriana pôde ser criada, foi porque encontrou uma *possibilidade psicológica;* em outras 93

---

38. MYERS, F.W.H. "Automatic Writing". *Proc. Soc. Psych. Res.*, III, 1885.

39. "M'entendez-vous? – Non.
Mais pour répondre il faut entendre. – Oui, absolument.
Alors, comment faites-vous? – Je ne sais.
Il faut bien qu'il y ait quelqu'un qui m'entende? – Oui.
Qui cela? – Autre que Lucie.
Ah! bien, une autre personne. Voulez-vous que nous lui donnions un nom? – Non !
Si, ce sera plus commode – Eh bien, Adrienne.
Alors, Adrienne, m'entendez-vous? – Oui". *L'Automatisme psychologique.* Op. cit., p. 317s.

palavras, havia no caso fenômenos desagregados que viviam separados da consciência normal do sujeito"[40]. A individualização da subconsciência significa sempre um grande avanço e tem enorme influência sugestiva sobre a formação ulterior dos automatismos[41]. É desse modo que podemos considerar, em nosso caso, o surgimento das personalidades inconscientes.

94 A objeção de que o movimento automático da mesa é "simulação" pode ser abandonada quando se considera o fenômeno da leitura do pensamento a partir dos tremores intencionados dos quais a paciente deu amplas provas. Uma leitura rápida e consciente do pensamento exige no mínimo uma prática extraordinária que evidentemente faltava à paciente. Através dos tremores intencionados podia-se levar a efeito uma conversa inteira como aconteceu em nosso caso. Do mesmo modo pode-se demonstrar objetivamente a sugestionabilidade da subconsciência se, por exemplo, o agente se concentra no pensamento: "A mão do médium já não poderá mover a mesa ou o copo" e imediatamente, contra todas as expectativas e para espanto do sujeito, a mesa fica imóvel. Naturalmente é possível realizar outros tipos de sugestão, mas só aqueles que não ultrapassam com sua inervação o campo da hipnose parcial, ficando assim provada também a parcialidade da hipnose. Por isso não funcionam sugestões sobre as pernas ou sobre o outro braço.

95 Movimentar a mesa não era um automatismo exclusivamente vinculado ao semissonambulismo da paciente; ao contrário, ocorria em sua forma mais perfeita no estado de vigília e só depois a paciente entrava no semissonambulismo cujo início era normalmente anunciado por alucinações como, por exemplo, na primeira sessão.

96 2. *A escrita automática.* Outro fenômeno automático, que corresponde a uma hipnose parcial mais elevada, é a escrita automática. Segundo a minha experiência, é bem mais rara e mais difícil de produzir do que o movimento da mesa. Como no movimento da mesa, trata-se outra vez de uma sugestão primária dirigida à consciência

---

40. "Il faut bien remarquer que si la personnalité d'Adrienne a pu se créer, c'est qu'elle a rencontré une possibilité psichologique; en d'autres termes, il y avait là des phénomènes désagrégés vivant séparés de la conscience normale du sujet". Ibid., p. 132.

41. "Une fois baptisé, le personnage inconscient est plus déterminé et plus net, il montre mieux ses caractères psychologiques". Ibid., p. 318.

quando "a sensibilidade está retida e ao inconsciente quando está extinta. Contudo, a sugestão não é tão simples, uma vez que já contém em si o elemento intelectual. "Escrever" significa "escrever algo". Esta propriedade especial da sugestão que vai além da esfera motora confunde muitas vezes o sujeito e faz surgir contrassugestões que impedem o aparecimento dos automatismos. Entretanto, observei em alguns casos que a sugestão se realizava apesar de sua relativa audácia (ela é dirigida à consciência acordada de uma pessoa chamada sadia), mas de uma forma peculiar, colocando sob hipnose somente a parte puramente motora do respectivo sistema central, enquanto a hipnose mais profunda só era alcançada pela sugestão a partir do fenômeno motor, como no processo, acima explicado, do movimento da mesa. A pessoa recebe um lápis na mão. Para desviar sua atenção do ato de escrever, é propositalmente enredada numa conversa[42]. Em seguida a mão começa a movimentar-se, fazendo inicialmente muitos riscos, linhas em zigue-zague ou simplesmente uma linha. Às vezes acontece também que o lápis não atinge o papel e escreve no ar. Estes movi-

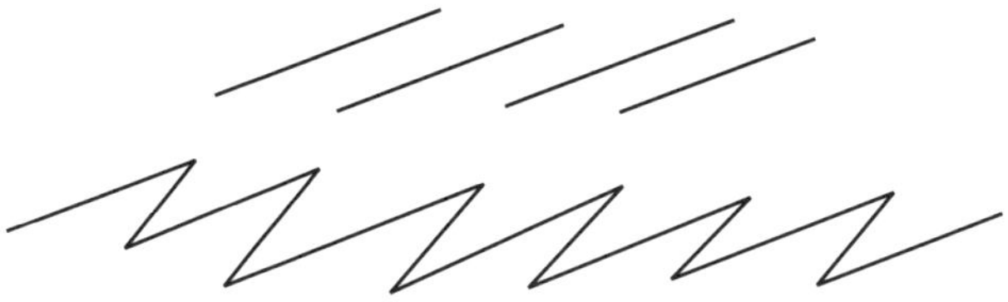

Fig. 4

mentos devem ser considerados simples fenômenos motores que correspondem à expressão do elemento motor na ideia de "escrever". Este fenômeno é bastante raro; na maioria das vezes são escritas apenas letras para cuja composição em palavras e frases vale o mesmo que para o movimento da mesa. Vez por outra depara-se também com autêntica escrita para se ler com espelho. Na maioria dos casos e talvez em todas as experiências com iniciantes que não estejam sob sugestão bem especial, a escrita automática produzida é a do próprio sujeito. Só depois pode eventualmente mudar seu caráter em grande

42. Cf. os experimentos correspondentes de Binet e Féré. In: BINET, A. *Les altérations...* Op. cit.

estilo[43], mas isto deve ser considerado sempre como sintoma da síntese de uma personalidade subconsciente. Como já dissemos, a escrita automática da paciente nunca chegou a grande perfeição. Estas experiências eram feitas no escuro e, na maioria das vezes, ela passava, durante as experiências, para o estado semissonambúlico ou para o êxtase. Portanto, o resultado da escrita automática era o mesmo do movimento preliminar da mesa.

97 3. As *alucinações*. O modo de transição para o sonambulismo na segunda sessão é de importância psicológica. Como vimos, os fenômenos automáticos estavam em pleno andamento quando desceu a noite. O interessante fato da sessão anterior fora a brusca interrupção de uma comunicação do avô que deu ocasião a diversas discussões entre os membros participantes do círculo. Parece que esses dois momentos: a escuridão e o interessante fato causaram o rápido aprofundamento da hipnose que, por sua vez, propiciou o desenvolvimento das alucinações. O mecanismo psicológico desse processo parece ter sido o seguinte: É conhecida a influência da escuridão sobre a sugestionabilidade, principalmente sobre a dos órgãos sensoriais[44]. Binet afirma que ela exerce especial influência sobre os histéricos, produzindo sonolência imediata[45]. Conforme se pode deduzir das explanações anteriores, a paciente se encontrava em estado de hipnose parcial e se constituiu uma personalidade subconsciente que estava mais intimamente vinculada com o campo da fala. A manifestação automática dessa personalidade foi interrompida de forma inesperada por uma nova pessoa de cuja existência ninguém desconfiava. Donde teria vindo esta divisão? Obviamente, a paciente ficara ocupada com a viva expectativa desta primeira sessão. Qualquer recordação que tivesse de mim e de minha família certamente se agrupou em torno desse sentimento de expectativa e de repente se manifestou quando a expressão automática estava no auge. O fato de ser exatamente a pessoa de meu avô e não qualquer outra, por exemplo, a pes-

---

43. Cf. testes semelhantes. In: FLOURNOY, T. *Des Indes à la Planète Mars*. Etude sur un cas de somnambulismc avec glossolalie. Paris/Genebra: [s.e.], 1900.

44. Cf. HAGEN, F.W. "Zur Theorie der Hallucination". *Allg. Z. f. Psychiat.*, XXV, 1868, p. 10.

45. Ibid., p. 157s.

soa de meu falecido pai que, conforme era do conhecimento da paciente, fora mais ligado a mim do que meu avô a quem não havia conhecido, indica talvez o lugar onde procurar a origem dessa nova pessoa. Tratava-se provavelmente de uma dissociação da personalidade já existente que se apoderara, para sua manifestação, do material mais próximo, ou seja, das associações referentes à minha pessoa. Se isto representa um paralelo aos resultados da pesquisa de Freud sobre os sonhos[46], fica em aberto, pois não temos condições de julgar até onde a emoção mencionada pode ser considerada "reprimida". A partir da brusca intervenção da nova personalidade podemos concluir para uma grande vivacidade das respectivas representações e para uma expectativa igualmente intensa que certa timidez e acanhamento próprios de mocinha tentaram dominar. De qualquer forma, este fato nos lembra bem a maneira como o sonho apresenta de repente à consciência, num simbolismo mais ou menos transparente, aquilo que nunca admitimos para nós mesmos de modo claro e aberto. Não sabemos quando esta dissociação da nova personalidade ocorreu: se ela se preparou aos poucos no inconsciente ou se apareceu apenas naquela primeira sessão. Seja como for, este fato significa um grande avanço na extensão do campo inconsciente tornado acessível pela hipnose. Ao mesmo tempo, este fato, em vista da impressão que causou sobre a consciência acordada da paciente, deve ser considerado como sugestão poderosa, pois a percepção da intervenção inesperada de um novo poder tinha que aumentar consideravelmente o sentimento de estranheza do automatismo e sugerir a ideia de que aqui se anunciara realmente um espírito autônomo. Disso se seguiu a associação compreensível de que eventualmente se pudesse ver este espírito.

98 A situação criada na segunda sessão deve ser explicada pela coincidência da sugestionabilidade causada pela escuridão com esta sugestão energizante. A hipnose e, com ela, as séries separadas de ideias irrompem na esfera visual; a expressão do inconsciente, até agora simplesmente motora, é objetivada, de acordo com a energia específica do novo sistema, na forma de imagens visuais com caráter de alucinações. E não só como simples epifenômeno do automatismo ver-

46. FREUD, S. *Die Traumdeutung*. Leipzig/Viena: [s.e.], 1900.

bal, mas diretamente como função substitutiva: a explicação da situação inesperada ocorrida na primeira sessão, inexplicável naquele momento, já não se apresenta em palavras, mas como visão alegórica esclarecedora. A frase: "Eles não se odeiam, mas são amigos" é expressa por uma imagem. Encontramos frequentes vezes tais coisas nos sonâmbulos: o pensamento dos sonâmbulos se processa através de imagens plásticas que invadem constantemente, ora este, ora aquele campo sensório e se objetivam como alucinações. O processo do raciocínio afunda no subconsciente e só os últimos termos dele chegam à consciência como ideias bem vivas e de coloração sensória ou diretamente como alucinações. No nosso caso ocorre o mesmo que com a paciente cuja mão anestesiada Binet picou nove vezes, exigindo ao mesmo tempo que ela pensasse concentradamente no número nove; ou no caso narrado por Flournoy[47] que ao perguntar a Hélène Smith, em sua casa de comércio, sobre determinado modelo, ela viu diante de si, com 20 centímetros de altura, o número de dias (18) que este modelo estava emprestado. Coloca-se a questão: por que o automatismo irrompeu na esfera visual e não na esfera acústica? Em favor dessa escolha falam diversas razões:

99 a) A paciente é acusticamente mal prendada, não tem, por exemplo, nenhum dote musical.

b) Não havia o silêncio correspondente à escuridão que poderia ter causado o surgimento de acusmas, pois falava-se o tempo todo em voz alta.

c) A convicção da existência bem próxima de espíritos, fortalecida pelo sentimento da estranheza do automatismo, podia muito bem ter levado à ideia de que seria possível ver um espírito, causando assim uma leve excitação da esfera visual.

d) *Os fenômenos entópticos na escuridão favoreceram o aparecimento de alucinações.*

100 As razões dadas nos itens c) e d) – os fenômenos entópticos na escuridão e a possível excitação da esfera visual – são de fundamental importância no surgimento das alucinações. Os fenômenos entópti-

---

47. FLOURNOY, T. *Des Indes à la Planète Mars*. Op. cit., p. 55.

cos desempenham neste caso o mesmo papel na produção autossugestiva do automatismo que os leves estímulos tácteis na hipnose dos centros motores. Como dissemos, a paciente viu faíscas antes do primeiro estado crepuscular alucinatório da primeira sessão. Obviamente a atenção já estava aguçada naquele momento e dirigida para as percepções visuais de modo que os fenômenos de luz própria da retina, muito fracos normalmente, fossem vistos sob tal intensidade. O papel que as percepções entópticas de luz desempenham no surgimento das alucinações merece atenção mais acurada. Schüle diz: "O torvelinho de luz e cores que excita e ativa no escuro o campo de visão noturno fornece [...] o material para as fantásticas figuras etéreas antes de alguém pegar no sono"[48]. Como se sabe, nunca vemos o escuro absoluto; algumas parcelas do campo visual escuro estão sempre iluminadas, ainda que fracamente; as manchas de luz aparecem ora cá, ora lá, combinando-se nas mais diversas formas, e basta uma fantasia moderadamente ativa para criar – como no caso das nuvens no céu – certas figuras facilmente reconhecidas. O poder do discernimento que desaparece com o adormecer deixa campo livre à fantasia de modo que esta pode chegar a uma criação de formas bem vivas. Ao invés das manchas de luz, nevoeiro e cores mutantes no campo visual escuro, começam a aparecer os contornos de determinados objetos[49]. É dessa forma que nasce a alucinação hipnagógica. Naturalmente, a parte principal cabe à fantasia, razão por que estão sujeitas a alucinações hipnagógicas sobretudo as pessoas com maior capacidade de fantasia[50]. As alucinações hipnopômpicas (Myers) devem ser naturalmente igualadas às hipnagógicas.

---

48. SCHÜLE, H. *Handbuch der Geisteskrankheiten*. Leipzig: [s.e.], 1878, p. 134.

49. MÜLLER, J. *Über die phantastischen Gesichtserscheinungen*. Citado em HAGEN, F.W. "Zur Theorie der Hallucination". *Allg. Z. f. Psychiat.*, XXV, 1868, p. 41.

50. Spinoza teve uma visão hipnopômpica de um "nigrum et scabiosum Brasilianum" (brasileiro negro e sujo). In: HAGEN, F.W. Op. cit., p. 49. • Nas *Wahlverwandtschaften* (Afinidades eletivas) de Goethe, p. 375, Otília vê às vezes na semiescuridão a figura de Eduardo num quarto pouco iluminado. Cf. também Cardano: "imagines uidebam ab imo lecti quasi è paruis annulis aereisque constantes, arborum, belluarum, hominum, oppidorum, instructarum acierum, bellicorum et musicorum instrumentorum, aliorumque huiusce generis ascendentes, uicissimque descendentes, allis atque aliis succedentibus". CARDANO, J. *De subtilitate libri XXI*. Nürnberg: [s.e.], 1550, p. 358.

101 É provável que as imagens hipnagógicas sejam idênticas às imagens oníricas do sono normal, ou seja, elas formam a base visual delas. Maury provou por auto-observação que as mesmas imagens que pairavam hipnagogicamente ao redor dele eram também objeto de seus sonhos posteriores[51]. G. Trumbull Ladd provou a mesma coisa de forma mais convincente ainda. Conseguiu, por meio de treino, acordar de dois a cinco minutos após ter pego no sono. Percebeu toda vez que as luminosas figuras da retina apresentavam por assim dizer os contornos das imagens há pouco sonhadas. Supunha inclusive que praticamente todo sonho visual deriva o elemento formal dos fenômenos de luz própria da retina[52]. No nosso caso, a "situação favorece o desenvolvimento de uma nova interpretação fantástica. Influência considerável deve ser atribuída também à expectativa exacerbada que fez com que a luz fraca da retina aparecesse com intensidade aumentada[53]. A configuração ulterior dos fenômenos da retina se realiza de acordo com as ideias predominantes. Esta maneira de surgir das alucinações foi observada em outros visionários: Joana D'Arc viu primeiramente uma nuvem luminosa e só depois viu saírem dela São Miguel, Santa Catarina e Santa Margarida[54]. Swedenborg viu, certa vez, durante uma hora, nada mais do que bolas luminosas e chamas ardentes. E concomitantemente sentiu uma violenta transformação no cérebro que lhe pareceu uma espécie de "liberação de luz". Mas depois de uma hora viu de repente figuras reais que considerou como sendo anjos e espíritos[55]. A visão solar de Benevenuto Cellini[56], em Sant'Angelo provavelmente pertence a esta categoria. Um estudante que muitas vezes tinha aparições disse: "Quando estas aparições acontecem, vejo a princípio massas isoladas

---

51. MAURY, L.F.A. *Le Sommeil et les rêves*. Etudes psychologiques sur ces phénomènes et les diversétats qui s'y rattachent. Paris: [s.e.], 1861, p. 134.

52. LADD, G.T. "Contribution to the Psychology of Visual Dreams". *Mind*, XVII, 1892.

53. Hecker diz desses estados: "Existe uma visão simples e elementar causada pela tensão da atividade mental, sem imagens da fantasia e mesmo sem representação sensitiva: é a visão da luz sem forma, uma manifestação do órgão visual estimulada a partir de dentro..." HECKER, J.F.C. *Über Visionen*. Berlim: [s.e.], 1848, p. 16.

54. QUICHERAT, J. (org.). *Procès de condamnation et de réhabilitation de Jeanne d'Arc, dite La Pucelle...* Paris: [s.e.], 1841-1849, vol. V, p. 116s.

55. HAGEN, F.W. "Zur Theorie der Hallucination". *Allg. Z. f. Psychiat.*, XXV, 1868, p. 57.

56. CELLINI, B. *Das Leben des Benvenuto Celini, Florentinischen Goldschmieds und Bildhauers, von ihm selbst geschriben*. Tübingen: [s.e.], 1803, vol. I, p. 306s. [Autobiografia traduzida por Goethe].

de luz e percebo ao mesmo tempo um ruído soturno em meus ouvidos. Mas, pouco a pouco, esses contornos se transformam em figuras reais..."[57]. A maneira clássica do surgimento das alucinações encontramos em Hélène Smith, de Flournoy. Cito verbalmente as passagens pertinentes de seu relatório:

102 "18 de março. Tentativa de experiência no escuro... A senhorita Smith vê um balão ora luminoso, ora se obscurecendo...

103 25 de março... a senhorita Smith começa a distinguir clarões vagos, longas fitas brancas se agitando do soalho até o teto e, finalmente, uma estrela magnífica que, na escuridão, apareceu somente a ela durante a sessão toda...

104 1º de abril... a senhorita Smith está muito agitada; tem calafrios e está parcialmente gelada. Está muito inquieta e vê de repente, balançando-se sobre a mesa, uma figura horrorosa fazendo caretas e com longos cabelos vermelhos... Vê então... um magnífico buquê de rosas de diversas tonalidades; de repente vê sair por baixo do buquê uma serpente pequena que, rastejando suavemente, vem cheirar as flores, contemplá-las..." etc.[58]

105 A respeito da origem de suas visões de Marte, diz Hélène Smith: "O clarão vermelho continuou ao redor de mim e eu estive cercada de flores extraordinárias..."[59].

106 Desde sempre as alucinações complexas dos visionários tiveram um lugar especial na crítica científica. Assim, por exemplo, já Macário separa as alucinações ditas intuitivas das demais e diz que aquelas

---

57. HAGEN, F.W. "Zur Theorie der Hallucination". *Allg. Z. f. Psychiat.*, XXV, 1868, p. 57.

58. "18 mars. Tentative d'expérience dans l'obscurité:... Mlle. Smith voit un ballon tantôt lumineux, tantôt s'obscurcissant...
25 mars... Mlle. Smith commence à distinguer de vagues lueurs, de longs rubans blancs s'agitant du plancher au plafond, puis enfin une magnifique étoile qui dans l'obscurité s'est montrée à elle seule pendant toute la séance...
1er avril... Mlle. Smith se sent très agitée; elle a des frissons, est partiellement glacée. Elle est très inquiète et voit tout à coup, se balançant au dessus de la table, une figure grimaçante et très laide avec de longs cheveux rouges... Elle voit alors... un magnifique bouquet de roses de nuances diverses; tout à coup elle voit sortir de dessous le bouquet un petit serpent qui, rampant doucement, vient sentir les fleurs, les regarde..." etc. FLOURNOY, T. *Des Indes à la planète Mars*. Op. cit., p. 32s.

59. "La lueur rouge persista autour de moi, et je me suis trouvée entourée de fleurs extraordinaires..." Ibid., p. 162.

se manifestam em indivíduos de espírito vivaz, compreensão profunda e de excitabilidade nervosa bem elevada[60]. De modo semelhante, mas com maior entusiasmo ainda, manifesta-se Hecker. Supõe ele que o fator condicionante delas seja "o grande desenvolvimento congênito do órgão da psique que, através de atividade original, chama a vida própria da fantasia para um jogo ágil e livre"[61]. Estas alucinações são "precursores ou também sinais de uma poderosa força de espírito". A visão é por assim dizer "uma excitação maior que se adapta harmonicamente à mais perfeita saúde da mente e do corpo". As alucinações complexas não pertencem ao estado de vigília, mas ocorrem normalmente num estado parcial de vigília: o visionário mergulha de tal forma em sua visão até chegar à completa absorção. Durante as visões de H.S., também Flournoy pôde constatar sempre "um certo grau de obnubilação"[62]. No nosso caso, a visão se complica com um estado de sono cujas peculiaridades discutiremos mais a seguir.

A mudança de caráter

107 A característica mais relevante do segundo estado é, em nosso caso, a *mudança de caráter*. Encontramos na literatura muitos casos que apresentam o sintoma de mudança espontânea de caráter. O primeiro, conhecido através de publicação científica, é o de Mary Reynolds, dado a público por Weir Mitchell[63]. Ocorreu com uma jovem senhora que morava, em 1811, na Pensilvânia. Após um sono profundo que durou cerca de 20 horas, havia esquecido completamente todo o seu passado e tudo o que aprendera; inclusive as palavras que pronunciava haviam perdido seu sentido. Não mais conhecia os parentes. Aos poucos foi aprendendo novamente a ler e escrever, mas escrevia da direita para a esquerda. O mais notável, porém, foi a mudança de seu caráter: "Em vez de melancólica, agora era jovial ao ex-

---

60. MACÁRIO, M.M.A. "Des Hallucinations". Segundo comentários em *All. Z. f. Psychiat.*, IV, 1847, p. 139.

61. HECKER, J.F.C. Op. cit., p. 6.

62. FLOURNOY, T. *Des Indes à la planète Mars*. Op. cit., p. 51.

63. MITCHELL, S.W. "Mary Reynolds. A Case of Double Consciousness". *Trans. Coll. Phys. Philadelphia*, X, 1888. Também em *Harper's Magazine*, 1860. Extensamente referido in: JAMES, W. *The Principles of Psychology*. 2 vols. Londres/Nova York: [s.e.], 1891, p. 381s.

tremo. Em vez de reservada, era animada e social. Antes era taciturna e retraída, agora alegre e jocosa. Sua atitude estava total e absolutamente mudada"[64].

108 Neste estado, abandonou completamente sua vida reservada até então e gostava de fazer excursões aventureiras em florestas e montanhas, a pé ou a cavalo, e sempre desarmada. Numa dessas excursões defrontou-se certa vez com um enorme urso preto que ela pensou ser um porco. O urso ergueu-se sobre as patas traseiras arreganhando os dentes. Como não conseguisse fazer seu cavalo ir adiante, partiu para cima do urso com um simples pedaço de pau, colocando-o em fuga. Depois de cinco semanas e após outro sono profundo, voltou ao estado primitivo, com amnésia quanto a este intervalo. Estes estados se alternaram durante dezesseis anos aproximadamente. *Os últimos vinte e cinco anos, porém, Mary Reynolds os passou exclusivamente em seu segundo estado.*

109 Schroeder van der Kolk[65] narra o seguinte caso: A paciente começou a sofrer de amnésia periódica aos 16 anos de idade, após uma doença que durou três anos. Às vezes, após acordar, entrava num estado coreico peculiar durante o qual batia ritmicamente com os braços. Depois apresentava, ao longo do dia, um comportamento infantil e bobo, como se tivesse perdido toda a educação. (Em estado normal, era uma pessoa inteligente, letrada, e falava muito bem o francês.) No segundo estado, começava a aprender com dificuldade o francês. No segundo dia voltou ao estado normal. Os dois estados estavam completamente separados pela amnésia[66].

110 Höfelt conta o caso de sonambulismo espontâneo de que era vítima uma empregada doméstica. No estado normal era obediente e discreta, mas no sonambulismo era atrevida, rude e violenta[67]. Azam

---

64. EMMINGHAUS, H. *Allgemeine Psychopathologie*. Leipzig, [s.e.], 1878, p. 129 [Caso de Ogier Ward].

65. SCHROEDER VAN DER KOLK, J.L.C. *Pathologie und Therapie der Geisteskrankheiten auf anatomisch-physiologischer Grundlage*. Braunschweig: [s.e.], 1863. p. 31. Apud *Allg. Z. f. Psychiat.*, XXII, 1865, p. 405s.

66. Cf. DONATH, J. "Über Suggestibilität". *Wien med. Presse*, n. 31, col. 1.244-1.246, 1892. Apud *Arch. f. Psychiat. u. Nervenkr.*, XXXII, 1899, p. 353.

67. HÖFELT, J.A. "Ein Fall von spontanem Somnambulismus". *Allg. Z. f. Psychiat*, XLLX, 1893.

conta a história de Félida que, no estado normal, era deprimida, inibida e temerosa, mas no segundo estado era alegre, segura, empreendedora e até mesmo arrojada. *Aos poucos, o segundo estado começou a prevalecer e, finalmente, reprimiu o primeiro estado a tal ponto que a paciente chamava o seu estado normal – que agora durava pouco tempo – de "crise"*. Os ataques anestésicos começaram quando ela tinha 14 anos e meio. Com o passar do tempo, o segundo estado passou a ser mais comedido e houve uma certa aproximação no caráter dos dois estados[68]. Belo exemplo de mudança de caráter é o caso trabalhado por Camuset, Ribot, Legrand Du Saulle, Richer, Voisin e reunido por Bourru e Burot. É o de Luís V, um caso de grave histeria masculina, caracterizado por amnésia alternante. No primeiro estado era grosseiro, malcriado, desordeiro, guloso, ganancioso e egoísta. No segundo estado apresentava um caráter agradável e simpático; era aplicado, inteligente e obediente[69]. A mudança amnésica de caráter foi usada na literatura por Paul Lindau em sua peça *Der Andere*[70] (*O Outro*). Rieger[71] conta um caso que pode servir de paralelo ao do promotor público, de Lindau. Podemos também colocar em paralelo com o nosso caso as personalidades subconscientes de Lucie e Léonie, descritas por Janet[72], bem como as da paciente de Morton Prince[73]; no entanto, estas são produtos terapêuticos artificiais cuja importância principal está no campo da dissociação da consciência e da memória.

111 Nos casos mencionados, o segundo estado está sempre separado do primeiro por uma cisão amnésica e a mudança de caráter vem acompanhada de uma interrupção na continuidade da consciência. No nosso caso não há qualquer distúrbio amnésico; a passagem do primeiro para o segundo estado acontece de forma bem lenta e a continuidade da consciência permanece intacta de modo que a paciente

---

68. AZAM, C.M.E.-E. *Hypnotisme, double conscience et altérations de la personnalité*. Paris: [s.e.], 1887, p. 63s.

69. BOURRU, H. & BUROT, P. *La Suggestion mentale et les variations de la personnalité*. Paris: [s.e.], 1895.

70. Ct. MOLL, A. "Die Bewusstseinsspaltung in Paul Lindaus neuem Schauspiel". *Z. f. Hypnot*., I, 1893, p. 306s.

71. RIEGER, C. *Der Hypnotismus*. Jena: [s.e.], 1884, p. 109s.

72. JANET, P. *L'Automatisme psychologique*. Paris: [s.e.], 1889.

73. PRINCE, M. "An Experimental Study of Visions". *Brain*, XXI, 1898.

trazia para o estado de vigília tudo o que, através de alucinações no segundo estado, experimentava nas regiões do inconsciente que, de outro modo, lhe seriam desconhecidas.

112 Encontramos *mudanças periódicas de personalidade sem interrupção amnésica* no campo da *insanidade cíclica;* raras vezes ocorrem também no campo da histeria, conforme o demonstra o caso de Renaudin: Um jovem, cujo comportamento sempre fora exemplar, começou de repente a apresentar as piores tendências. Não foram constatados sintomas de insanidade, mas a superfície de seu corpo mostrou-se inteiramente anestesiada. Este estado apresentou interrupções periódicas e também o caráter do paciente ficou sujeito a oscilações. Tão logo desaparecesse a anestesia, voltava a ser dócil e amigável. Mas, retornando a anestesia, era dominado pelos piores impulsos que, como se observou, podiam chegar à vontade de cometer homicídio[74].

113 Se considerarmos que a idade de nossa paciente, à época do surgimento das perturbações, era de 15 anos e meio, isto é, quando mal chegara à puberdade, é razoável pensar que há *certa conexão entre as perturbações e a mudança fisiológica de caráter do período da puberdade.* "Durante este período de vida, aparece na consciência do indivíduo novo grupo de sensações, além dos sentimentos e ideias que daí provêm. E esta contínua pressão de estados mentais, até agora estranhos, que vão se impondo porque sua causa prossegue atuante, e que estão reciprocamente coordenados, porque procedem da única e mesma fonte, deve provocar aos poucos mudança profunda na constituição do eu[75]. Todos conhecemos as variações de humor; os sentimentos confusos, novos e fortes; a inclinação a ideias românticas, a uma religiosidade exaltada e ao misticismo; além disso, as recaídas na infantilidade, tudo isso dando à pessoa em amadurecimento aquelas características incomuns. Nesta idade, a pessoa faz as primeiras tentativas desajeitadas de sua autonomia em todos os campos; utiliza pela primeira vez e por iniciativa própria o que a família e a escola lhe deram na infância; concebe ideais e constrói planos ambiciosos para o futuro; vive de sonhos cujo conteúdo são a ambição e a vaidade. Tudo isto é fisiológico. A puberdade de um psicopata é uma crise sé-

---

74. Apud RIBOT, T.A. *Die Persönlichkeit*. Berlim: [s.e.], 1894.

75. Ibid., p. 69.

ria. Acontece que não só as transformações fisiológico-psíquicas tomam um curso excessivamente tempestuoso, mas também se fixam os traços de um caráter hereditariamente degenerado que, na criança, não aparecem ou aparecem apenas esporadicamente. *Na explicação de nosso caso temos que nos ater a um distúrbio específico na puberdade.* Os motivos dessa suposição surgirão do estudo mais aprofundado da segunda personalidade. (Por razões de brevidade, vamos chamar de *Ivenes* a segunda personalidade, conforme a própria paciente batizou seu eu mais elevado.)

114 Ivenes é a continuação direta do eu de todo dia. Ela abrange todo o seu conteúdo consciente. No estado semissonambúlico, sua relação com o mundo externo é análoga àquela do estado de vigília; certamente ela é influenciada por alucinações recorrentes, mas não em grau maior do que as pessoas não sujeitas a alucinações psicóticas não confusas. Obviamente a continuidade de Ivenes também se estende aos ataques histéricos em que ela representa cenas dramáticas, tem experiências visionárias etc. No ataque em si, ela quase sempre fica isolada do mundo externo, não percebe o que acontece ao seu redor, também não sabe que está falando em voz alta etc. Mas não tem amnésia quanto ao conteúdo onírico de seu ataque. E nem sempre há amnésia quanto às suas expressões motoras e quanto às mudanças ao seu redor. Ela depende da intensidade do torpor sonambúlico e de um estado de paralisia muitas vezes parcial de alguns órgãos sensoriais. Prova disso é, por exemplo, o fato de a paciente, apesar de estar com os olhos abertos e provavelmente enxergar as demais pessoas, não perceber minha presença; e só a percebia quando eu falava com ela. Neste caso, trata-se da assim chamada *anestesia sistemática* (alucinação negativa), muitas vezes observada em pessoas histéricas.

115 Flournoy diz de Hélène Smith que, durante as sessões, de repente não mais enxergava as pessoas presentes, mesmo ouvindo suas vozes e sentindo-as com o tato; outras vezes nada mais ouvia, mesmo vendo que os lábios das pessoas que falavam se moviam etc.[76]

116 Assim como Ivenes é uma continuação do eu acordado, também transfere todo o conteúdo de sua consciência para o estado de vigília. Este comportamento fala decididamente contra a analogia com casos de dupla consciência. As características mencionadas de Ivenes contrastam

76. Ibid., p. 59.

favoravelmente com as da paciente; a personalidade calma e mais comedida, sua agradável modéstia e reserva, sua inteligência mais uniforme e sua maneira segura de falar devem ser consideradas como aperfeiçoamento de todo o ser da paciente; e neste sentido existe uma semelhança com a Léonie de Janet. Mas só fica na semelhança. Entre elas existe uma profunda diferença psicológica, sem considerar a amnésia. Léonie II é a mais sadia, a mais normal, conseguiu recuperar suas capacidades naturais, representa a melhoria temporária de um estado histérico crônico. Ivenes, porém, dá a impressão de um produto mais artificial, tem algo de inventado e, apesar de todas as vantagens a seu favor, parece estar representando muito bem um papel; sua melancolia e seu anseio pelo além não são mera piedade, mas o atributo da santidade; Ivenes já não é totalmente humana, mas um ser místico que só em parte pertence ao mundo real; sua face tristonha, sua resignação sofrida, seu destino misterioso levam-nos até o protótipo histórico de Ivenes: *a vidente de Prevorst,* de Justinus Kerner. Pressupomos conhecido o conteúdo do livro de Kerner e, por isso, omitimos as referências aos traços que as duas personagens têm em comum. Ivenes, contudo, não é uma cópia da vidente; faltam-lhe a resignação e a devoção pietista. A vidente é apenas esboço para um original. A paciente coloca sua própria alma no papel da vidente, procurando fazer dele um ideal de virtude e perfeição; ela antecipa seu futuro e em Ivenes se encarna aquilo que a paciente gostaria de ser aos vinte anos: uma mulher segura, influente, sábia, graciosa e piedosa. A grande diferença entre Léonie II e Ivenes está na construção da segunda pessoa. Ambas são psicógenas. Contudo, Léonie I recebe em Léonie II aquilo que lhe pertence efetivamente, ao passo que nossa paciente constrói uma pessoa que está além de si mesma. Não se pode dizer "ela mente para si", mas "ela se transfere em sonhos" para o estado ideal mais elevado[77].

---

77. (*Les rêves somnambuliques*) "Sortes de romans de l'imagination subliminale, analogues à ces 'histoires continues' que tant de gens se racontent à eux-mêmes, et dont ils sont généralement les héros, dans leurs moments de far-niente ou d'occupations routinières qui n'offrent qu'un faible obstacle aux rêveries intérieures. Constructions fantaisistes, mille fois reprises et poursuivies, rarement achevées, où la folle du logis se donne libre carrière et prend sa revanche du terne et plat terre-à-terre des réalités quotidiennes" (Romances da imaginação subliminal, análogos a estas 'histórias contínuas' que muitas pessoas contam a si mesmas e das quais são geralmente os heróis nos momentos em que nada fazem ou de ocupações rotineiras que quase não oferecem obstáculo aos sonhos interiores. São construções fantasiosas, mil vezes repetidas e perseguidas, raramente realizadas, dando livre curso à imaginação para vingar-se do tédio e do terra a terra das realidades quotidianas). FLOURNOY, T. Op. cit., p. 8.

117 A realização desse sonho nos lembra muito a psicologia do vigarista patológico. Delbrück[78] e Forel[79] mostraram a importância da autossugestão no desenvolvimento da vigarice e devaneios patológicos. Pick[80] considera como primeiro sintoma dos sonhadores histéricos uma autossugestionabilidade intensa que torna possível a realização dos "devaneios". Uma paciente de Pick fantasiou uma situação moralmente perigosa e criou uma cena de estupro com ela mesma; deitou-se nua no chão e amarrou-se em cadeiras e na mesa. Ou os pacientes criam algum personagem dramático com o qual mantêm correspondência por carta como, por exemplo, no caso descrito por Bohn[81]: Uma paciente fantasiou um noivado com um advogado imaginário de Nice, dele recebendo cartas que ela mesma escrevia com letra disfarçada. Este tipo de sonho patológico com falsificação autossugerida da memória, chegando mesmo a delírios e alucinações propriamente ditos, encontramos também na vida de muitos santos[82]. Das representações oníricas e de coloração fortemente sensória para uma autêntica alucinação complexa é apenas um passo[83]. Podemos ver, por exemplo, no primeiro caso de Pick, como a paciente, que imagina ser a imperatriz Elizabeth, vai se perdendo aos poucos em seus sonhos, a ponto de seu estado merecer a denominação de verdadeiro estado crepuscular; e realmente mais tarde passa a um delírio histérico onde suas fantasias oníricas se tornam alucinações típicas. – O mentiroso patológico que se deixa levar por suas fantasias, comporta-se da mesma forma que a criança que se perde dentro do jogo[84], ou como o ator que mergulha totalmente em seu papel. – Tra-

---

78. DELBRÜCK, A. *Die pathologische Lüge und die psychisch abnormen Schwindler*. Stuttgart: [s.e.], 1891.

79. FOREL, A. *Der Hypnotismus*. Stuttgart: [s.e.], 1889.

80. PICK, A. "Über pathologische Träumerei und ihre Beziehungen zur Hysterie". *Jbb. f. Psychiat. u. Neur.*, XIV, 1896, p. 280s.

81. BOHN, W. *Ein Fall von doppeltem Bewusstsein*. Breslau: Schlesische volkzeitnungs-buchdruckerei, 1898.

82. GÖRRES, J.J. von. *Die christliche Mystik*. 4 vols. Regensburg/Landshut: [s.e.], 1836-1842.

83. Cf. BEHR, A. "Bemerkungen über Erinnerungsfälschungen und pathologische Traumzustände". *Allg. Z. f. Psychiat.*, LVI, 1899. • BALLET, G. *Le Langage intérieur et les diverses formes de l'aphasie*. Paris: [s.e.], 1886, p. 44.

84. Cf. REDLICH, J. "Ein Beitrag zur Kenntniss der Pseudologia phantastica". *Allg. Z. f. Psychiat.*, LVII, 1900, p. 66.

tando-se da divisão sonambúlica da personalidade, a diferença não é fundamental, mas só de grau, e se baseia apenas na intensidade da autossugestionabilidade primária ou desagregação dos elementos psíquicos. *Quanto mais se dissociar a consciência, maior se tornará a plasticidade das situações oníricas e menor se tornará também a parcela da mentira consciente e da consciência em geral.* Este ser arrastado pelo objeto de interesse é o que Freud chama de *identificação histérica.* Por exemplo, a paciente de Erler[85], altamente histérica, tinha visões hipnagógicas de inúmeros pequenos cavaleiros de papel; de tal modo estas visões se apossavam dela que tinha a sensação de ser um deles. Fenômenos semelhantes acontecem normalmente conosco no sonho, no qual pensamos de modo "histérico"[86]. A total entrega a uma ideia interessante explica também a naturalidade da performance pseudológica ou sonambúlica, inatingível ao ator consciente. Quanto menos a consciência acordada interferir com reflexões e cálculos, mais segura e convincente será a objetivação do sonho[87].

118 Nosso caso tem ainda outra analogia com a *pseudologia phantastica:* o desenvolvimento de fantasias durante os ataques. Há muitos casos na literatura em que as mentiras patológicas são criadas durante os ataques sob as mais diversas queixas histeriformes[88]. Nossa paciente amplia seus sistemas exclusivamente durante o ataque. No estado normal é totalmente incapaz de dar qualquer nova ideia ou explicação; para tanto é preciso que ela se transfira para o estado sonambúlico ou espere que ele se apresente espontaneamente. Com isso se esgotam as afinidades com a *pseudologia phantastica* e os devaneios patológicos.

---

85. ERLER. "Hysterisches und hystero-epileptisches Irresein". *Allg. Z. f. Psychiat.*, XXXV, 1879, p. 21.

86. Binet: "Les hystériques ne sont pour nous que des sujets d'élection, agrandissant des phénomènes qu'on doit nécessairement retrouver à quelque degré chez une foule d'autres personnes qui ne sont ni atteintes ni même effleurées par la névrose hystérique" ("Os histéricos são nossos pacientes preferidos, porque exageram os fenômenos que devemos necessariamente encontrar em certo grau em muitas outras pessoas que jamais apresentaram sintomas de neurose histérica").

87. Pensamos, por exemplo, nos sonâmbulos que sobem nos telhados.

88. DELBRÜCK, A. Op. cit. • REDLICH, J. Op. cit. Lembro aqui também a contínua formação de ilusões no estado crepuscular epiléptico, conforme mencionado por MÖRCHEN, F. "Über Dämmerzustände. Ein Beitrag zur Kenntnis der pathologischen Bewusstseinsveränderungen". Marburg, 1901, p. 51 e 59.

119 Nossa paciente difere essencialmente dos sonhadores patológicos pelo fato de nunca se ter provado que suas tramas oníricas tenham sido antes objeto de seu interesse diário; seus sonhos surgem como explosões, brotam de repente, com assombrosa inteireza, da escuridão do inconsciente. O mesmo se dá com a Hélène Smith de Flournoy. Em vários lugares, porém (cf. mais adiante), é possível demonstrar a vinculação com percepções do estado normal, de modo que se pode supor que as raízes daqueles sonhos eram ideias carregadas de sentimento que, no entanto, ocuparam por pouco tempo a consciência acordada[89]. Temos que admitir que *quando surgem esses sonhos, a falta de memória histérica*[90] *desempenha um papel que não pode ser subestimado:* muitas ideias que em si mereceriam ser guardadas na consciência submergem; concatenações de ideias se perdem e continuam ativas no inconsciente, graças à dissociação psíquica; um processo que encontramos outra vez na gênese de nossos sonhos[91]. Sendo assim, é possível explicar o surgimento aparentemente repentino e inesperado dos devaneios oníricos. A total submersão da personalidade consciente no papel onírico causa indireta-

---

89. Cf. aqui a interessante conjetura de Flournoy sobre a origem do ciclo hindu de H.S. "Je ne serais pas étonné que la remarque de Mariès sur la beauté des femmes du Kanara ait été le clou, l'atome crochu, qui a piqué l'attention subliminale et l'a très naturellement rivée sur cet unique passage, avec les deux ou trois lignes consécutives, à l'exclusion de tout le contexte environnant, beaucoup moins intéressant" ("Não me surpreenderia se a observação de Maries sobre a beleza das mulheres de Kanara fosse o prego, o gancho que fisgou a atenção subliminal, fixando-a naturalmente nesta única passagem, com as duas ou três linhas seguintes, com exclusão de todo contexto circundante, bem menos interessante"). FLOURNOY, T. Op. cit., p. 285.

90. Janet diz: "É da falta de memória que provêm muitas vezes, ainda que não sempre, as supostas mentiras dos histéricos. Da mesma maneira podemos explicar seus caprichos, suas mudanças de humor, sua ingratidão ou, numa palavra, sua inconstância, pois a conexão do passado com o presente, que dá seriedade e uniformidade ao todo, depende em grande parte da memória". JANET, P. *Der Geisteszustand der Hysterischen* (Die psychischen Stigmata). Leipzig/Viena: [s.e.], 1894, p. 67.

91. "A partir de nossa reflexão consciente sabemos que, utilizando a atenção, seguimos um caminho determinado. Se, neste caminho, chegamos a uma ideia que não resiste à crítica, nós quebramos; deixamos cair a ocupação da atenção. Parece então que o curso das ideias, começado e abandonado, pode continuar a tecer-se sem que a atenção se volte de novo para ele, a não ser que em algum lugar atinja uma intensidade especialmente alta que force a atenção. Se um curso de ideias é de início rejeitado, conscientemente, por um julgamento como sendo incorreto ou inútil para o objetivo atual do ato de pensar, isto pode ser a causa de um curso de ideias prosseguir, sem ser percebido pela consciência, até o adormecer". FREUD, S. Op. cit., p. 351.

mente também o desenvolvimento de automatismos concomitantes: "Uma segunda condição pode levar à divisão da consciência; não é uma alteração da sensibilidade, mas uma atitude particular da mente, a concentração da atenção sobre um ponto único; desse estado de concentração resulta que a mente se torna distraída em relação ao resto e, de certo modo, insensível, abrindo o caminho para as ações automáticas; e estas ações [...] podem assumir um caráter psíquico e constituir inteligências parasitas que vivem lado a lado com a personalidade normal que não as conhece"[92].

120 Os romances da paciente lançam muita luz sobre as raízes subjetivas de seus sonhos. Neles há profusão de casos amorosos abertos e secretos, de nascimentos ilegítimos e outras insinuações sexuais. O centro de todas estas histórias ambíguas é uma senhora de quem ela não gosta e que aos poucos se transforma em seu polo oposto; enquanto Ivenes é o ápice da virtude, aquela senhora é a charneca mais profunda dos vícios. *Mas sua teoria da reencarnação, na qual aparece como a mãe ancestral de incontáveis milênios, brota, em sua ingênua nudez, de uma fantasia exuberante, o que é bem característico da época da puberdade. É o sentimento sexual apreensivo da mulher, o sonho da fecundidade, que criou aquelas ideias monstruosas na paciente.* Não estaremos equivocados se procurarmos na sexualidade emergente a principal causa desse quadro clínico peculiar. Visto sob este ângulo, *todo o ser* de Ivenes, juntamente com sua enorme família, *nada mais é do que um sonho de realização de desejos sexuais* que se distingue do sonho de uma noite pelo fato de prolongar-se por meses e anos.

Atitude perante o ataque histérico

121 Um ponto na história da senhorita S.W. ficou até agora sem ser discutido: trata-se do ataque em si. Na segunda sessão, a paciente teve um ataque, semelhante a um desmaio, e do qual acordou com a

92. "Une seconde condition peut amener la division de conscience; ce n'est pas une altération de la sensibilité, c'est une attitude particulière de l'esprit, la concentration de la attention sur un point unique; il résulte de cet état de concentration que l'esprit devient distrait pour le reste, et en quelque sorte insensible, ce qui ouvre la carrière aux actions automatiques; et ces actions... peuvent prendre un caractère psychique et constituer des intelligences parasites, vivant côte à côte avec la personnalité normale qui ne les connaît pas". BINET, A. Op. cit., p. 84.

lembrança de diversas alucinações. Segundo ela informou, não havia perdido a consciência por nenhum momento. Pelos sintomas externos e pelo transcurso desses ataques, poder-se-ia pensar em *narcolepsia* ou *letargia,* conforme descrita, por exemplo, por Loewenfeld. E isto se torna ainda mais plausível sabendo-se que um membro de sua família (a avó) já tivera um ataque de letargia. É concebível que nossa paciente tenha herdado a *disposição letárgica* (Loewenfeld). Nas sessões espíritas vemos com frequência ataques convulsivos de cunho histérico. Nossa paciente jamais apresentou sintomas convulsivos, mas em lugar deles tinha aqueles estados peculiares de sono. Etiologicamente temos que considerar no nosso caso dois momentos (no primeiro ataque):

1. Extensão da hipnose.

2. Excitação psíquica.

122 1. *Extensão da hipnose parcial.* Janet observou que os automatismos subconscientes têm influência hipnotizadora e podem provocar o sonambulismo total[93]. Fez a seguinte experiência: um segundo observador envolveu numa conversa a paciente totalmente acordada, enquanto Janet se posicionou atrás dela e, por meio de sugestões cochichadas, fez com que inconscientemente movimentasse a mão, escrevesse e respondesse por sinais a certas perguntas. De repente, ela interrompeu a conversa com o segundo observador, voltou-se para Janet e continuou, com sua supraconsciência, a conversa até então subconsciente: encontrava-se em sonambulismo hipnótico[94]. Neste exemplo temos um processo semelhante ao do nosso caso. Mas, por certas razões, a serem discutidas mais adiante, o estado de sono não pode ser considerado como hipnose. Apresentam-se por isso as questões:

123 2. *A excitação psíquica.* Bettina Brentano conta que ao encontrar-se pela primeira vez com Goethe adormeceu de repente sobre os

93. "Une autre considération rapproche encore ces deux états, c'est que les actes subconscients ont un effet en quelque sorte hypnotisant et contribuam par eux-mêmes à amener le somnambulisme" ("Uma outra consideração aproxima ainda esses dois estados, isto é, os atos subconscientes têm uma espécie de efeito hipnotizador, contribuindo como tais para induzir o sonambulismo"). JANET, P. *L'Automatisme psychologique.* Op. cit., p. 329.

94. Ibid., p. 329.

joelhos dele[95]. Conhece-se pela história dos processos das bruxas o sono extático no meio das piores torturas: o chamado "sono das bruxas"[96].

124 Em pessoas predispostas bastam estímulos relativamente pequenos para provocar estados sonambúlicos. Temos, por exemplo, o caso de uma senhora sensível que estava sendo submetida a pequena cirurgia para extrair uma farpa do dedo. Sem qualquer alteração corporal, viu-se ela de repente transferida para as margens de um rio, numa bela campina, onde colhia flores. Este estado durou o tempo da insignificante operação e desapareceu por si sem qualquer intervenção especial[97].

125 Loewenfeld observou a indução involuntária da letargia histérica pela hipnose[98]. Nosso caso tem certas semelhanças com a letargia histérica[99], descrita por Loewenfeld: superficialidade da respiração, diminuição do pulso e palidez cadavérica do rosto, além da estranha sensação de estar morrendo e das ideias de morte[100]. O fato de alguns sentidos se manterem ativos não é argumento contra a letargia: em certos casos de morte aparente permanece ativo o sentido da audição[101]. No caso de Bonamaison[102] não apenas se conservou o sentido do tato, mas os sentidos da audição e do olfato se tornaram mais aguçados. Também encontramos na letargia conteúdos alucinatórios e pessoas alucinadas falando em voz alta[103]. De modo geral, ocorre amnésia total com relação ao período letárgico. No caso D[104] de Loewen-

---

95. Gustave Flaubert usa literalmente este adormecer no momento da maior excitação em seu romance *Salammbô*. Quando o herói, depois de muitas lutas, conquista finalmente Salammbô, adormece de repente no preciso instante em que toca seu seio virginal.

96. Talvez devam ser incluídos aqui também os casos de paralisia emocional. Cf. BAETZ, E. von. "Über Emotionslähmung". *Allg. Z. f. Psychiat.*, LVIII, 1901.

97. HAGEN, F.W. "Zur Theorie der Hallucination". *Allg. Z. f. Psychiat.*, XXV, 1868, p. 17.

98. LOEWENFELD, L. "Über hysterische Schlafzustände, deren Beziehungen zur Hypnose und sur Grande Hystérie". *Arch. f. Psychiat. u. Nervenkr.*, XXII, 1891, p. 59.

99. Cf. FLOURNOY, T. Op. cit., p. 65s.

100. LOEWENFELD, L. Op. cit., p. 737.

101. Ibid., p. 734.

102. BONAMAISON, L. "Un Cas remarquable d'hypnose spontanée". *Rev. de l'Hypnot.*, ano 4, 1890, p. 234.

103. LOEWENFELD, L. Op. cit., p. 737.

104. Ibid., p.737.

feld, constatou-se depois uma memória vaga e, no caso de Bonamaison, não houve qualquer amnésia. Os letárgicos se mostraram insensíveis aos estímulos usuais para acordar alguém. Mas Loewenfeld conseguiu em sua paciente St. mudar a letargia em hipnose através de passes mesméricos e, assim, entrar em contato com o restante da consciência durante o ataque[105]. Durante a letargia nossa paciente mostrou-se a princípio inacessível, depois começou espontaneamente a falar; era imperturbável quando falava seu eu sonambúlico, mas era perturbável quando falava alguma de suas personalidades automáticas. Neste último caso, é provável que a influência hipnotizadora por parte dos automatismos tenha conseguido uma transformação parcial da letargia em hipnose. Se considerarmos que, segundo a visão de Loewenfeld, a disposição letárgica não pode ser "identificada sem mais com o comportamento peculiar do sistema nervoso na histeria", então nossa ideia de que esta disposição em nosso caso se deve à hereditariedade familiar adquire certa probabilidade. O quadro clínico se torna bem complicado por causa dos ataques.

126 Vimos até agora que a consciência do eu da paciente foi idêntica em todos os estados. Falamos até agora de dois complexos secundários da consciência e os seguimos até o ataque sonambúlico onde se apresentaram à paciente como visão dos dois avôs, enquanto perdiam, durante o ataque, sua expressão motora. Nos ataques seguintes esses complexos escaparam à observação de fora, mas desenvolveram uma atividade muito intensa como visões dentro do estado crepuscular. Parece que inúmeras séries de ideias secundárias já se desprenderam bem cedo da personalidade primária inconsciente, pois logo depois das primeiras sessões os "espíritos" apareceram às dúzias. A variedade de nomes parecia inesgotável, mas a diferença entre as respectivas personalidades cedo se esgotou e ficou patente que todas as personalidades podiam ser classificadas em dois tipos: o *sério-religioso e o alegre-brincalhão. Na verdade tratava-se apenas de duas personalidades subconscientemente diversas* que se manifestavam com diferentes nomes que, no entanto, tinham pouca importância. O tipo mais velho, o avô, que introduziu os automatismos em geral, foi também o primeiro a fazer uso do estado crepuscular. Não me lembro de ne-

---

105. Ibid., p. 59s.

nhuma sugestão que pudesse ter causado a fala automática. De acordo com as explicações acima, o ataque, nestas circunstâncias, pode ser considerado auto-hipnose parcial. A consciência do eu que persistiu e que, devido ao isolamento com relação ao mundo externo, estava ocupada com suas alucinações, foi o que sobrou da consciência acordada. Por isso, o automatismo tinha campo livre para sua atuação. A autonomia dos centros individuais que já havíamos constatado desde o início na paciente, torna compreensível o ato automático de falar. Até o sonhador fala às vezes durante o sono, e mesmo a pessoa acordada faz acompanhar seus pensamentos mais intensos de um murmurar inconsciente[106]. Os movimentos peculiares da musculatura da fala são dignos de nota. Foram observados também em outros sonâmbulos[107]. Estas tentativas desajeitadas podem ser colocadas em paralelo direto com os movimentos desajeitados e desprovidos de inteligência da mesa ou do copo e correspondem com toda probabilidade à *manifestação preliminar dos componentes motores da ideia* ou à excitação limitada aos centros motores que ainda não se submeteu a um sistema mais elevado. Não sei se isto acontece também com as pessoas que falam no sonho, mas nos hipnotizados isto foi observado[108].

127 Devido ao meio de comunicação cômodo que é a fala, o estudo das personalidades subconscientes tornou-se bem mais fácil. Sua abrangência intelectual foi relativamente menor. As personalidades subconscientes dispõem dos conhecimentos que a paciente possuía no estado de vigília. Acrescem a isso alguns detalhes incidentais como a data de nascimento de pessoas desconhecidas que já estavam

---

106. Cf. as pesquisas de Lehmann sobre cochicho involuntário, in: LEHMANN, A. *Aberglaube und Zauberei von den ältesten Zeiten an bis in die Gegenwart*. Stuttgart: [s.e.], 1898, p. 386s.

107. Assim escreve, por exemplo, Flournoy: "Dans un premier essai, Léopold (o espírito controlador de H.S.) ne réussit qu'à donner ses intonations et sa prononciation à Hélène: après une séance où elle avait vivement suffert dans la bouche et le cou comme si on lui travaillait ou lui enlevait les organes vocaux, elle se mit à causer très naturellement" ("Numa primeira tentativa, Leopold apenas conseguiu dar suas intonações e sua pronúncia a Helena: após uma sessão na qual sofreu vivamente na boca e no pescoço, como se seus órgãos vocais estivessem sendo manipulados, ela começou a falar naturalmente"). Op. cit., p. 100.

108. LOEWENFELD, L. "Über hysterische Schlafzustände, deren Beziehungen zur Hypnose und sur Grande Hystérie". *Arch. f. Psychiat. u. Nervenkr.*, XXII, 1891, p. 60.

mortas e coisas semelhantes, cuja origem é mais ou menos obscura, pois a paciente não sabia como poderia ter chegado, por vias naturais, ao conhecimento dessas datas. São as chamadas criptomnésias, mas tão insignificantes que não merecem maior atenção. As inteligências das duas pessoas subconscientes eram muito limitadas; produziam quase só banalidades. Interessante era seu *comportamento para com a consciência do eu da paciente no estado sonambúlico*. Estavam bem informadas sobre tudo que acontecia no êxtase e faziam comentários pormenorizados, às vezes de minuto em minuto[109]. Mas só conheciam superficialmente a concatenação de ideias da paciente; não a entendiam e não conseguiam responder corretamente a nenhuma pergunta referente ao assunto; remetiam sempre tudo a Ivenes: "Perguntem a Ivenes". Esta observação revela um dualismo na natureza das personalidades subconscientes que é difícil de explicar, pois o avô, que se manifesta através da fala automática, aparece também a Ivenes e, conforme ela mesma diz, lhe dá instruções sobre os assuntos abordados. Por que o avô, quando fala pela boca da paciente, não sabe nada dessas coisas e assim mesmo instrui Ivenes sobre isso nos êxtases?

128 Voltemos às explicações do primeiro surgimento das alucinações. Ali descrevemos a visão como propagação da hipnose para a esfera visual. Esta propagação não levou a uma hipnose "normal", mas a uma "histero-hipnose", ou seja, a hipnose simples complicou-se por um ataque histérico.

129 Não é fenômeno raro que no campo do hipnotismo a hipnose normal seja perturbada, ou mesmo substituída, pelo surgimento inesperado de um sonambulismo histérico quando, então, o hipnotizador perde muitas vezes o contato com o paciente. No nosso caso, o automatismo que surgiu na região motora fez as vezes do hipnotizador; as sugestões que dele partem (objetivamente chamadas de autossugestões) hipnotizam os campos vizinhos que demonstram certa receptividade. No momento em que a hipnose atinge a esfera visual, interpõe-se o ataque histérico que, como vimos, produz mudança bem

109. Este comportamento lembra as observações de Flournoy: Enquanto H.S. falava sonambulicamente como Maria Antonieta, os braços de H.S. não pertenciam à personalidade sonambúlica, mas ao automatismo "Léopold" que conversava com o observador por meio de gestos. Op. cit., p. 125.

profunda em grande parte do campo psíquico. Devemos ter em conta que o automatismo está em relação ao ataque assim como o hipnotizador em relação à hipnose patológica: ele perde a influência sobre o desenvolvimento ulterior da situação. A manifestação alucinatória da personalidade a ser hipnotizada ou da ideia sugerida pode ser considerada como a última interferência na personalidade do sonâmbulo. Daí em diante, o hipnotizador se torna mera figura com a qual a personalidade do sonâmbulo se relaciona de modo autônomo; pode ainda constatar o que se passa, mas já não é a *conditio sine qua non* do conteúdo do ataque sonambúlico. O complexo autônomo do eu do ataque – no nosso caso, Ivenes – tem agora a supremacia e agrupa seus próprios produtos mentais em torno da personalidade de seu hipnotizador (o avô), agora reduzido a mera figura. Dessa forma chegamos a entender o dualismo na natureza do avô. *O avô I, que fala diretamente aos circunstantes, é uma pessoa totalmente diferente e mero espectador de seu sósia, o avô II, que aparece como professor de Ivenes.* O avô I afirma categoricamente que ambos são a única e mesma pessoa, que o número I tem os mesmos conhecimentos que o número II e que está impedido de manifestar-se por causa da difícil situação de não falar a mesma língua. (É claro que a própria paciente não sabia dessa divisão e considerava os dois uma só pessoa.) Considerando-se bem, o avô I não estava tão errado e podia basear-se numa observação que aparentemente confirmava a identidade de I e II: quando I falava automaticamente, II não estava presente, isto é, Ivenes percebia a ausência dele e não sabia dizer onde I se encontrava durante este êxtase ou vinha a saber, após retornar de suas viagens, que o avô nesse meio-tempo cuidara de seu corpo. Por sua vez, o avô nunca fala quando a acompanha nas viagens ou quando lhe dá iluminações especiais. Este comportamento é digno de nota. Se I for o hipnotizador, totalmente separado da pessoa de Ivenes, então não há motivo para não falar objetivamente e para que sua imagem (II) não pudesse aparecer no êxtase. Apesar de ser bastante razoável, essa possibilidade nunca foi realmente levada em consideração. Como resolver este dilema? Sem dúvida existe identidade entre I e II, mas não está no campo das personalidades em questão e sim na base que é comum a ambas, isto é, na personalidade da paciente que em seu ser mais profundo é uma só e indivisível.

130 Defrontamo-nos aqui com o característico de todas as divisões histéricas da consciência. *São distúrbios que fazem parte apenas da superfície e nenhum deles vai tão fundo a ponto de atacar a base bem articulada do complexo do eu.* Em algum lugar, por mais escondido que seja, vamos encontrar a ponte lançada sobre o abismo aparentemente intransponível. De quatro cartas de baralho apresentadas a uma pessoa hipnotizada, uma é tornada invisível a ela por meio de sugestão; a pessoa consequentemente só menciona as três. Depois recebe na mão um lápis com o pedido de escrever o nome de todas as cartas que estão diante dela; ela acrescenta corretamente a quarta[110]. Um paciente de Janet[111] tinha sempre na aura de seus ataques histeroepilépticos a visão de um fogaréu, e toda vez que via um fogo em ambiente aberto tinha um ataque; bastava simplesmente apresentar-lhe um fósforo aceso para provocar o ataque. O campo visual do paciente se restringia a 30 graus no lado esquerdo e o olho direito se mantinha fechado. O olho esquerdo teve que ser fixado no centro de um perímetro enquanto se segurava um fósforo aceso a 80 graus; imediatamente ocorreu um ataque histeroepiléptico. Apesar da completa amnésia em muitos casos de dupla consciência, os pacientes não se comportam da maneira correspondente ao grau de sua ignorância, mas como se ainda um instinto obscuro guiasse suas ações de acordo com seus conhecimentos anteriores. Nem esta divisão amnésica relativamente branda, nem a amnésia grave do estado crepuscular epiléptico, que antigamente era considerada um dano irreparável, são suficientes para cortar os fios que ligam o complexo do eu do estado crepuscular àquele do estado normal. Num caso foi possível articular o conteúdo do estado crepuscular com o complexo do eu acordado[112].

131 Se aplicarmos estas experiências ao nosso caso, chegaremos à esclarecedora suposição de que, sob a influência de sugestão condizente, as camadas do inconsciente não atingidas por esta divisão procuram apresentar a unidade da personalidade automática. Mas este esforço fracassa diante do *distúrbio mais profundo e elementar causado*

---

110. DESSOIR, M. *Das Doppel-Ich*. 2. ed. ampl. Leipzig: [s.e.], 1896, p. 29.

111. JANET, P. L'Anesthésie hystérique. Conférence... Evreux, 1892, p. 69.

112. GRAETER, C. "Ein Fall von epileptischer Amnesie, durch hypnotische Hypermnesie beseitigt". *Z. f. Hypnot.* VIII, 1899, p. 129.

pelo ataque histérico[113] que impede uma síntese mais perfeita devido à anexação de associações que são, de certa forma, a propriedade mais inata da personalidade supraconsciente: *O sonho emergente de Ivenes foi colocado na boca das figuras que eventualmente se encontravam no campo visual e daí por diante permaneceu associado a estas pessoas.*

Relação com as personalidades inconscientes

132 Como vimos, as diversas personalidades se agrupam em torno de dois tipos: o avô e Ulrich von Gerbenstein. O primeiro só produz coisas religioso-pietistas, dita muitas prescrições morais edificantes etc. O segundo é apenas um adolescente que, exceto o nome, nada tem de masculino. Neste ponto temos que acrescentar anamnesicamente que a paciente fora confirmada aos 15 anos por um pastor extremamente pietista, e que também em casa tinha que ouvir às vezes sermões morais pietistas. O avô representava este lado de seu passado e Gerbenstein o outro lado, daí o curioso contraste. Temos aqui personificados os principais caracteres do passado: de um lado, o educador coercitivo e pietista e, de outro, o total expansionismo de uma garota de 15 anos que, às vezes, ultrapassa os limites[114]. Na própria paciente encontramos os dois traços numa mistura peculiar: às vezes é tímida, esquiva, excessivamente retraída e às vezes é tão expansiva que chega ao limite do permitido. *Ela própria sente este contraste muitas vezes de modo doloroso.* Isto nos dá a chave da origem das duas personalidades subconscientes. É óbvio que a paciente procura um meio-termo entre esses extremos; esforça-se por reprimi-los e alcançar um estado mais ideal. Este esforço a leva ao sonho de puberdade da Ivenes ideal; ao lado dessa figura, os lados menos refinados de seu cará-

---

113. Em "Über Pupillenstarre im hysterischen Anfall", p. 52, diz Karplus: O ataque histérico não é um processo puramente psíquico. Os processos psíquicos apenas libertam um mecanismo pré-formado que em si nada tem a ver com os processos psíquicos.

114. Esta objetivação de certos complexos de associação homogêneos foi empregada na literatura por Carl Hauptmann em sua obra dramática *Die Bergschmiede*. Lá o escavador de tesouros se confronta numa noite tenebrosa, alucinatoriamente, com todo o seu melhor ser.

ter passam para o plano de fundo. Não se perdem, porém; como pensamentos reprimidos, análogos à ideia de Ivenes, começam uma existência autônoma como personalidades automáticas.

133 Este comportamento nos lembra as pesquisas de Freud sobre os sonhos que põem a descoberto a vegetação autônoma dos pensamentos reprimidos[115]. Compreendemos também agora por que as pessoas alucinadas ficam separadas daquelas que escrevem e falam automaticamente. *As primeiras* ensinam a Ivenes os mistérios do além, contam-lhe todas aquelas histórias fantásticas sobre a singularidade de sua pessoa, criam situações em que Ivenes pode aparecer dramaticamente com os atributos de seu poder, de sua inteligência e de sua virtude. Não passam portanto de divisões dramáticas de seu sonho do eu. *As outras*, porém, devem ser dominadas, não devem ter parte em Ivenes. O que têm em comum com os companheiros espirituais de Ivenes é apenas o nome. *A priori* não é de se esperar que num caso como o nosso, onde não existem separações bem definidas, duas peculiaridades caracterológicas tão expressivas desapareçam completamente de um complexo sonambúlico do eu que está ligado ao estado de vigília. De fato, vamos encontrá-las, em parte, naquelas cenas extáticas de penitência e, em parte, nos romances cheios de mexericos mais ou menos banais. Mas, considerando-se o todo, predomina uma forma bastante atenuada.

Transcurso

134 Algumas palavras ainda devem ser ditas sobre o transcorrer dessa enfermidade peculiar. No período de um a dois meses, o processo atingiu o ponto mais alto. As descrições de Ivenes e das personalidades subconscientes referem-se em geral a esta época. A partir de então houve um lento declínio; os êxtases tomaram-se cada vez mais vazios e a influência de Gerbenstein aumentou. Diminuiu a plasticidade dos fenômenos; aos poucos fez-se uma mistura inextricável dos caracteres a princípio bem definidos. O produto psicológico ficou cada vez menor e, finalmente, toda a história teve a aparência de uma

---

115. FREUD, S. Op. cit. Cf. tb. BREUER, J. & FREUD, S. *Studien über Hysterie*. Leipzig/Viena: [s.e.], 1895, p. 177s.

grande farsa. A própria Ivenes foi seriamente afetada por este declínio: tomou-se dolorosamente insegura, falava cautelosamente como que tateando no escuro e deixava que o caráter da paciente se revelasse cada vez mais. Também os ataques sonambúlicos diminuíram em frequência e intensidade. Podia-se observar diretamente todos os graus que iam do sonambulismo até a mentira consciente.

E, assim, caiu o véu. Desde então, a paciente está fora do país. O fato de seu caráter ter ficado mais agradável e estável pode ter uma importância nada desprezível se nos lembrarmos dos casos em que o segundo estado substituía aos poucos o primeiro. Talvez se trate aqui de fenômeno semelhante. 135

Como se sabe, os fenômenos sonambúlicos são frequentes sobretudo no tempo da puberdade[116]. Assim, por exemplo, o caso de sonambulismo descrito por Dyce[117] começou exatamente na entrada da puberdade e durou até o fim dela. Também o sonambulismo de Hélène Smith está em íntima conexão com a puberdade[118]. A paciente de Schroeder Van Der Kolk tinha 16 anos quando ficou doente; Félida X. tinha 14 e meio etc. Sabemos também que nesta época se forma e se fixa o futuro caráter. Vimos no caso de Félida X. e de Mary Reynolds que o caráter do segundo estado reprimiu e substituiu aos poucos o do primeiro estado. *Por isso não é inconcebível que estes fenômenos de dupla consciência nada mais sejam do que novas formações de caráter ou tentativas de manifestação da futura personalidade que, devido às dificuldades especiais* (relacionamento exterior desfavorável, disposição psicopática do sistema nervoso etc.) *estão ligadas a distúrbios peculiares da consciência.* Considerando as dificuldades que se opõem ao futuro caráter, os sonambulismos têm às vezes grande importância teleológica porque emprestam ao indivíduo, que de outro modo fatalmente sucumbiria, os meios de vencer. Penso sobretudo em Joana D'Arc cuja extraordinária coragem lembra vivamente as ações de Mary Reynolds II. Talvez seja aqui o lugar de lembrar 136

116. PELMAN, C. "Über das Verhalten des Gedächtnisses bei den verschiedenen Formen des Irreseins". *Allg. Z. f. Psychiat.*, XXI, 1864, p. 74.

117. JESSEN, P.W. "Doppeltes Bewusstsein". *All. Z. f. Psychiat.*, XXII, 1865, p. 407.

118. FLOURNOY, T. Op. cit., p. 28.

também a importância semelhante da "alucinação teleológica". Alguns desses casos chegam ao conhecimento do público, mas até agora ainda não foram objeto de estudo científico.

O aumento do rendimento inconsciente

137 Discutimos até aqui todos os fenômenos essenciais que nosso caso nos apresentou e que foram importantes para sua estrutura interna. Talvez fosse bom aduzir breves comentários a certos epifenômenos: *o aumento dos rendimentos inconscientes*. Neste campo encontramos um ceticismo até certo ponto justificável da parte dos representantes das ciências. A concepção de Dessoir sobre um segundo eu foi logo objeto de muita oposição e acabou sendo rejeitada por diversas correntes como entusiástica demais. Como sabemos, o ocultismo apossou-se por primeiro desse campo e tirou conclusões apressadas de observações duvidosas. Estamos bem longe de poder afirmar algo definitivo, pois ainda não existe material satisfatório. Se entramos no campo do aumento do rendimento inconsciente é só para fazer jus a todos os aspectos do nosso caso.

138 *Entendemos por aumento do rendimento inconsciente aquele processo automático cujo resultado não está ao alcance da atividade psíquica consciente do respectivo indivíduo*. Aqui se inclui principalmente a leitura do pensamento através de movimentos da mesa. Não sei se existem pessoas que, por meio de conclusões indutivas, podem adivinhar longas séries de ideias a partir dos tremores intencionados. De qualquer forma, pressuposta esta possibilidade, é certo que estas pessoas devem dominar esta rotina a que chegaram por meio de incansável treinamento. Em nosso caso, a rotina deve ser descartada de antemão e não nos resta outra alternativa senão aceitar por ora uma receptividade primária do inconsciente bem superior à do consciente. Esta suposição se baseia em inúmeras observações com sonâmbulos. Basta lembrar as experiências de Binet[119]. Colocava sobre a pele anestesiada do dorso da mão ou do pescoço pequenas letras ou outros objetos, ou ainda pequenos objetos com relevos complicados, e

119. BINET, A. Op. cit., p. 125. Cf. também as informações de Loewenfeld que se inserem neste contexto. In: LOEWENFELD, L. *Der Hypnotismus*. Op. cit.

as percepções inconscientes eram registradas por meio de sinais. Com essas experiências chegou à seguinte conclusão: "De acordo com meus cálculos, a sensibilidade inconsciente de uma histérica é, em certos momentos, *cinquenta* vezes mais aguda do que a da pessoa normal". Outro aumento de rendimento que deve ser levado em conta no nosso caso e no de muitos outros sonâmbulos é o processo conhecido como "criptomnésia"[120]. Entendemos por criptomnésia a chegada à consciência de uma recordação que não é reconhecida como tal logo de saída, mas só eventualmente depois, através de um novo reconhecimento ou de um raciocínio abstrato. Característico da criptomnésia é que a imagem que surge não traz as marcas distintivas na imagem da memória, isto é, não está ligada ao correspondente complexo supraconsciente do eu.

139 Em geral, distinguimos três caminhos pelos quais a imagem criptomnésica chega à consciência:

1. *A imagem entra na consciência sem a intermediação das esferas dos sentidos (intrapsiquicamente).* É uma ideia repentina cujo nexo causal está oculto ao indivíduo em questão. Neste aspecto a criptomnésia é um evento bastante comum e intimamente ligado aos processos psíquicos normais. Muitas vezes ela induz a erro o cientista, o escritor ou compositor, fazendo-os crer na originalidade de suas ideias, mas depois vem o crítico e mostra a fonte donde brotaram essas ideias. Em geral a formulação individual do autor consegue protegê-lo contra a acusação de plágio e prova sua boa-fé, mas podem existir casos em que a reprodução ocorre inconscientemente, quase palavra por palavra. Se a passagem contiver uma ideia notável, justifica-se a suspeita de plágio mais ou menos consciente, pois uma ideia importante está vinculada ao complexo do eu por numerosas associações; ela foi pensada e repensada em épocas diferentes e em situações diversas, dispondo por isso de inúmeros pontos conectivos em todas as direções. Consequentemente, não pode desaparecer tanto da consciência a ponto de sua continuidade ficar perdida para o campo da memória consciente. Temos, porém, um critério pelo qual se pode

---

120. *Criptomnésia* não deve ser confundida com *hipermnésia*. Esta última designa o aguçamento anormal da capacidade da memória que reproduz as imagens da memória como tais.

reconhecer a qualquer tempo a criptomnésia intrapsíquica também objetivamente. *A representação criptomnésica está ligada ao respectivo complexo do eu por um mínimo de associações.* A razão disso está na relação do indivíduo com o respectivo objeto, na desproporcionalidade entre interesse e objeto. Há duas possibilidades: a) O objeto merece o interesse, mas, devido à distração ou falta de compreensão, o interesse é pequeno; b) O objeto não merece interesse e, por isso, o interesse é pequeno. Em ambos os casos há uma conexão muito lábil com a consciência, havendo por conseguinte um rápido esquecimento. A frágil ponte logo se destrói e a ideia adquirida afunda no inconsciente, já não sendo acessível à consciência. Se reentrar na consciência, por via da criptomnésia, terá o caráter de algo estranho ou de criação original, porque o caminho pelo qual entrou no subconsciente não pode mais ser encontrado. Além disso, a estranheza e criação original estão muito próximas uma da outra, bastando lembrar os vários testemunhos de naturezas geniais encontrados na beletrística. (Possessão do espírito[121].) Com exceção de alguns casos mais notáveis desse tipo, onde persiste a dúvida quanto a tratar-se de criação original ou criptomnésia, há alguns em que uma passagem de conteúdo menos importante foi reproduzida criptomnesicamente, quase ao pé da letra, como no exemplo a seguir:

140 *Assim falou Zaratustra...*

(... através do próprio vulcão, porém, o estreito caminho conduzia para baixo, chegando a esta porta do submundo).

Um extrato assustador do diário de bordo do navio Sphinx, do ano de 1686, no Mar Mediterrâneo.

121. "Será que alguém tem, ao final do século XIX, um conceito mais claro daquilo que os poetas de uma época mais vigorosa chamavam de inspiração? Caso contrário, vou descrevê-lo. Se houver o menor vestígio de superstição dentro da gente, é praticamente impossível fugir da ideia de que somos apenas encarnação, porta-vozes ou intermediários de forças muito poderosas. O conceito de revelação, no sentido de que algo que nos abala profundamente e nos derruba, de repente se torna visível e audível com impressionante certeza e acuidade, descreve simplesmente o fato. A gente ouve – não procura; a gente toma – não pergunta quem dá; como um raio, fulgura de repente uma ideia, impositiva na forma, sem vacilar – eu nunca tive escolha". NIETZSCHE, F. "Also sprach Zarathustra". *Werke*, VI. Leipzig: [s.e.], 1901, VI, p. 482s.

Naquele tempo em que Zaratustra estava na ilha feliz, aconteceu que um navio ancorou na ilha onde se encontrava a montanha fumegante; sua *tripulação desembarcou em terra para caçar lebres.* Por volta do meio-dia, *quando o capitão e seus homens estavam novamente reunidos, viram de repente um homem aproximar-se deles, vindo pelo ar,* e uma voz disse claramente: *"Já é tempo! Está mais do que na hora!"* Como, porém, a *figura estivesse bem perto deles* – voou, no entanto, com muita rapidez, qual sombra, na direção do vulcão – reconheceram com o maior espanto tratar-se de Zaratustra; todos já o tinham visto, com exceção do capitão. "Olhem!, disse o velho timoneiro, *Zaratustra está indo para o inferno*"[122].

Os quatro capitães e um comerciante, senhor Bell, *dirigiram-se à praia* da ilha do Monte Stromboli *para caçar lebres.* Por volta das três horas, *reuniram todos os homens para* ir a bordo; para indizível surpresa deles *viram aparecer dois homens que se aproximavam rapidamente vindo através do ar;* um deles estava vestido de preto, o outro trajava roupa cinza; *passaram bem perto deles, na maior pressa,* e, para o maior espanto deles, desceram no meio das chamas ardentes *da cratera do terrível vulcão do Monte Stromboli.*
(As referidas pessoas foram identificadas como sendo conhecidos de Londres[123].)

A irmã do poeta, E. Förster-Nietzsche, em resposta à minha pergunta sobre este caso, contou-me que Nietzsche tinha vivo interesse por Justinus Kerner quando esteve com seu avô, o pastor Oehler, em Pobler, entre os 12 e 15 anos, mas não mais depois disso. Dificilmente o poeta teria tido a intenção de plagiar o texto de um diário de bordo e, mesmo que tivesse sido o caso, teria certamente omitido a referência "a caçar lebres", extremamente prosaica e totalmente irrelevante para a situação descrita. Obviamente, ao descrever poeticamente a descida de Zaratustra ao inferno, aquela impressão esquecida de sua juventude introduziu-se, parcial ou totalmente inconsciente, em sua mente. 141

---

122. Ibid., p. 191. Cf. § 181 deste volume.

123. *Blätter aus Prevorst,* organizado por Justinus Kerner, p. 57. [Os grifos em ambas as citações são de C.G. Jung].

142 Neste exemplo temos todas as peculiaridades da criptomnésia: um detalhe sem importância que apenas merece ser esquecido o mais rápido possível é, de repente, reproduzido com fidelidade quase literal, enquanto os pontos principais da história são – não poderíamos dizer modificados –, mas recriados de uma maneira bem individual. Em torno do cerne individual, em torno da ideia da descida ao inferno, colocam-se, como detalhes pictóricos, aquelas antigas impressões esquecidas de uma situação semelhante. A referida história é, no mais, tão absurda que o jovem, leitor voraz, provavelmente passou por cima dela às pressas, não dedicando ao assunto maior interesse. Temos aqui o mínimo de conexão associativa exigida, pois não é fácil imaginar maior salto do que este da velha e boba história até a consciência de Nietzsche em 1883. Se considerarmos a disposição de espírito de Nietzsche na época em que escreveu *Zaratustra*[124], e o êxtase do poeta que, em mais de um ponto, se aproximava do patológico, esta reminiscência anormal parecerá mais compreensível.

143 As outras possibilidades mencionadas acima: o registro de um objeto, em si não desinteressante, no estado de distração ou de interesse parcial devido à falta de compreensão e sua reprodução críptomnésica é encontrado sobretudo em sonâmbulos e também – como curiosidades da beletrística – em moribundos[125]. Da rica seleção desses fenômenos, interessa-nos sobretudo o *falar em línguas estranhas*, o sintoma da assim chamada *glossolalia*. Encontramos este fenômeno mencionado em todos os casos em que se abordam os respectivos estados de êxtase; é encontrado no Novo Testamento, nas *Acta Sanctorum*[126], nos processos das bruxas e, mais recentemente, na *vidente de Prevorst*, em Laura, filha de Judge Edmond, em Hélène Smith de Flournoy, que foi examinada minuciosamente também sob este as-

---

124. "Um arrebatamento cuja monstruosa tensão causa de vez em quando uma torrente de lágrimas na qual o passo espontaneamente se acelera ou se retarda; um sentimento de estar completamente fora de si com a mais nítida consciência de um sem-número de delicados calafrios perpassando até os dedos do pé; uma profundeza de felicidade em que o mais doloroso e o mais lúgubre não agem como o oposto dela, mas como condição, como desafio, como cor necessária num tal excesso de luz". NIETZSCHE, F. Op. cit., p. 483.

125. ECKERMANN, J.P. *Gespräche mit Goethe in den letzten Jahren seines Lebens*. Leipzig: [s.e.], 1884, p. 230s.

126. Cf. GÖRRES, J.J. von. *Die christliche Mystik*. Op. cit.

pecto, no caso de Bresler[127] que provavelmente é idêntico ao de Gottliebin Dittus do pastor Blumhardt[128]. Conforme mostrou Flournoy, a glossolalia, enquanto se tratar de uma língua realmente autônoma, é um fenômeno criptomnésico (por excelência). Recomendo as explicações muito interessantes desse autor[129].

144 No nosso caso, a glossolalia só foi observada uma vez, quando as únicas palavras inteligíveis foram as variações jogadas a esmo da palavra "vena". A origem dessa palavra é clara: Alguns dias antes, a paciente se aprofundara num atlas de anatomia, no estudo das veias da face, cujos nomes estavam escritos em latim e empregara a palavra "vena" em seus sonhos, como acontece às vezes também com pessoas sadias. As outras palavras e frase em língua estranha revelam, à primeira vista, sua derivação do francês, idioma familiar à paciente. Infelizmente não possuo a tradução exata das diversas frases porque a paciente não quis dá-la; mas podemos supor que se tratava de fenômeno semelhante à linguagem marciana de Hélène Smith. Flournoy provou que a linguagem marciana nada mais era do que uma tradução infantil do francês, onde só as palavras eram alteradas, mas a sintaxe era exatamente a mesma. Mais provável é a suposição de que a paciente juntou simplesmente uma porção de fonemas com som estrangeiro, mas sem formar realmente palavras[130]; tomou certos tons linguísticos, próprios do francês e do italiano, combinou-os numa espécie de linguagem, exatamente como Hélène Smith, que preenchia as lacunas entre as verdadeiras palavras em sânscrito com produtos linguísticos semelhantes que ela mesma inventava. Os nomes estra-

---

127. BRESLER, J. "Culturhistorischer Beitrag zur Hysterie". *Allg. Z. f. Psychiat.*, LIII, 1896, p. 333s.

128. ZÜNDEL, F. *Pfarrer Joh.* Christoph Blumhardt. Ein Lebensbild. Zurique/Heilbronn: [s.e.], 1880.

129. FLOURNOY, T. Op. cit.

130. "Le baragouin rapide et confus dont on ne peut obtenir la signification, probablement parce qu'il n'en a en effet aucune, et n'est qu'un pseudo-Langage", p. 193. "– analogue au baragouinage par lequel les enfants se donnent parfois dans leurs jeux l'illusion qu'ils parlent chinois, indien ou 'sauvage" ("A linguagem atrapalhada, rápida e confusa cujo significado jamais se conseguiu captar, provavelmente porque não tinha significado algum, nada mais era do que uma pseudolinguagem", p. 193. " – semelhante à linguagem atrapalhada que as crianças usam em suas brincadeiras como se quisessem dar a impressão de falar chinês, indiano ou língua 'selvagem'". Ibid., p. 152.

nhos do sistema místico podem ser referidos em grande parte a raízes conhecidas. Os círculos lembram os esquemas das órbitas planetárias, contidos em qualquer atlas escolar; também a semelhança interna com o comportamento dos planetas em relação ao Sol é bastante óbvia, de modo que não estaremos equivocados se considerarmos os nomes como reminiscências da astronomia popular. Assim se explicam, por exemplo, os nomes Persus, Fenus, Nenus, Sirum, Surus, Fixus e Pix como distorções infantis de Perseus, Vênus, Sirius e estrelas fixas (analogamente às variações de vena). Magnesor lembra magnetismo cujo significado místico a paciente obteve da *vidente de Prevorst.* Connesor é o oposto de Magnesor e sua primeira sílaba "con" sugere a palavra francesa "contre". Hypos e Hyfonismo lembram hipnose e hipnotismo, sobre cujo sentido ainda circulam nos meios leigos as piores ideias. As frequentes terminações em "us" e "os" são as características que normalmente servem ao leigo para distinguir entre palavras latinas e gregas. Os restantes nomes provêm de ilações semelhantes, mas que fogem ao nosso conhecimento. Naturalmente a modesta glossolalia de nosso caso não pretende ser um paradigma clássico de criptomnésia, pois ela só consiste no emprego inconsciente de diversas impressões, em parte óticas e em parte acústicas, e todas muito evidentes.

145 2. *A imagem criptomnésica entra na consciência por intermédio dos sentidos (como alucinação).* Para este caso Hélène Smith pode apresentar novamente exemplos clássicos. Lembro o caso, já mencionado acima, com o número 18 (cf. § 98).

146 3. *A imagem entra na consciência por intermédio do automatismo motor.* Hélène Smith havia perdido um broche de grande estimação, ansiosamente procurado e em vão por toda parte. Dez dias depois, seu guia Leopoldo informou, através da mesa, o lugar onde estava o broche. Seguindo as informações, Hélène encontrou-o de noite, em campo aberto, coberto de areia[131]. Estritamente falando, não se trata, na *criptomnésia,* de um *aumento de rendimento* no verdadeiro sentido da palavra, pois a memória consciente não experimenta um aumento em sua função, mas apenas um enriquecimento em seu conteúdo. Através do automatismo, somente algumas áreas, que até então estavam fechadas à consciência, se tornam acessíveis a ela por

131. Ibid., p. 378.

via indireta. Por isso mesmo o inconsciente não produz nenhum rendimento que exceda qualitativa ou quantitativamente as capacidades da consciência. A *criptomnésia é* portanto um *aumento de rendimento apenas aparente,* ao contrário da *hipermnésia* que realmente apresenta um *aumento de função*[132].

147 Falamos acima de uma receptividade do inconsciente superior à do consciente, sobretudo tratando-se de experiências simples de transmissão de pensamento com números. Como foi dito, não só nossa sonâmbula, mas também um número relativamente grande de pessoas sadias são capazes de adivinhar, a partir dos tremores da mesa, séries mais longas de pensamentos, contanto que não sejam muito complicadas. Estas experiências são por assim dizer o protótipo daqueles casos mais raros e incomparavelmente mais espantosos de conhecimento *intuitivo* que os sonâmbulos às vezes apresentam[133]. B. Zschokke, em seu livro *Eine Selbstschau*[134], mostra-nos que semelhantes fenômenos não estão ligados apenas ao campo do sonambulismo, mas que acontecem também com pessoas não sonambúlicas.

148 A formação desses conhecimentos parece ocorrer de diversas maneiras. A primeira das coisas a ser considerada é a já mencionada acuidade das percepções inconscientes. Depois, é preciso sublinhar a importância da enorme e comprovada sugestionabilidade dos sonâmbulos. *O sonâmbulo não só incorpora, por assim dizer, cada ideia sugestiva, mas também vive dentro da sugestão por excelência, dentro da pessoa do médico ou do observador, com aquela entrega, própria do histérico sugestionável.* O relacionamento de Frau Hauffe com Kerner é um belo exemplo do que falamos. Não é de estranhar que nestes casos haja um elevado grau de *concordância de associações,* um fato que Richet, por exemplo, deveria ter levado mais em consideração em suas experiências sobre transmissão de pensamentos. Fi-

---

132. Um caso análogo in: KRAFFT-EBING, R. von. *Lehrbuch der Psychiatrie auf klinischer Grundlage für practische Ärzte und Studirende.* Stuttgart: [s.e.], 1879, p. 57s.

133. "A limitação dos processos associativos e a duradoura concentração da atenção sobre um determinado campo conceitual podem levar também ao desenvolvimento de novas ideias que nenhum esforço da vontade poderia trazer à luz no estado de vigília". LOEWENFELD, L. *Der Hypnotismus.* Op. cit., p. 289.

134. ZSCHOKKE, J.H.D. *Eine Selbstschau.* 3. ed. Aarau: [s.e.], 1843, p. 227s.

nalmente há casos de aumento de rendimento sonambúlico que não podem ser explicados apenas pela hiperestesia da atividade inconsciente dos sentidos e pela concordância de associações, mas que pressupõem *uma atividade intelectual bem desenvolvida do inconsciente.* Decifrar os tremores intencionados exige uma acuidade não apenas extraordinariamente sensível, mas também sensorial, que possibilite a combinação das percepções individuais com a unidade fechada do pensamento – se é que podemos colocar o processo de conhecimento no campo do inconsciente em analogia com o processo de conhecimento do consciente. Além disso, é preciso ter em mente a possibilidade de que, *no inconsciente, os sentimentos e conceitos não se acham tão claramente separados e, eventualmente, podem ser uma coisa só.* A exaltação intelectual que muitos sonâmbulos mostram no êxtase é um fato sem dúvida raro, mas observado com toda certeza[135], e eu gostaria de considerar o esquema criado por nossa paciente como um caso de aumento de rendimento que ultrapassa sua inteligência normal. Já vimos de onde procederia parte daquele esquema. Uma segunda fonte poderiam ser os círculos vitais de Frau Hauffe que estão desenhados no livro de Kerner. Com esses pontos de referência, parece estar determinada a forma externa. Conforme já observamos na exposição do caso, a ideia do dualismo provém dos fragmentos de conversas que a paciente ouvia no estado sonhador, após os seus êxtases.

149 Com isso, termina meu conhecimento das fontes em que a paciente se abastecia. Ela não sabia dizer donde provinha a ideia básica. Naturalmente vasculhei toda a literatura ocultista naquilo que poderia ser de interesse para o meu assunto e descobri uma porção de paralelos com nosso sistema gnóstico, datando de diferentes séculos, mas espalhados em todo tipo de publicações, na maioria totalmente inacessíveis à paciente. Além disso, considerando sua pouca idade e seu meio ambiente, este tipo de estudo fica excluído de antemão. Uma rápida análise do sistema, à luz das explicações dadas pela paci-

---

135. Giles de la Tourette diz: "Vimos moças sonâmbulas, pobres e sem instrução, bem estúpidas quando acordadas, cujo procedimento mudava completamente quando eram colocadas para dormir. Antes eram maçantes, agora ficavam vivas, excitadas e, às vezes inclusive, espirituosas". Apud LOEWENFELD, L. *Der Hypnotismus.* Op. cit., p. 132.

ente, mostra quanta inteligência foi empregada na sua construção. Quanto valor deve ser atribuído ao rendimento intelectual, é questão de gosto pessoal. Em todos os casos, levando em conta a idade e mentalidade da paciente, deve ser considerado como algo fora do comum.

Conclusão

150 Longe estou de acreditar que com este trabalho tenha conseguido um resultado definitivo ou cientificamente satisfatório. Meu esforço visou sobretudo a opinião superficial daqueles que dedicam aos fenômenos chamados ocultos nada mais que um sorriso de escárnio, e também teve como objetivo mostrar as várias conexões que existem entre esses fenômenos e o campo experimental do médico e da psicologia e, finalmente, apontar para as diversas questões de peso que este campo inexplorado ainda nos reserva. Este trabalho me convenceu de que neste campo está amadurecendo rica colheita para a psicologia experimental e que nossa ciência alemã se interessa muito pouco por este problema. Este escasso interesse da ciência alemã levou-me a discutir um caso de sonambulismo a partir do campo puramente patológico, a fim de orientar para a patologia a situação, dos sonâmbulos em geral.

Espero que meu trabalho ajude à ciência a encontrar caminhos que a levem a compreender e assimilar sempre mais a psicologia do inconsciente.

Erros históricos de leitura[1]

151 No comentário que fez ao meu trabalho *Sobre a psicologia e patologia dos fenômenos chamados ocultos*[2], o senhor Hahn interpretou de maneira equivocada minha concepção de "erros histéricos de leitura". Considerando este fenômeno como sendo de importância fundamental, seja-me dado expor mais uma vez o meu ponto de vista.

152 Minha paciente cometia na escola erros de leitura com espantosa frequência e sempre de maneira bem determinada: substituía a respectiva palavra pela correspondente em dialeto suíço; assim, por exemplo, em vez de Treppe (escada) dizia "Stege", e em vez de Ziege (cabra) dizia "Geiss" etc.[3] As expressões são absolutamente sinônimas. Quando, pois, é reproduzida a palavra "Stege", demonstra-se que foi entendido o sentido da palavra "Treppe". Para explicar este fenômeno só vejo duas possibilidades:

153 1. A palavra "Treppe" é entendida correta e conscientemente. Neste caso não há razão alguma para a pessoa sadia reproduzir a palavra de modo errado, isto é, usar o dialeto correspondente. Mas com minha paciente introduzia-se furtivamente a palavra dieletal.

154 2. A palavra "Treppe" não é entendida corretamente. Neste caso, qualquer pessoa normal reproduzirá disparates que se assemelham à palavra, seja no som ou na forma de escrevê-la, mas nunca reproduzirá uma expressão que em sua forma externa seja bem diferente, porém sinônima quanto ao conteúdo. Já apliquei testes de leitura aos nossos doentes distraídos e incapazes de concentração (paralisia,

1. Uma resposta ao senhor Hahn (médico prático em Zurique). Publicado em *Arch. f. d. ges. Psychol.*, III, 1904, p. 347-350.

2. Cf. o trabalho anterior neste volume. A recensão de Hahn apareceu em *Arch. f. d. ges. Psychol.*, III, 1904. Informe bibliográfico, p. 26-28s.

3. Cf. os § 38 e 73 deste volume.

mania, alcoolismo, demência senil etc.) e, com base nestas centenas de experiências, posso assegurar que este tipo de erro de leitura não ocorre com pessoas que não sejam histéricas. *Todo erro de leitura cometido no estado de distração é um erro de leitura com base numa semelhança de som ou da forma de escrever a palavra;* em pessoas normais é geralmente causado por constelação momentânea. Esta regra pude constatá-la também muitas vezes nos meus experimentos de associação, realizados no estado de distração.

155 Se, portanto, minha paciente reproduz, em vez das palavras alemãs, as palavras do dialeto e não se dá conta desses erros muito frequentes, verifica-se antes de mais nada uma deficiência no controle acústico do que é falado; em segundo lugar, a expressão sinônima mostra que o sentido da impressão ótica foi entendido corretamente. Só que foi reproduzido de maneira errada. Onde está a causa do erro? Em meu trabalho deixei a questão aberta, mas comentei em grandes traços que se tratava aqui de um fenômeno "automático" cuja localização não conseguia detectar corretamente naquela época.

156 A explicação mais provável é a seguinte: Sabemos por experiência diária que o *erro comum de leitura* perturba antes de tudo e quase exclusivamente a conexão significativa, pois em lugar da palavra correta entra outra que seja afim, tanto no som quanto em sua forma externa. *O erro de falar uma palavra que se lê corretamente* segue a mesma regra. Quando acontece a um suíço – o que é bastante frequente – usar uma palavra do dialeto, isto, em primeiro lugar, ocorre raríssimas vezes na leitura em voz alta e, em segundo lugar, as palavras objeto da troca são, na maioria das vezes, aquelas que têm grande afinidade fonética. Isto não se pode dizer do exemplo que escolhi de propósito: "Ziege – Geiss". Para explicar esta troca há que se admitir um "algo mais". Este algo mais é a disposição tipicamente histérica da paciente.

157 A paciente sonhadora, algo dopada, lê mecanicamente; a compreensão do respectivo sentido é, portanto, praticamente nula. Enquanto a consciência se ocupa com outra coisa bem diferente, os processos psíquicos estimulados pela leitura continuam apagados e indistintos. Em pessoas normais e doentes, distraídas, mas não histéricas, esses processos psíquicos fracamente acentuados dão origem a *enganos com base na semelhança de som ou forma,* sendo falseada a reprodução às custas da conexão significativa. *Com minha paciente aconteceu o con-*

trário: a conexão formal foi completamente dissolvida, permanecendo contudo a conexão significativa. Este comportamento só se explica pela hipótese de uma divisão da consciência, isto é, ao lado do complexo do eu que segue suas próprias representações, existe um outro complexo de consciência que lê, entende corretamente e se permite algumas modificações de expressão, como ocorre muitas vezes com complexos que funcionam automaticamente. O erro histérico de leitura distingue-se de todos os outros erros de leitura pelo fato de, na reprodução, manter-se o sentido, apesar do erro de leitura.

158 Se o senhor Hahn não entende esta automatização das funções psíquicas, tão conhecida na psicopatologia da histeria, recomendo-lhe o estudo da literatura especializada e também alguma observação prática que ele mesmo pode fazer. A literatura e a realidade são pródigas em fenômenos análogos.

159 O motivo pelo qual atribuo particular valor ao "erro histérico de leitura" é que ele demonstra, de certa forma, *in nuce* a separação das funções psíquicas do complexo do eu, tão característica da histeria, e demonstra, portanto, a forte *tendência dos elementos psíquicos para a autonomia.*

160 Em meu trabalho, citei à guisa de analogia as observações de Binet[4], que espetou com agulha a mão anestesiada (separada do complexo do eu), mas oculta por um anteparo, de determinada pessoa. Entrementes esta pessoa de repente pensou numa série de pontos (cujo número correspondeu exatamente ao número das agulhadas), ou Binet mexia nos dedos da pessoa e esta pensava em "paus" ou "colunas"; ou a mão anestesiada foi levada a escrever "Salpêtrière" e a pessoa viu diante de si esta palavra escrita em letras brancas sobre um fundo preto.

161 O senhor Hahn é de opinião que nestas observações se trata de "algo essencialmente diferente" do que acontece no erro de leitura. Mas o que seria este "algo"? O senhor Hahn não o disse.

162 As experiências de Binet mostram que o complexo da consciência, separado do complexo do eu, e disso depende a anestesia do bra-

4. BINET, A. *Les altérations de La personalité.* Paris: [s.e.]. 1892

ço, percebe as coisas corretamente, reproduzindo-as, porém, de forma modificada.

163 O complexo do eu de minha paciente foi obrigado, por outras representações, a desviar-se do ato de ler; mas o ato continua automaticamente, forma um pequeno e autônomo complexo da consciência que entende corretamente, mas reproduz de forma modificada.

164 Portanto, o tipo de processo é o mesmo, justificando-se plenamente a citação das experiências de Binet. Este tipo se repete em todos os campos possíveis da histeria; assim, por exemplo, as sistemáticas "*respostas irrelevantes*" dos histéricos que só recentemente foram publicadas também cabem aqui.

165 Gostaria de sublinhar também que o principal acento de meu trabalho está no registro, o mais minucioso possível, e na análise dos diversos fenômenos psicológicos que estão intimamente ligados ao desenvolvimento do caráter que ocorre nesta idade. A análise do quadro clínico não se baseia em autores franceses, como diz o senhor Hahn, mas nas pesquisas de Freud sobre a histeria. O senhor Hahn gostaria de ver a análise "mais ampla ainda e mais precisa". Ficaria muito grato ao senhor Hahn se, juntamente com sua crítica, indicasse novos caminhos de pesquisa neste campo tão difícil.

Criptomnésia[1]

166 A psicologia distingue uma memória direta e uma indireta. A memória é direta quando, por exemplo, vejo determinada casa e, ao vê-la, “me vem à cabeça” que, há alguns anos, morou nela um conhecido meu. Vejo a casa bem conhecida e, de acordo com a lei da associação de uma coexistência, chega à consciência a imagem memorizada do conhecido. Outra coisa é a memória indireta: Mergulhado em pensamentos, passo pela casa onde morou meu conhecido X. Não presto atenção nem na casa nem na rua; penso em outro negócio que me preocupa. De repente, introduz-se entre meus pensamentos uma imagem inesperada: Vejo uma cena em que, muitos anos atrás, X conversou comigo sobre negócio semelhante ao da minha preocupação atual. Fico admirado pelo fato de surgir esta recordação, pois a conversa não fora de grande importância. De repente, percebo que estou na rua em que morou o meu conhecido. Neste caso a associação da imagem da memória é indireta: Não percebi conscientemente a casa, pois estava internamente muito desviado. Mas no plano de fundo escuro da consciência[2] introduziu-se sorrateiramente a percepção da casa e lá acordou a associação com o meu conhecido. Como este processo associativo estava fracamente acentuado, a ponto de não conseguir ultrapassar o limiar da consciência, teve que intervir uma associação comum para auxiliar. Esta associação mediadora é a imagem da memória da conversa que se referia a negócios se-

---

1. Publicado em *Die Zukunft*, XIII, 1905, p. 325-334. Na presente versão foram introduzidas algumas modificações redacionais pelo Autor. Na edição inglesa da *Obra Completa* foi usada a redação original.

2. Para todos os que são especialistas em psicologia e, portanto, poderiam entender mal o meu emprego do conceito “consciência”, permito-me observar: como não pretendi escrever aqui um trabalho científico, empreguei a expressão “consciência” em seu sentido comum. Chamo de “inconsciente”, no sentido mais amplo, tudo o que não está representado na consciência, seja momentânea ou duradouramente.

melhantes aos que ocupavam minha consciência agora. E foi dessa forma que a imagem da memória entrou no âmbito da consciência.

167 As imagens da memória que surgem de forma direta ou indireta têm uma propriedade em comum: a qualidade de serem conhecidas; reconheço a associação como a imagem de que me lembro e sei que não é uma construção nova. As imagens que combinamos de modo novo não têm a qualidade de serem conhecidas. Digo "combinar", pois só na combinação de elementos psíquicos está a originalidade e não no material, como é atestado eloquentemente por todas as coisas da natureza. Se uma combinação nova tiver a qualidade de ser conhecida, então temos um caso anormal: um erro de memória. Os milhões de atos da relembrança que estão em nosso cérebro consistem, em grande parte, de memórias diretas. Mas um número bastante significativo é representado também pelas memórias indiretas. Este último aspecto é de interesse todo especial. Conforme vimos no exemplo da recordação indireta, uma percepção inconsciente, ou seja, uma impressão que é assumida passivamente pelo cérebro pode espontaneamente provocar uma associação afim e dessa forma chegar à consciência. A percepção inconsciente faz, portanto, aquilo que em geral nossa consciência faz. Contemplamos a casa e, para termos uma lembrança mais precisa, perguntamos: Quem morou ali? Chamamos, assim, de volta para a mente a imagem de X. A percepção inconsciente procede exatamente assim; ela procura a imagem da memória que lhe é afim e, no nosso caso, une-se (de acordo com uma lei psicológica sobre a qual não entrarei em detalhes aqui) com aquilo que está sendo ativado em silenciosa agitação no outro lado, isto é, a imagem de X falando sobre um assunto parecido. Note-se a partir desse pequeno exemplo que a associação pode ocorrer sem que a consciência interfira em nada.

168 O modo pelo qual a imagem de X entrou em minha consciência, como memória indireta, é comumente designado como "ideia súbita". A palavra alemã *Einfall* expressa muito bem o aspecto aparentemente casual e infundado desse fenômeno. Este tipo de memória indireta é muito comum em pessoas que pensam mais intuitivamente do que em sequências lógicas; é tão comum que muitas vezes esquecemos que todos os atos psíquicos são rigorosamente determinados. Tomemos um exemplo bem simples. Um estudante tem que fazer uma redação sobre uma cidade. Ele escreve: "Tivemos que ir à igreja por meio de um bonde. A igreja é pobre e não tem meios de manter uma condução própria. Logo atrás da igreja está o rio sobre o qual há uma ponte que interme-

deia o trânsito entre as duas partes da cidade". Se perguntarmos ao estudante como lhe ocorreu a expressão algo selecionada "intermedeia o trânsito", ficará devendo a resposta: vai dizer que foi uma inspiração momentânea qualquer. Pensará talvez que poderia ter escrito também "que liga o trânsito". Examinando o que escreveu, veremos que por duas vezes usou antes a palavra "meio", o que basta para explicar o aparecimento daquela expressão. Os "meios" que antecederam foram as constelações sob cuja influência a expressão veio à tona (ainda que os dois "meios" não fornecessem conscientemente a razão dessa escolha). Outro exemplo: Estou ocupado num trabalho qualquer e assobio alguma melodia; naquele momento não estou me lembrando da letra. Alguém me pergunta que música é essa que estou assobiando e então me lembro: é uma canção do tempo de estudante. "Não tenho um centavo no bolso". Não faço a menor ideia de como cheguei a esta canção que, no momento, nada tinha a ver com as associações que estavam ocupando minha consciência. Passei em revista retrospectivamente o curso do pensamento que percorri durante meu trabalho. De repente me lembrei que poucos minutos antes pensara, com certo acento emocional, numa grande conta que recebera no Ano-Novo. Daí o motivo da canção! Nem preciso dizer que dessa maneira é possível fazer todo tipo de belos diagnósticos psicológicos em nossos semelhantes. Quando um amigo meu teve a imprudência de assobiar, no espaço de dez minutos, três pequenas melodias, pude dizer-lhe que seu caso amoroso tivera um fim infeliz. As melodias eram *Im Aargau sind zwei Liebi* ("Em Aargau há dois amantes" – melodia popular suíça), *Verlassen, verlassen bin ich* ("Abandonado, abandonado estou eu") e *Steh'ich in finster Mitternacht* ("Estou na lúgubre meia-noite"). Já me aconteceu inclusive assobiar uma melodia cujo texto me era desconhecido. Procurava lembrar-me e ouvia então um texto que exprimia uma série de pensamentos, sem dúvida com forte carga emocional[3], e que me havia ocupado há mais ou menos cinco minutos.

---

3. Em seu escrito "Considerações gerais sobre a teoria dos complexos" [em "Sobre a energia psíquica e a natureza dos sonhos", 1948, p. 128. OC, 2] Jung define o "gefühlsbetonten Komplex" (complexo com carga emocional) da seguinte maneira: "A imagem de certa situação psíquica que tem carga emocional muito intensa..." Dessa definição se deduz que o conceito de "emoção" não é empregado no sentido mais recente e técnico, ou seja, para designar uma das quatro funções, mas em sentido mais geral. É neste último sentido que serão empregadas na *Obra Completa* as expressões "complexo com carga emocional" e "carga emocional".

169 Estes exemplos, que podemos observar diariamente em nós mesmos e nos outros, mostram claramente que uma série de pensamentos com carga emocional pode sair da consciência, mas sem deixar de existir; ao contrário, tem energia suficiente para mandar para dentro do mundo associativo da consciência – que neste meio-tempo se modificou – uma ideia súbita que nada tem a ver com a situação do momento.

170 A histeria, que nada mais é do que uma caricatura dos mecanismos psicológicos normais, fornece exemplos ainda mais drásticos nesta linha. Tratei recentemente de uma paciente histérica cujo trauma principal era que seu pai a espancara de forma brutal. Ao darmos um passeio, aconteceu que seu casaco caiu no chão empoeirado. Apanhei-o do chão e quis tirar a poeira batendo nele com a bengala. Mal havia começado este processo, quando a dama voou para cima de mim com os gestos mais violentos de defesa e me arrancou o casaco das mãos. Disse que não podia ver isso. Que lhe era insuportável. Eu já suspeitava da conexão e perguntei pelos motivos. Admirou-se muito e só conseguiu dizer que para ela era extremamente desagradável ver seu casaco sendo tratado assim. Estas ações sintomáticas, como Freud as chama, são frequentes entre os histéricos. A explicação é simples. Um complexo de memória, com carga emocional, e que momentaneamente não está na consciência, enseja certas ações a partir de seu lugar invisível, exatamente como se estivesse presente na consciência.

171 Pode-se dizer que nossa consciência está cheia desses intrusos quase estranhos cuja identidade é difícil de provar. Cada dia entram centenas de associações no círculo iluminado da consciência; e nós perguntaremos em vão por maiores informações sobre sua origem. Devemos lembrar-nos sempre de que a consciência só é uma parte da psique. Talvez a maior parte dos elementos psíquicos seja inconsciente.

172 A consciência encontra-se, portanto, numa posição bastante precária diante dos movimentos automáticos do inconsciente, independentes de nossa vontade. O inconsciente pode perceber e associar automaticamente, mas a qualidade de serem conhecidas só a possuem aquelas associações que uma vez passaram pela consciência e, mesmo dessas, muitas podem cair de tal modo no esquecimento que perdem aquela qualidade. Por isso nosso inconsciente deve albergar grande número de complexos psíquicos que nos surpreenderiam pelo seu caráter estranho. As inibições que partem da consciência vigilante são às vezes defesa contra invasões desse tipo. No sonho, porém, quando

as inibições provindas da consciência são eliminadas, o inconsciente pode realizar as brincadeiras mais estúpidas. Quem já leu as análises de sonhos feitas por Freud ou, melhor ainda, já fez pessoalmente alguma análise, sabe dizer o quanto o inconsciente, mesmo em pessoas as mais inocentes e decentes, brinca com símbolos cuja indecência causa horror. É desse inconsciente que depende todo aquele que realiza trabalho espiritualmente produtivo. O inconsciente premedita todos os novos pensamentos e combinações. E quando a consciência se aproxima do inconsciente com um desejo, foi o inconsciente que previamente lhe inspirou este desejo.

173 É neste solo traiçoeiro que se movimenta todo aquele que procura novos caminhos espirituais. Ai dele se não exercitar constantemente a autocrítica!

174 Assim como no mundo leve da fantasia a gente muitas vezes encontra o que procura e obtém o que deseja, também a pessoa que busca novas ideias será agraciada em primeiro lugar pelos dons enganosos da psique. Não só a história das religiões ou a psicologia das massas são ricas em exemplos apropriados, mas também a vida intelectual de todo aquele que teve esperança de realizar alguma coisa. Qual é o poeta ou compositor que não se deixa enganar, acreditando na novidade de certas ideias súbitas? O que se deseja acreditar a gente já acredita. Até o maior e mais original gênio não está livre de enganos e de suas consequências.

175 Desconsiderando estes pressupostos gerais, surge a pergunta: Quais as pessoas que procuram novas combinações? São as pessoas com ideias, os verdadeiros cérebros diferenciados que têm a sensibilidade da mulher e a emotividade da criança. São os ramos mais externos e mais finos da árvore; eles carregam as flores e os frutos. Muitos secam precocemente, outros caem ao chão. A diferenciação continua avançando tanto para o produtivo quanto para o improdutivo; por isso se misturam os ricos e os pobres de espírito. Como diz Lombroso, existem malucos com genialidade e gênios com maluquices. Um dos sinais mais comuns e gerais da degeneração é a histeria, a falta de autocontrole e autocrítica. Sem cair na mania quase psiquiátrica de Nordau[4] que enxergava doidos em toda parte, pode-se afirmar com

4. Max Nordau, 1849-1923, médico e autor, entre outros, dos livros *Die conventionellen Lügen der Kulturmenschheit*, 1883, e *Entartung*, 1892, tenta relacionar gênio e degeneração.

certeza que sem uma certa disposição de espírito, semelhante à da histeria, não é possível haver o gênio. Schopenhauer diz com muita razão que é próprio do gênio uma grande sensibilidade, algo da hipersensibilidade e emocionalidade do histérico.

176 Talvez a maioria dos histéricos que frui plenamente de seus sentidos seja doente porque possui grande massa de recordações, dotada de muita emoção e, por isso, profundamente arraigada no inconsciente; já não pode ser controlada e tiraniza a consciência e a vontade do doente. Em mulheres trata-se às vezes de esperança frustrada de amor ou de um casamento infeliz; em certos homens pode ser uma posição insatisfatória ou méritos não reconhecidos. Os doentes procuram excluir suas emoções da vida diária; por isso, de noite elas os atormentam com sonhos ruins, e de dia os importunam com repentinos ataques de ansiedade precordial, inibem as forças de ação, levam as pessoas a procurar as seitas, produzem dor de cabeça que desafia todos os curandeiros, todos os meios mágicos da eletricidade, banhos de sol e dietas alimentares. Também o gênio tem que carregar o peso da superioridade de um complexo psíquico; se o conseguir, ele o fará com prazer; se não o conseguir, ele o fará com sofrimento. Terá que executar as "ações sintomáticas" que seu talento lhe inspira; colocará na poesia, na pintura, na composição musical o seu sofrimento.

177 Estes pressupostos se aplicam mais ou menos a todo talento criador. Preenchendo o terreno da psique, o complexo psíquico, movido pelo instinto, envia à escrava "consciência", a partir de seu tesouro desconhecido e inesgotável, inúmeras ideias súbitas – entre as quais, há coisas novas e velhas – e a consciência tem que se virar com isso. Ela deveria perguntar a cada uma dessas ideias: Você possui a qualidade de ser conhecida ou você é nova? Mas se o demônio da pressa apertar, a consciência não terminará seu trabalho classificatório, a torrente fluirá para a caneta – e no dia seguinte provavelmente estará tudo impresso.

178 Já disse anteriormente que só as combinações eram novas e não o material; este não se alteraria ou só com lentidão quase imperceptível. Já não encontramos nos antigos mestres todas as cores de um Böcklin? Já não estão prefigurados de alguma forma na Antiguidade os dedos, braços, pernas, narizes e pescoços das estátuas de um Michelangelo? Certamente as menores partes de uma obra de arte são sempre velhas; também as unidades de tamanho um pouco maior (combinadas) são na maioria das vezes assumidas de outro lugar e, finalmente, um mestre não recusará incorporar numa obra nova peda-

ços inteiros do passado. Nossa psique não é tão rica que possa construir tudo novo. A natureza também não procede assim. Pode-se ver nas prisões, hospitais e hospícios quanto custa à natureza dar um passo à frente; ela constrói penosamente sobre o que já existe.

179 Este processo de âmbito geral se repete também no âmbito menor da linguagem; há poucas combinações novas, tudo são praticamente fragmentos velhos e assumidos do passado. Reproduzimos as palavras e frases de nossos pais, professores e livros, e quem fala com esmero, devido a um dom natural, este fala "como um livro", ou seja, como o livro que ele leu; ele repete maiores trechos do que outros conseguem fazer. Se for uma pessoa decente, provavelmente não falará assim ou dirá abertamente em que fonte se baseou. Mas se alguém reproduzir verbalmente, por oito linhas seguidas, o texto de outra pessoa, não podemos sem mais calar a boca daqueles que gritam a palavra "plágio" – pois realmente plágios acontecem –, mas também não precisamos de imediato acusar de plagiador o autor a quem acontece esta desgraça. Na constituição da faculdade da memória, a natureza não se fixou exclusivamente na possibilidade da recordação direta ou indireta; deu também ao pródigo em ideias súbitas a criptomnésia.

180 A palavra *criptomnésia* provém da literatura científica francesa. Sobretudo o psicólogo genebrino Flournoy deu valiosas contribuições casuísticas para o conhecimento desse fenômeno[5]. Criptomnésia significa "recordações não reconhecidas como tais". Um exemplo concreto mostra melhor o que isto quer dizer[6]. Quando, há alguns anos, lia a descida de Zaratustra ao inferno, chamou-me a atenção a passagem em que Nietzsche descreve como Zaratustra chegou ao inferno. Tive a impressão de já ter lido isto em algum lugar. Pensei inicialmente tratar-se de um caso de engano meu de memória (qualidade anormal de ser conhecido); finalmente a impressão de ser conhecido concentrou-se na passagem que fala da ida da tripulação para a terra "a fim de caçar lebres". Esta passagem ficou na minha cabeça por vários dias até que me ocorreu a ideia de que já havia lido história semelhante, muitos anos atrás, no livro de Justinus Kerner. Vasculhei os exem-

---

5. FLOURNOY, T. *Des Indes à la planète Mars*. Etude sur un cas de somnambulisme avec glossolalie. Paris/Genebra: [s.e.], 1900.

6. Já usei este exemplo antes e o abordei em meu estudo psiquiátrico: "Sobre a psicologia e patologia dos fenômenos chamados ocultos" (cf. § 140 deste volume).

plares de *Blätter aus Prevorst,* uma revista antiga cheia de ingênuas histórias de fantasmas da Suábia, e encontrei no quarto fascículo, à página 57, a seguinte história. (Apresento lado a lado os dois textos.)

Assim falou Zaratustra... 181

(... através do próprio vulcão, porém, o estreito caminho levava para baixo, chegando a esta porta do submundo).

Naquele tempo em que Zaratustra estava na ilha feliz, aconteceu que um navio ancorou na ilha onde se encontrava a montanha fumegante; sua tripulação desembarcou em terra para caçar lebres. Por volta do meio-dia, quando o capitão e seus homens estavam novamente reunidos, viram de repente um homem aproximar-se deles, vindo pelo ar, e uma voz disse claramente: "Já é tempo! Está mais do que na hora!" Como, porém, a figura estivesse bem perto deles – voou, no entanto, com muita rapidez, qual sombra, na direção do vulcão – reconheceram com o maior espanto tratar-se de Zaratustra; todos já o tinham visto, com exceção do capitão. "Olhem!, disse o velho timoneiro, Zaratustra está indo para o inferno"[7].

Uma passagem assustadora do diário de bordo do navio Sphinx, do ano de 1686, no Mar Mediterrâneo.

Os quatro capitães e um comerciante, senhor Bell, dirigiram-se à praia da ilha do Monte Stromboli para caçar lebres. Por volta das três horas, reuniram todos os homens para ir a bordo; para indizível surpresa deles viram aparecer dois homens que se aproximavam rapidamente vindo pelo ar; um deles estava vestido de preto, o outro trajava roupa cinza; passaram bem perto deles, na maior pressa, e, para o maior espanto deles, desceram no meio das chamas ardentes da cratera do terrível vulcão do Monte Stromboli.

(Quando os viajantes voltaram a Londres, souberam que, neste meio-tempo, haviam morrido dois conhecidos, os mesmos que tinham visto no Stromboli. Dessa história se conclui que no Stromboli está a entrada para o inferno.)[8]

---

7. NIETZSCHE, F. Op. cit., p. 191.
8. Ibid., p. 57.

182 Vê-se logo que a semelhança das duas narrativas não é mero acaso. Contra o acaso falam as coincidências verbais e a reprodução de detalhes sem importância como o "caçar lebres". Mas seria absurdo dizer que se trata de plágio. Por quê? Porque a passagem reproduzida é por demais insignificante em vista da intenção artística de Nietzsche. Não só é insignificante, mas também supérflua e desnecessária. As lebres, por exemplo, não caracterizam nada, a ponto de podermos imaginar como "Ilhas Felizes" tanto as Ilhas Eólicas como as Canárias. A descrição não se torna mais atraente por causa das lebres – ao contrário. Psicologicamente não é fácil explicar o caso. A primeira pergunta é esta: Quando foi que Nietzsche leu as *Blätter aus Prevorst*? De uma carta a mim dirigida pela senhora Förster-Nietzsche soube que Nietzsche se ocupou vivamente com a obra de Justinus Kerner, entre seus 12 e 15 anos, na casa de seu avô, o pastor Ohler, em Pobler; depois disso provavelmente não mais. Como Nietzsche tinha que ser muito econômico com suas leituras devido à sua fraca visão, é difícil imaginar o que poderia tê-lo feito voltar, nos últimos anos de vida, a esses contos edificantes de fadas. Devemos admitir, suponho eu, que Nietzsche leu estas histórias quando bem jovem e depois nunca mais. Mas como chegou o poeta a reproduzir esta passagem?

183 Não posso prová-lo, mas creio que Nietzsche não chegou à ideia da descida de Zaratustra ao inferno através dessa velha narrativa. Provavelmente, ao redigir o texto, a história de Kerner se introduziu de mansinho, porque estava associada, de acordo com a lei da semelhança, à ideia geral de "descida ao inferno". Admirável nisso tudo é apenas a fidelidade literária dessa reprodução. A coincidência impressionante dos dois textos nos diz que Nietzsche não fez a reprodução a partir da esfera da memória consciente. Não é possível explicar o caso a partir do funcionamento normal da memória; é praticamente inacreditável que o autor tenha intencionalmente redespertado aquelas antigas séries de palavras. O reaparecimento de impressões muito antigas e esquecidas de longa data é compreensível sob o aspecto da fisiologia cerebral; certamente não se perde uma só impressão por menor que seja, pois cada uma deixa um rasto (ainda que bem sutil) na memória. A consciência, no entanto, trabalha com inúmeras perdas de impressões antigas, assim como o Banco da Inglaterra volta a queimar, após certo período de tempo, as notas que nele

deram entrada. Sob circunstâncias especiais, não é de todo impossível o reaparecimento de antigos rastos de memória com fidelidade fotográfica. A literatura refere vários casos em que moribundos ou pessoas mentalmente anormais reproduziram séries inteiras de impressões antigas que talvez nunca tenham pertencido à esfera da memória consciente. Eckermann[9] refere que, ao morrer, um senhor idoso "de condições inferiores" começou de repente a recitar textos em grego. Verificou-se que, enquanto garoto, foram-lhe incutidos alguns versos em grego para que ele servisse de exemplo brilhante a um estudante preguiçoso de linha aristocrática. Conheço outro caso em que uma doméstica idosa recitava, em seu leito de morte, passagens bíblicas em grego e hebraico. Soube-se, depois, que enquanto mocinha trabalhara na casa de um pastor que tinha o costume de andar de cá para lá, após o almoço, lendo em voz alta a Bíblia na língua original. O psiquiatra vienense, já falecido, von Kraft-Ebing conta em seu *Lehrbuch* um caso em que uma moça histérica, num estado de êxtase, soube reproduzir sem esforço algum um poema de mais de duas páginas que havia lido pouco antes apenas uma vez.

184 Como mostram estes exemplos, estas reproduções são possíveis sob o aspecto da fisiologia cerebral. Mas para que se manifestem é preciso haver sempre um estado de espírito anormal, o que podemos supor em Nietzsche à época em que escreveu *Zaratustra*. Pensemos apenas na incrível rapidez com que esta obra foi gerada. "Um arrebatamento cuja monstruosa tensão causa de vez em quando uma torrente de lágrimas na qual o passo espontaneamente se acelera ou se retarda; um sentimento de estar completamente fora de si com a mais nítida consciência de um sem-número de delicados calafrios perpassando até os dedos do pé; uma profundeza de felicidade onde o mais doloroso e o mais lúgubre não agem como o oposto dela, mas como condição, como desafio, como cor necessária num tal excesso de luz"[10]. Assim descreve o próprio Nietzsche o seu estado de espírito. Estas oscilações consternadoras e muito profundas dos sentimentos

---

9. ECKERMANN, J.P. *Gespräche mit Goethe in den letzten Jahren seines Lebens*. Op. cit., p. 230s.

10. NIETZSCHE, F. Op. cit., p. 483.

que ultrapassam de longe a esfera da consciência foram as forças que trouxeram à luz as associações mais remotas e escondidas. Aqui – conforme já disse acima – a consciência só fez o papel de escravo em relação ao demônio do inconsciente que tiraniza a consciência e a inunda com ideias estranhas. Ninguém melhor do que Nietzsche descreveu o estado da consciência sob o influxo de um complexo automático inconsciente: "Se houver o menor vestígio de superstição dentro da gente, é praticamente impossível fugir da ideia de que somos apenas encarnação, porta-vozes ou intermediários de forças muito poderosas. O conceito de revelação, no sentido de que algo que nos abala profundamente e nos derruba, de repente se torna visível e audível com impressionante certeza e acuidade, descreve simplesmente o fato. A gente ouve – não procura; a gente toma – não se pergunta quem dá; como um raio fulgura de repente uma ideia, impositiva na forma, sem hesitar – eu nunca tive escolha"[11]. Seria difícil descrever melhor a impotência da consciência diante da força do automatismo que emerge do inconsciente. Na pessoa com pleno gozo de seus sentidos, somente esta força elementar consegue arrancar do esquecimento os vestígios mais antigos e mais sutis da memória. Na morte cerebral, quando a consciência se decompõe, mas o córtex cerebral ainda continua a trabalhar por um pouco de tempo, de modo crepuscularmente automático e sem coordenação, podem ser reproduzidos um ou outro fragmento de traços de memória, juntamente com uma quantidade de tolices doentias; o mesmo acontece na doença mental. Observei recentemente um caso de fala compulsiva numa jovem abobada. Descrevia, durante horas e com rapidez estonteante, todos os guardas que já conhecera em sua vida, incluindo suas famílias, filhos, arrumação dos quartos e outros detalhes inacreditáveis – uma performance fabulosa, impossível para uma evocação voluntária. O trabalho do gênio é diferente; ele apanha esses fragmentos distintos para inseri-los com sentido numa estrutura nova.

185 Esses processos psíquicos onde uma força automática e criativa faz com que traços perdidos da memória reapareçam em fragmentos maiores, com fidelidade fotográfica, a ciência os denomina criptomnésia.

---

11. Ibid., p. 402.

O caso Jacobsohn, que só conheço através do relato dos senhores Harden e Schnitzler[12], parece ter muita coisa em comum com uma criptomnésia; contudo não saberia dizer por que não poderia ser. Desse caso talvez seja possível tirar conclusões sobre o talento e paixão artísticos de Jacobsohn, mas não, como ousa Arthur Schnitzler, sobre seu estado mental ou sobre um foco localizado de lesão dos centros da fala. Sintomas de uma lesão nas circunvoluções de Broca e em áreas vizinhas do cérebro em nada se parecem com a criptomnésia. Pessoalmente, estou inclinado a dar ao senhor Jacobsohn, provisoriamente, um bom prognóstico no que se refere à sua produção artística. Se o acometer alguma outra doença corporal, seria o mais puro acaso se o córtex de suas circunvoluções da fala também fosse afetado. 186

---

12. Maximilian Harden escreveu em seu semanário *Die Zukunft*, em 1904, sobre o caso do crítico de teatro Siegfried Jacobsohn. Este, acusado de plágio, afirmou que não o fez conscientemente. Harden sugere que um equívoco mental, semelhante à criptomnésia, pode ser responsabilizado pelo ocorrido. O médico e escritor Arthur Schnitzler fez alguns comentários médicos sobre o caso no número seguinte do semanário. O artigo de Jung sobre criptomnésia foi publicado pouco tempo depois.

Distimia maníaca – distúrbios de humor na mania[1]

187 Sob a denominação "distimia maníaca" gostaria de publicar alguns casos cuja peculiaridade consiste num comportamento hipomaníaco crônico. Já se conhece de longa data uma *distimia constitucional de caráter melancólico e irascível,* mas só recentemente voltou-se a atenção também para casos que, apesar de pertencerem inteiramente ao campo da inferioridade psicopática, surpreendem por causa de seu excessivo "temperamento sanguíneo". Pelo que sei da literatura condizente, foi Siefert[2] o primeiro a publicar um caso típico que dava claras indicações de um estado maníaco, tendo a anamnese mostrado que se tratava de caso crônico que podia ser seguido retroativamente até a juventude. À época da internação, o paciente tinha 36 anos de idade. Quando tinha 9 anos, sofrera um forte trauma na cabeça. Mostrava boa inteligência e era trabalhador jeitoso. Mas, depois, levou vida de vagabundo, foi desertor, ladrão, fugitivo da cadeia e alcoólico contumaz. Seu comportamento era arrogante, seu ativismo era imenso e múltiplo, tinha planos para melhorar o mundo, nobres propósitos, fuga de ideias e pouquíssima necessidade de sono.

188 Nos autores mais antigos só encontramos indicações que possivelmente podem referir-se a casos semelhantes como, por exemplo, em Pinel[3] cuja *manie sans délire* (mania sem delírio) com atividade intacta do juízo e ações maníacas é, no entanto, um enfoque muito amplo para o quadro clínico bem delimitado que temos em mente. A

---

1. Publicado inicialmente em *Allg. Z. f. Psychiat.*, LXI, 1903, p. 15-39.

2. SIEFERT, E. "Über chronische Manie". *Allg. Z. f. Psychiat.*, LX, 1902, p. 261s.

3. PINEL, P. *Traité médico-philosophique sur l'aliénation mentale ou la manie*. Paris: [s.e.], 1801, p. 137s.

mania crônica mencionada por Mendel[4] é um "estado psicopático secundário" com imbecilidade; um quadro que dificilmente pode ser utilizado aqui. Também não encontramos menção desses estados em Koch, Schüle, von Krafft-Ebing e outros. Van Deventer[5] publicou em 1896 um segundo caso usando o termo *inferioridade sanguínea* que é mais ou menos o meio-termo entre "a pessoa normal de temperamento sanguíneo, por um lado, e o maníaco, por outro". O paciente trazia uma carga hereditária negativa, era agitado e volúvel desde a juventude, boa inteligência, habilidoso em vários ofícios, eufórico, despreocupado, com forte superestima de si mesmo, de caráter bruto e turbulento, moralmente deficiente em todos os sentidos, tinha fuga de ideias, era de perigosa temeridade e atividade incomum; às vezes demonstrava também profunda depressão.

189

Em seu *Grundriss der Psychiatrie*[6], Wernicke faz uma excelente descrição desses casos usando a expressão *mania crônica.* "Nada sabe dizer ao certo" sobre a origem dela, mas acredita poder afirmar que uma mania pura nunca desemboca num estado crônico desse tipo. O caso que menciona foi precedido de uma psicose que durou vários anos e sobre a qual não havia informações disponíveis. Wernicke assim descreve o estado: "A mania crônica tem todas as características essenciais da mania aguda, apenas modificadas de acordo com as condições que um estado crônico estável traz consigo. Por isso, a fuga de ideias se mantém dentro de limites moderados e está ainda sob a influência de certa reflexão e autodomínio. Consequentemente, a eufórica distimia é menos pronunciada, mas chega às vezes a irromper. Por outro lado, é mantido o estado de espírito irascível devido às colisões inevitáveis com a sociedade. O autossentimento intensificado, que não chega propriamente à megalomania, é muito marcante e dá àqueles indivíduos uma segurança de conduta que, junto com sua inegável produtividade mental, ajuda-os a progredir. Mas, com isso, criam para si todo tipo de dificuldades e conflitos pelo fato

---

4. MENDEL, E. *Die Manie*. Viena/Leipzig : [s.e.], 1881.

5. DEVENTER, J. van. "Ein Fall von sanguinischer Minderwerthigkeit". *Allg. Z. f. Psychiat.*, LI, 1895.

6. WERNICKE, C. *Grundriss der Psychiatrie in klinischen Vorlesungen*. Leipzig: [s.e.], 1900, p. 369s.

de desrespeitarem todas as normas e restrições que lhes são impostas pela lei e pela moral. Não têm consideração por ninguém, mas exigem receber a maior consideração. Não é necessário haver neste estado um distúrbio formal do pensar".

190 Em geral, esta descrição serve bastante bem para o quadro de um estado hipomaníaco crônico, ainda que me pareça vasto demais, pois poderíamos, sem forçar, incluir nela grande número de instáveis, segundo a concepção de Magnan, muitos questionadores e débeis mentais em questões de moralidade (insanidade moral). Conforme indica a experiência existem, em muitos campos da psicopatia, indivíduos que pensam de maneira confusa e têm tendência à fuga de ideias, que são grosseiramente egocêntricos, irascíveis e mentalmente produtivos, mas que não podemos classificar como maníacos crônicos. Para chegar a um diagnóstico exato, temos que exigir a presença mais precisa dos sintomas da mania. Não basta a presença de eventuais euforias, a superestima pessoal, a produtividade mental e a colisão com a ordem legal para dar o diagnóstico de "mania crônica". Para tanto, precisamos dos sintomas cardeais da mania: *instabilidade emocional com predominância da distimia eufórica, fuga de ideias, distração, atividade exagerada* (ou compulsão de movimentos) e em dependência dos sintomas principais: superestima pessoal, ideias megalomaníacas, alcoolismo e outros defeitos morais.

191 No que se refere ao nome da *distimia maníaca*, gostaria de dar preferência ao de Van Deventer, *inferioridade sanguínea*, pois, segundo minha opinião, descreve melhor o que se entende por este termo. Já conhecemos o conceito de uma *distimia melancólica constitucional* que designa uma doença cuja posição entre "sadio" e "doente" corresponde exatamente àquela da distimia constitucionalmente maníaca. Quanto ao nome "mania crônica", usado por Siefert e Wernicke, parece-me forte demais, pois não se trata de uma verdadeira mania, mas apenas de um estado hipomaníaco que não pode ser considerado psicose. Os sintomas relativamente leves de mania não são fenômenos parciais de uma mania periódica e, por isso, raras vezes se encontram isolados; misturam-se de preferência com outros traços psicopáticos. Isto já poderíamos esperar *a priori*, uma vez que os limites entre os quadros clínicos no campo da inferioridade psicopática são extremamente vagos e oscilantes. A acentuação exagerada do eu

e uma certa periodicidade de diversos sintomas como irritabilidade, depressão, exacerbação das anormalidades estáveis, traços histéricos etc., nós a encontramos em quase todos os casos de degeneração, sem que por isso haja necessariamente uma conexão mais profunda com os sintomas principais. Este é apenas mais um motivo para estreitarmos ao máximo os limites de nosso quadro clínico e para exigirmos sempre a existência dos sintomas principais da mania.

I

192 O caso a seguir apresenta uma forma bem branda de distimia maníaca, beirando uma simples instabilidade psicopática.

193 A., nascido em 1875. Comerciante. Hereditariedade: Quando o paciente tinha 12 anos de idade, seu pai foi acometido de paralisia progressiva; os demais membros da família eram sadios. O paciente era criança esperta e inteligente, de constituição algo franzina. Aos 8 anos teve escarlatina. Segundo disse, na escola era distraído e sempre pronto a fazer palhaçadas. Aos 12 anos teve grave difteria com subsequente paralisia de acomodação e do palato. Depois disto, tornou-se preguiçoso e superficial na escola, mas quando se esforçava realmente era capaz de grande rendimento. Era facilmente levado às lágrimas e, após a difteria, teria ficado "mais difícil de entendê-lo". Aos 13 anos chegou ao ginásio, onde o trabalho lhe pareceu muito fácil; estava sempre entre os primeiros alunos, muito talentoso, mas sem perseverança. Ainda jovem, tinha tendência a abusar do álcool; nenhuma intolerância ao álcool. Sempre foi bem disposto e despreocupado. Completou muito bem os estudos secundários. Depois, entrou para a firma comercial de um parente. Não se deu bem; trabalhava pouco e trocava o trabalho por qualquer outra diversão. Um ano depois, apresentou-se como voluntário ao serviço militar na cavalaria. Abusava do álcool; primeiro, só em alegres companhias, depois também antes do serviço para acalmar o tremor; sempre tinha consigo uma garrafa cheia e "participava de todas". Era sempre o cerimoniário e a alma das festas. Nos últimos meses do serviço militar, só dormia quatro horas por noite, sem estar cansado no dia seguinte. Depois, ficou mais um ano em casa. Fazia praticamente nada. Nos últimos meses foi tendo aos poucos algumas distimias que duravam

aproximadamente um dia e se repetiam em intervalos irregulares, a cada oito semanas em média. Durante os ataques ficava com péssimo humor: ora irritado, ora deprimido, tinha pensamentos lúgubres, concepção pessimista do mundo; muitas vezes ficava tão irritado que precisava segurar-se para não "bater com ambos os punhos na mesa" quando sua mãe ou irmã lhe perguntavam alguma coisa. Não conseguia concentrar-se em trabalho algum, uma "terrível inquietação interna" o atormentava constantemente; uma "vontade louca de sumir", de mudar sua situação impedia-o de executar qualquer atividade proveitosa. Corria de uma diversão a outra e consumia ao mesmo tempo grande quantidade de álcool. Seus familiares resolveram finalmente satisfazer seu desejo de mudança e permitir que fosse para fora do país onde assumiria um posto numa loja filial. Mas as coisas não correram bem. O paciente passava por cima da autoridade do tio que também era seu chefe, contrariava-o de todas as formas possíveis, tratava-o com grosseria e levava uma vida dissoluta com excessos de toda espécie. Não trabalhava nada e, após alguns meses, teve que ser mandado de volta para casa como alcoólico contumaz, em 1899. Foi internado numa clínica de tratamento de alcoólicos, mas não ligou muito para o regime de abstinência e aproveitava suas saídas da clínica para excessos de bebida e de sexo. Ficou lá cerca de seis meses e voltou algo melhor. Em casa não se manteve abstêmio, mas comportou-se relativamente bem, até que seu previsto noivado caiu por terra, o que o arrasou. No desespero, excedeu-se novamente no beber a tal ponto que precisou ser internado pela segunda vez na mesma clínica. Lá procurou, como da primeira vez, dissimular a ingestão de álcool, mas nem sempre foi bem-sucedido. Duas vezes fugiu e numa delas viajou para Milão onde gastou em farras centenas de marcos em poucos dias. Quando acabou o dinheiro, telegrafou pedindo mais e voltou com profunda ressaca moral. Ao ser-lhe proposta a internação numa instituição fechada, aceitou. E a 22 de julho de 1901 foi internado em Burghölzli.

194 No ato da internação, o paciente estava levemente alcoolizado, eufórico, muito loquaz, mostrando fuga de ideias. Ao ser informado de que sua mãe viria visitá-lo no dia seguinte, ficou agitado, chorou e disse não estar em condições de recebê-la. Com relação ao vício da embriaguez, mostrou bom-senso, mas quanto à cura mostrou um oti-

mismo bem superficial. O exame corporal revelou apenas uma clara diferença nas pupilas. Julho transcorreu em perfeita ordem. O paciente estava sempre muito animado, falador, muito gentil, mostrava bastante talento social, dava opiniões sofisticadas que nunca eram profundas, apenas espirituosas. Por ocasião de passeios era capaz de falar por horas seguidas e pulava de um assunto para outro em sua fuga de ideias. Sabia falar a respeito de tudo e o fazia com a maior superficialidade. Mostrou ser pessoa muito versada na literatura romanceada de caráter leve, tanto em alemão como em inglês; era dotado de grande ativismo, mas sem perseverança alguma. Num período relativamente curto, comprou mais de 100 livros, dos quais não leu a metade. Seu quarto estava cheio de jornais, revistas humorísticas, cartões-postais e fotografias. Tomou aulas de pintura e gabou-se de seu talento artístico. Após três ou quatro aulas, abandonou a pintura, o mesmo acontecendo com as aulas de equitação. Reconhecia e aceitava sua superficialidade anormal e, inclusive, orgulhava-se dessa especialidade: "Sou a pessoa superficialmente mais culta e letrada" – disse certa vez. Em meados de setembro, sua paciência terminou. Mostrou-se distímico, irritado, queria sair a todo custo e telegrafou para casa dizendo que não podia mais continuar aqui. Em tom irritado e agressivo escreveu longa carta aos médicos e outras semelhantes a seus parentes. Alguns dias depois estava de novo mais calmo e mais razoável. Desde então foi-lhe dada maior liberdade, podendo sair livremente. Começou então a sair todas as noites, frequentando concertos mais leves e outras variedades; permanecia quase a manhã toda na cama. Seu humor permaneceu eufórico, não trabalhava em nada e nem por isso ficava infeliz. Levou esta vida vazia até sair da instituição. Estava convencido da necessidade da abstinência, mas superestimou sua energia e capacidade de resistir. Não tinha nenhum sentimento de vergonha com relação à vida passada; contava com a maior naturalidade como contrariou seu tio ao extremo e não demonstrava a menor gratidão ao tio pelo fato de ter feito o possível para reconduzi-lo ao caminho certo. Divertia-se também contando suas bebedeiras e outros excessos, ainda que estas histórias nada contivessem de louvável.

195

Os sintomas maníacos desse caso podem ser retraçados até a época do ginásio e os sintomas tipicamente psicopáticos até a difteria aos 12 anos. A vida posterior, desde os exames finais após os estudos secundários, é totalmente anormal e permite uma opção entre dois diagnósticos: instabilidade psicopática ou distimia maníaca. A insanidade moral, que também poderia ser cogitada, parece excluída pela abundância de reações emocionais. Não se pode falar de simples alcoolismo, pois a anormalidade psíquica persistia mesmo durante a abstinência. Se excluirmos as características que podem ser atribuídas a uma inferioridade psicopática comum – egocentrismo e períodos de irritabilidade e depressão – permanecem ainda os sintomas que chamamos de hipomaníacos: leve fuga de ideias, um humor eufórico, mas totalmente inadequado, superatividade inconsequente e sem persistência. A deficiência moral é suficientemente explicada pela superficialidade da disposição humoral e pouca duração das emoções.

II

196 O caso a seguir refere-se a uma senhora cuja vida teve desenrolar semelhante, mas, graças a uma anamnese mais precisa, conseguimos uma visão mais profunda da natureza da mudança emocional.

197 Senhora B., nascida em 1858. Hereditariedade: *Pai* neurastênico, excêntrico e beberrão, morreu de cirrose hepática. *Mãe* doente do coração parece ter morrido com doença mental, provavelmente paralisia progressiva. Nada se conhece de doenças graves na juventude. A paciente fora criança esperta, muito viva e boa aluna. Bem cedo teve que padecer sob condições desagradáveis em casa. Seu pai era advogado e sua família tinha boa posição social. Os pais viviam brigando, uma vez que o pai tinha um relacionamento ilegítimo fora do casamento. Aos 18 anos sofreu dois atentados de estupro por parte de um empregado no estabelecimento comercial de seu pai. Não teve coragem de contar o fato aos pais porque o empregado ameaçou fazer graves denúncias sobre alguns negócios de seu pai. Durante anos sofreu devido à lembrança desses atentados e por causa das contínuas importunações sexuais do empregado. Aos poucos foram se desenvolvendo ataques histéricos convulsivos, estados anômalos de espírito, na maioria das vezes depressões com forte desespero; para mitigar tudo isso começou a beber vinho. Segundo informação de seus parentes, era de boa índole e de coração mole, mas carecia demasiadamente de força de vontade. Casou-se aos 22 anos. Antes do casa-

mento viajou, com o consentimento dos pais, ao encontro do noivo que morava na Itália; porém não voltou logo com ele. Ficou zanzando com ele por dois dias antes de regressar. O casamento foi em grande estilo. Mas não foi uma vida feliz. A paciente não se sentia compreendida pelo marido e não conseguia adaptar-se às etiquetas. Numa recepção social em sua casa, saiu de mansinho e foi dançar no pátio com os empregados e empregadas. Durante o puerpério a paciente ficou muito agitada, em parte devido à fraqueza e em parte devido ao alheamento visível e crescente de seu marido. Desde o início do casamento já se havia acostumado a vinhos e licores finos. Agora bebia cada vez mais. Devido à crescente irritabilidade e agitação, o marido fez com que viajasse para recuperar-se. Ao regressar, percebeu que o marido, neste meio-tempo, havia iniciado um relacionamento íntimo com a governanta. Este fato foi o bastante para piorar seu estado já comprometido, tendo que ser internada numa clínica. Voltou após seis meses e viu que a governanta a havia suplantado completamente como amante do marido. Por causa disso, mais excessos alcoólicos. Foi internada, então, num manicômio suíço.

198 Do relatório clínico da época extraímos os seguintes pontos mais importantes: Na internação, em 13 de maio de 1888, fazia graves acusações contra si mesma e se queixava de uma inquietação interna e inexplicável (que provavelmente era sequela do atentado sexual). Logo, porém, melhorou sua disposição; começou a comparar esta clínica com a clínica particular em que ficara da primeira vez, elogiou esta última, queixou-se de a terem internado agora num lugar de segunda classe e criticou a ordem da casa. Era emocionalmente instável; agora tinha lágrimas nos olhos e daqui a pouco ria alegremente e fazia brincadeiras. Era de loquacidade impressionante; falava abertamente, diante dos outros pacientes, de como se embriagara, sem aparentar a mínima vergonha. Depois que os sintomas alcoólicos desapareciam, a paciente continuava com humor instável, era tagarela, ávida de aplausos, sentia prazer em histórias ambíguas, gostava de torcer o sentido das palavras, criticava apressadamente as medidas médicas e "ria desbragadamente, como uma empregada doméstica, de piadas tolas", era simpática com o pessoal que trabalhava na clínica e socialmente agradável. *Esta instabilidade emocional durou o tempo todo em que esteve internada.* O diagnóstico foi alcoolismo com deficiência moral. Em

novembro de 1890 foi declarado o divórcio do casal, o que significou um golpe para ela. Em dezembro de 1890 teve alta e saiu da clínica com os melhores propósitos para o futuro. Auferia uma renda de dois mil francos durante cinco anos. Passou então a viver com uma amiga que tinha grande influência sobre ela. Ao que parece, manteve-se abstinente durante este período. Quando, em 1895, sua renda terminou, assumiu com sua amiga um posto num manicômio suíço. Porém, não estava satisfeita, comportava-se mal para com seus superiores, irritou-se muito quando ocorreram algumas fugas na ala sob sua responsabilidade e, poucos meses depois, deixou o emprego. Foi morar sozinha e caiu novamente na bebedeira. Mas, antes da derrocada geral, conseguiu decidir-se a procurar uma clínica e, assim, veio parar em Burghölzli no dia 19 de outubro.

199 No ato de internação, estava apenas levemente alcoolizada, como na internação acima mencionada. A depressão incipiente logo desapareceu e ela desafogou-se em algumas cartas exuberantes a uma amiga. Era "pessoa impressionável", "não conseguia esconder seus sentimentos", deixava-se dominar completamente pelo humor momentâneo. Era muito ativa e se adaptava rapidamente, "em geral alegre, temperamental, sempre pronta para as piores piadas", passageiramente também mal-humorada, muitas vezes se portava de modo um tanto sentimental. Nos concertos realizados na instituição tinha um comportamento de ostentação; em vez de cantar, começava a rir e dar gargalhadas etc. Em 1896, em uma de suas saídas, ficou noiva de outro paciente, também alcoólico. Em julho de 1896, alta e revogação da tutela. O parecer médico dizia que seu alcoolismo era devido aos seus humores que a dominavam completamente, que seu estado emocional estava agora mais equilibrado do que tempos atrás, mas que persistia "uma instabilidade congênita de temperamento e grande excitabilidade emocional". Passou a viver em concubinato com seu noivo. Este voltou logo ao vício e induziu-a também a voltar. Ele foi internado e ela, abandonada à própria sorte, tentou sustentar-se vendendo gêneros alimentícios. Mas não teve êxito. Voltou a beber muito. Embriagava-se diariamente e frequentava lugares de má reputação. Em um de seus ataques de agitação, rasgou certa vez suas roupas ficando em trajes menores. Muitas vezes chegava à taberna só de anágua e capa de chuva. Em novembro de 1897, foi novamente

internada. Na internação teve um ataque histérico com sintomas de *delirium tremens*. Nos dias seguintes teve profunda depressão que durou, em forma mais suave, até janeiro de 1898, o que não impediu que B. manifestasse grande vivacidade por ocasião de uma festa. Mais tarde ficou melindrosa, fazia questão que os outros reconhecessem sua posição social mais elevada, às vezes mostrava-se erótica, procurou ter relações com outro paciente, cantando-lhe de longe canções amorosas. Com relação ao seu futuro tinha planos otimistas. Estava aprendendo a escrever à máquina e ajudava no laboratório de anatomia. Em março de 1898, por ocasião de uma saída, embriagou-se de repente em grau leve, recebendo por isso uma reprimenda que a deixou furiosa. No dia seguinte foi encontrada em estado de grave intoxicação, tendo-se constatado que se embriagara no laboratório com álcool de 96°. Estava extremamente agitada, a princípio intratável e fazendo ameaças, *depois maníaca, com fuga de ideias, impulsividade de movimentos, erotismo e alegria forçada*. Depois de alguns dias, era a mesma de antes; não se conformava ao regulamento da casa, namorava com um paciente maníaco durante um concerto. De tempos em tempos, excessivamente alegre. A 11 de outubro de 1900 teve alta para assumir um emprego de governanta. Trabalhou com grande empenho e era muito apreciada devido ao seu humor sempre alegre e devido à sua sociabilidade. De uma de suas cartas daquela época tiramos as passagens abaixo que são características de sua superestima pessoal, de sua linguagem exagerada e cheia de expressões fortes e de sua euforia:

200 "A eterna desconfiança, a eterna descrença desses pessimistas numa cura moral definitiva minam as forças da gente e quebram a coragem. A gente se vê abandonada pelos outros e acaba abandonando-se a si mesma. Procura-se então um anestésico para os tormentos da alma e a gente se agarra a qualquer meio que anestesie – mesmo que se chame álcool. Graças a Deus não preciso desse anestésico hoje. Agora você está satisfeita comigo? Acredita agora na minha força de leão? – !!"

201 "Meu talento para educar crianças é um fato que nem o ceticismo de um Dr. X e nem a sagacidade de um professor Y podem abolir".

202 "À noite estou tão cansada que minha cabeça zune como se tivesse servido de tambor no carnaval da Basileia. Nestas circunstâncias

você tem que ter paciência comigo, se as cartas que saem de minha mão se transformam em aves-do-paraíso e se a tendência da tinta em relação ao papel está nos últimos suspiros".

203 Em julho de 1901 pegou uma forte gripe e seu patrão, inadvertidamente, lhe deu vinho como fortificante (!). Depois disso aceitou receber diariamente uma garrafa de vinho. A 7 de julho de 1901, foi novamente internada em Burghölzli por causa de *delirium tremens*; nos últimos dias havia consumido álcool de menta e água de colônia. De tempos em tempos parecia ter depressões profundas de coloração sentimental, mas não eram tão graves que a paciente não pudesse ser levada a uma risada alegre e gostosa. Por ocasião de um concerto (agosto de 1901), teve comportamento totalmente maníaco. Enfeitou-se com três grandes rosas, namorava abertamente, apresentava intranquilidade motora, suas atitudes para com os outros eram indelicadas. Depois, não se dava conta do comportamento que tivera. Sua "excitabilidade chegou ao mais alto grau da mania" (julho de 1901). Num ensaio de música na sala de um médico assistente, foi "extremamente viva, loquaz, erótica e provocante". Neste período estava sexualmente muito excitada, mas às vezes também deprimida. Sua tarefa de copiar textos era executada às pressas e sem atenção, enchia páginas vazias com frases sentimentais e rabiscos que denotavam fuga de ideias. Estava pronta para qualquer atividade, mas não demonstrava energia duradoura. Muito sensível, reagia às críticas com profunda depressão; todas as reações emocionais eram muito lábeis e exageradas. Não se dava conta de sua labilidade, superestimava a si mesma e sua força de resistência, estava convencida de seu próprio valor e às vezes se referia a outras pessoas com desprezo. Tinha a sensação de "ainda ter uma missão a cumprir", "de ser destinada a algo maior e melhor", e de que a culpa por sua degeneração estava nas circunstâncias exteriores adversas e não em sua inferioridade. De agosto de 1902 até abril de 1903, fez um regime para emagrecer e, por volta da primavera, manifestou-se uma depressão mais estável e de coloração sentimental. Durante este estado executou seu trabalho de cópia com mais capricho do que antes.

204 Os primeiros sintomas psicopáticos dessa paciente com carga hereditária adversa anunciaram-se a partir dos 18 anos, na forma de grave histeria, devido a um trauma sexual. Indicações de alguma anomalia emocional, ultrapassando o campo da histeria, encontram-se a

partir de seus 21 anos. A partir dos 30 anos de idade, temos uma história clínica mais precisa que já constata superficialidade e instabilidade emocional. Além do alcoolismo, foi também diagnosticada deficiência moral (1888). Em 1896, o alcoolismo foi declarado como dependente de sua instabilidade emocional. No correr dos anos, a histeria desapareceu completamente, com exceção de pequenos vestígios (coloração sentimental das depressões). Porém a anomalia emocional permaneceu estável. As depressões que voltavam de tempos em tempos eram de pouca duração e nunca tão profundas que não pudessem ser afastadas através de uma piada. A única depressão mais duradoura, que teve uma influência de decisiva melhora no comportamento da paciente, apareceu sob a ação da dieta de emagrecimento e deve, por isso, ser considerada como efeito específico da dieta. Também em pessoas normais ocorrem depressões nas dietas de emagrecimento. Muitas vezes as depressões da paciente tinham caráter puramente reativo como, por exemplo, no caso de ser censurada, e eram portanto meras reações exageradas a um estímulo depressivo. Nunca foram observadas, com certeza, exacerbações espontâneas dos sintomas estáveis; na maioria das vezes eram reações exageradas por causa de sensações de prazer ou do álcool. A paciente era decididamente maníaca quando bêbada. No estado normal havia uma ligeira fuga de ideias que se tornava bem manifesta em seus escritos; uma disposição eufórica de espírito, com uma visão otimista, que muitas vezes indicava uma forte superestima pessoal; grande instabilidade das sensações de prazer e desprazer; distração bem acentuada. O superativismo maníaco normalmente só se manifestava na exagerada vivacidade e loquacidade, mas bastava uma ocasião festiva para produzir logo um aumento considerável na atividade motora. Mais do que no primeiro caso, fica claro aqui que o alcoolismo e sobretudo a inferioridade moral dependem da anomalia emocional.

III

205 O terceiro caso refere-se a uma paciente que chama a atenção devido à sua instabilidade social.

206 Senhorita C., nascida em 1876, enfermeira. Hereditariedade: *Pai* beberrão, morreu de carcinoma hepático. *Meia-irmã* (do mesmo

pai) epiléptica. Na juventude a paciente não sofreu de nenhuma enfermidade corporal grave. Era muito habilidosa na escola. Com poucas exceções, suas notas eram boas também em comportamento. Quando certa vez ganhou nota baixa em aritmética, rasgou a prova diante do professor. Uma vez escreveu carta anônima à direção da escola denunciando certos professores que exigiam tarefas demais. Também chegou a fugir de casa por dois dias. Era uma criança muito esperta, lia romances com o maior prazer (muitas vezes noite a dentro). Aos 16 anos de idade, saiu da escola e foi aprender costura com sua irmã. Trabalhava muito pouco, passava a maior parte do tempo lendo e nunca obedecia a irmã. Após seis meses, as duas brigaram e a paciente foi aprender em outro lugar. Lá, ao invés de dois anos, só ficou nove meses. Aprendia rapidamente, mas produzia pouco. Em geral era muito alegre, mas às vezes também se mostrava irritada. Era de "boa índole", mas nem tudo lhe "ia bem ao coração". Dentro dela ardia a febre de viajar e decidiu-se ir para Genebra. Lá encontrou um emprego de aprendiz de costureira pelo período de um ano e realmente ficou o ano todo; de vez em quando tirava um dia livre, mas indenizava o empregador. Depois desse ano, voltou para casa. Nesta época alimentava-se quase exclusivamente de doces, gastando nisso às vezes cinco francos por dia. Finalmente ficou enjoada de doces, mas mesmo assim sentia-se compelida ainda por muito tempo a comprar chocolate quando passava perto de uma confeitaria. Distribuía então os chocolates às crianças na rua. Para satisfazer suas paixões, tomava dinheiro emprestado de qualquer um e da forma mais leviana. Muitas vezes também o tirava simplesmente de sua irmã ou dela o extorquia. Após cerca de seis meses forçou um parente a levá-la à América. Ficou com ele em Chicago durante quatro semanas sem trabalhar. Depois, foi trabalhar numa loja de roupas, mas após quatro dias saiu de lá sem avisar a ninguém. Trocou de emprego umas dez vezes, ficando em cada lugar apenas algumas horas ou no máximo alguns dias. Finalmente encontrou um emprego que lhe agradou: dama de companhia. Depois de seis meses adoeceu com úlcera no estômago. Voltou à Suíça. Abandonou o emprego de camareira num hotel após cinco dias devido a desentendimento com o patrão, e voltou para casa. Algumas semanas depois empregou-se como doméstica, mas oito meses depois ficou enjoada do trabalho. "Só conseguia ficar no emprego o tempo suficiente para conhecer o lugar e as pessoas, depois tinha que ser outra coisa". Então, tornou-se enfermeira aprendiz num hospital de Berna. Após cinco meses enjoou e foi para outro hospital onde, após quatro meses, adoeceu novamente de úlcera no estômago, ficando alguns meses doente em casa. Começou nesta época um relacionamento ilegítimo com o filho depravado de um vizinho. Após a convalescença, foi ser balconista numa loja de Zurique. Gastava muito dinheiro consigo mesma e com seu amigo a quem sustentava financeiramente. Pedia dinheiro emprestado em qualquer lugar e deixava que o pai e a irmã pagassem as dívidas. Por isso, resolveram mandá-la a uma instituição de cura pela oração, onde ficou por seis meses fazendo algum trabalho leve. Depois disto, mais quatro meses como doméstica e iniciou outro relacionamento muito íntimo, mas logo enjoou do namorado. Em seguida, sete meses como guarda num instituto para epilépticos, depois cinco meses como babá em casa de família de onde saiu por causa de briga com outra empregada. Procurou o seu último namorado em W., aprontou uma cena violenta, mas acabou reconciliando-se com ele. Arrumou um emprego de doméstica em Schaffhausen, ficando catorze dias apenas, depois dois dias em Berna, algumas semanas em Zurique e, novamente, um mês em Berna, pouco tempo em Zurique, dois meses como enfermeira num manicômio e alguns dias em W. onde gastou suas economias num hotel e brigou com o namorado. Após pouco tempo, nova reconciliação. Voltou para Zurique e em curto espaço de tempo brigou duas vezes com o namorado, assumiu outro emprego por dois meses, viajou então para Chur "por simples distração", de lá voltando para W., para aprontar outra cena ao namorado; veio novamente a Zurique por alguns dias e logo depois a W. para aprontar uma segunda e última cena ao seu namorado. Depois assumiu o posto de babá em Wallis, ficando dois meses e meio. Adoeceu novamente de úlcera no estômago e voltou para Zurique via W. Ao descer em W., encontrou logo o namorado. Isto a irritou de tal forma que tomou imediatamente o trem de volta a Zurique. Mas ao chegar a Zurique arrependeu-se de sua decisão e tomou outra vez o trem para W. Chegando à estação de W., arrependeu-se também dessa decisão e voltou de novo a Zurique. (A distância de Zurique a W. é de uma hora e meia de trem.) Ao voltar de uma daquelas brigas em W., foi passar a noite num hotel com um estranho que a encontrara na estação de Zurique. Com outro manteve uma conversa erótica e parece tê-lo acompanhado até o WC, provocando escândalo público.

207 Em todos os lugares onde trabalhou, o pessoal gostava dela porque estava sempre em ação e era de convivência agradável. Nunca estava quieta, sempre ocupada e agitada. Ultimamente sua agitação havia aumentado visivelmente, também falava mais do que antes. Nunca fez economias. O que ganhava gastava, e além disso ainda contraía dívidas.

208 Por recomendação do professor M., a paciente foi admitida em Burghölzli a 2 de abril de 1903. O relatório clínico enfatiza o seguinte: "A paciente sofre de leve excitação maníaca. Como causa externa deve ser considerado um relacionamento malogrado com um jovem. Por várias semanas a paciente se mostrou expansiva, instável, irritadiça, extremamente generosa, dormia pouco de noite e não suportava ser contrariada. De humor eufórico, a paciente está muito alegre, loquaz e apresenta leve fuga de ideias. Não pode ser mantida em casa devido à sua expansividade; a todo momento quer fazer outra coisa e quer ir a W. para um ato de vingança contra seu antigo namorado".

209 A paciente estava com expressão facial viva e inteligente, falava muito. Ao falar, constante inquietação motora; em conversas comuns não mostrava grande fuga de ideias, mas em relatos muito longos aparecia com clareza essa fuga. Estava muito eufórica, muito erótica, flertava, ria muito, era muito lábil, chorava facilmente ao lembrar-se de acontecimentos tristes, gostava de mostrar seus amuos, certa vez aprontou uma cena violenta quando o médico se recusou a visitá-la em seu quarto estando ela sozinha, gostava de recolher-se ao quarto para receber visitas, ameaçou suicidar-se e por isso teve que ser removida por certo tempo para a sala de observação. Mas, logo depois, eufórica como antes. Era muito franca e gostava de contar suas experiências de vida, mas não era capaz de colocá-las por escrito de forma ordenada. A autobiografia, após vários inícios, ficou na tentativa. Mostrava grande desejo de sair, mas ainda alimentava desejos de vingança contra o ex-namorado, ameaçando matá-lo a tiros. Fazia todo tipo de planos aventureiros para o futuro; solicitou certa vez licença para responder a um anúncio de jornal que procurava doma-

dora de animais; dizia com orgulho que não lhe faltava coragem. Além disso, tinha grandes planos de casamento. Considerava com despreocupação a vida desordenada que levara até então e estava convencida de que "no futuro as coisas iriam melhorar". Tinha leve noção do estado de agitação em que estivera nas semanas antes de sua internação. Nunca foram observadas depressões ou estados de excitação mais longos, nem mesmo exacerbações do estado normal, com exceção do atual. Ficava algo agitada durante o período menstrual.

210 No relato desse caso fiz de propósito um levantamento completo das mudanças na posição social para ilustrar a extraordinária instabilidade e desassossego da paciente. Num período de onze anos mudou de emprego nada menos do que 32 vezes e, na maioria dos casos, porque tinha "enjoado". Segundo os dados da anamnese, o estado emocional anormal pode ser retraçado até a infância. Além da menstrual, nenhuma outra periodicidade pôde ser constatada. Parece que as depressões nunca surgiram espontaneamente, mas foram provocadas por determinados acontecimentos. O alcoolismo não é mencionado, em vez dele aparece um forte abuso de doces. A constatação de leve fuga de ideias, loquacidade, disposição preponderantemente eufórica, labilidade, distração, compulsão de movimentos e erotismo confirma o diagnóstico de distimia maníaca e explica o modo de vida inconstante e moralmente defeituoso.

IV

211 O quarto caso estava sendo investigado por causa de furto e foi por mim qualificado de alienação mental (irresponsabilidade por suas ações), pois a intensidade dos sintomas maníacos era tão grande que mesmo a responsabilidade dita parcial ficava excluída a meu ver.

212 D., nascido em 1847. Pintor. Hereditariedade: *Pai*, pessoa excêntrica, inteligente, muito vivo, leviano, sempre de bom humor, ingressou na política e no campo processual, negligenciou seus negócios e a família, entregou-se a bebidas e jogo, perdeu todos os bens, vindo a depender da caridade pública. 1. *Irmão*, inteligente e talentoso, cabeça cheia de ideias, engajado em problemas políticos e sociais, morreu pobre e com dívidas. 2. *Irmã*, muito esbanjadora, morreu na miséria. 3. *Irmão*, bebedor moderado, conseguiu sustentar-se a si e a

mulher. 4. *Irmão*, levava vida dissoluta em todos os sentidos, conhecido mentiroso, completamente decaído, foi sustentado pela caridade pública. Um dos filhos de um irmão normal era um cafajeste notório e beberrão. O paciente não tivera nenhuma doença grave na juventude. Fora uma criança esperta, viva e inteligente com boas notas na escola. Após os estudos regulares, entrou num estabelecimento como aprendiz. No primeiro ano foi muito trabalhador, habilidoso e fez progressos. Durante o segundo ano mudou muito, começou a beber, negligenciou o trabalho e passou a esbanjar. Ficou quatro anos no mesmo emprego e, então, começou o nomadismo. Nestes últimos três anos seu desregramento aumentou, seu trabalho ficou cada vez mais irregular e descuidado; em contrapartida, desenvolveu uma "grandiosa opinião sobre si mesmo", vangloriava-se de sua esperteza e de seus dotes e sempre se apresentava como alguém muito especial. A partir dos 19 anos, começou um troca-troca constante. Não ficava em lugar nenhum por mais que alguns meses, bebia muito, estava descontente, nenhum mestre era suficientemente bom, tinha sempre "ideias especiais", "queria ser estimado", achava que "tudo devia ser conforme sua cabeça", estava sempre "na agitação", saía muitas vezes do emprego sem avisar, deixando inclusive o salário para trás. Em 1871 voltou para casa em estado deplorável parecendo um trapo. Apesar disso, gloriava-se de seus êxitos e contava histórias fantasiosas etc. Ficou algum tempo em casa, trabalhava muito e "sempre com pressa". De repente seu bom humor acabou, tornou-se irritadiço, revoltado, reclamava do trabalho, dos colegas e dos antigos mestres, às vezes tinha acessos de raiva e "agia como o demônio". Como antes, também nesta época o paciente era dado a beber, e quanto mais bebia mais agitado ficava, sendo às vezes levado a falar sem parar. Depois de duas semanas, arrumou a mala e começou a perambular, chegando a Paris em 1873. Devido à situação econômica precária não encontrou emprego e foi recambiado para casa após cinco semanas. Em 1875 chegou a Nürenberg. Segundo testemunho de seu mestre, foi ali um trabalhador hábil e inteligente, mas teve que ser demitido por causa do vício da bebida. Devido a uma excitação maníaca aguda, teve que ser internado ali por algumas semanas, mas por falta de pagamento foi enviado à Suíça. Em 21 de março de 1876, o paciente foi internado em Burghölzli.

213 Estava euforicamente agitado, ria sozinho, tinha fuga de ideias, contava piadas indecentes, ouvia vozes que lhe diziam "coisas divertidas" e revelou uma enorme autoestima. Com exceção de um certo sossego e da cessação das vozes, nenhuma mudança notória foi verificada. A doença foi classificada de *mania* e o paciente foi tido por curado (agosto de 1876), ainda que por ocasião da alta não desse a impressão de pessoa normal. Após a alta recomeçou a antiga vida nômade. Perambulava vagabundeando pela Suíça. Em novembro de 1879, devido a grandes privações e frio intenso, teve um estado de delírio em que imaginou "ser o papa e ter encomendado uma lauta refeição". Querendo, neste estado, retirar cinco mil francos do correio, foi preso. Ao alimentar-se novamente, as ideias se aclararam. Em 1882, o paciente se casou. O casal não teve filhos. A esposa sofreu de quatro a cinco abortos. Ficou quase um ano estável com a esposa. Depois recomeçou o nomadismo e mais tarde só se encontrava de vez em quando com sua mulher. Em 1885, o paciente encontrava-se numa situação aflitiva, entrou em desespero e concebeu o plano de envenenar a si e a esposa. Porém a execução do plano causou-lhe medo e ele passou então a furtar. Fez uma série de furtos até o início de 1886 e foi preso. Devido à sua duvidosa condição mental, foi enviado aos médicos de St. Pirminsberg para um laudo. A partir daquele laudo, podemos ressaltar o seguinte:

214 O paciente estava em contínuo estado de euforia, com elevada autoconfiança, chegando às vezes à verdadeira megalomania. Deliciava-se em fazer alusões misteriosas à sua importância. "Grandes coisas estão por acontecer, aqui no manicômio está o fundador do Reino de Deus na Terra". Escreveu uma obra de 80 páginas para ser impressa, de conteúdo em grande parte incoerente, através do qual porém passava, qual fio vermelho, uma autoglorificação superabundante. Dirigia-se retoricamente ao papa, considerando-se mais infalível do que ele, dirigia-se a Cristo, falando de si mesmo como um novo Messias, comparava-se a Hércules e Winkelried etc. De tempos em tempos entrava em êxtase formal, em que escrevia coisas como esta: "O maior artista de todos os tempos lustra os sapatos dos infelizes e o assoalho em St. Pirminsberg. Assim como o filho é o pai e vice-versa. Hurrah Helvetia!!! Ó pedra dos sábios, como brilhas! Ó nome D, que esplendor! Vosso Deus, meus companheiros, tem um coração de criança,

uma voz de leão, a inocência de uma pomba e a aparência como um de vós!" Durante o período de internação, ocupava a maior parte do tempo escrevendo longos textos. Diariamente escrevia muitas páginas e quando acabava o papel punha-se a cantar, por horas a fio, com voz gritada, hinos patrióticos e outros semelhantes. Era muito loquaz e falava dialeto, mas quando estava no embalo passava para o alemão clássico. A concatenação de ideias era ordenada, mas com inúmeras digressões e detalhes sem importância. A linguagem se movia dentro de expressões selecionadas, mostrava predileção por palavras estrangeiras e que eram empregadas com acerto na maioria das vezes. A par de sua exagerada autoestima, mantinha-se aristocraticamente à distância dos outros pacientes, tratava asperamente os guardas, mas sempre foi amável com os médicos. Sua situação nunca lhe causou preocupações, vivia alegremente de dia para dia, cheio das maiores esperanças para o futuro. Nunca demonstrou ter noção de sua doença. Certa vez ficou de péssimo humor por alguns dias, muito irritado, desconfiado, reservado, explodia às vezes em violentos xingatórios sobre o manicômio. O diagnóstico foi *mania periódica* que "pode transformar-se em loucura". Quanto aos furtos concluiu-se não haver responsabilidade.

No dia 2 de outubro de 1886 o paciente foi transferido para Burghölzli. Até dezembro o seu estado foi o mesmo de St. Pirminsberg. No início de dezembro, houve um certo sossego, permanecendo os sintomas antigos, mas com intensidade menor. A ocupação que recebeu no hospital foi pintar. Entre outras coisas pintou a capela do instituto. Descobriu-se mais tarde que pintara nos veios do mármore pequenas figuras de demônios e uma caricatura bastante bem-feita do capelão do instituto. Teve alta em 25 de fevereiro de 1887. Mesmo neste estágio de sossego, o paciente produziu muitas daquelas antigas ideias, sempre apresentadas com grande paixão, de sua vocação como reformador e melhorador do mundo. Após a alta retomou seu nomadismo pela Suíça, trabalhava alguma coisa, mas nunca ficava mais do que alguns meses no mesmo emprego. Em 1891, roubou uma quantidade considerável de alimentos e foi por isso condenado a seis meses de trabalhos forçados. Em 1893 foi novamente condenado a trabalhos forçados pelo mesmo motivo e pelo prazo de um ano. Em 1894 foi culpado pelo furto de 700 francos. Na prisão, a partir do quarto dia, ouvia vozes sussurrantes diante da porta; acreditou reconhecer a voz de uma sobrinha que dizia: "Você será indenizado" etc. Após uma semana foi solto. Em casa, as alucinações duraram ainda um dia e, então, desapareceram. Em 1895, foi condenado a dois anos de trabalhos forçados por causa de furto. No dia 24 de janeiro de 1895, foi levado para a penitenciária. Segundo relato dos supervisores de lá, o paciente desde o começo parecia ter "um parafuso a menos" e logo levantou a suspeita de ser perturbado mental. Sem base alguma, acusou os supervisores de corrupção. Na cela individual, encheu as paredes de pinturas sem nexo, mas afirmava ser um grande artista. Ficava agitado de noite e falava alto consigo mesmo "sobre sua atividade diária". Às vezes estava muito irritadiço. No dia 19 de agosto de 1895, houve novo laudo sobre ele. Dele destacamos: "No geral, o estado do paciente continua sendo o mesmo que foi descrito em 1886 pelo laudo de St. Pirminsberg. O paciente apresenta excitabilidade maníaca, fuga de ideias, autoestima exagerada, gloria-se de suas capacidades e força física; diz saber há vinte e cinco anos o segredo de 'cobrir tudo com as mais belas e vivas cores, usando uma substância semelhante a um sopro'; diz poder 'transformar num piscar de olhos um cachorro num belíssimo escaravelho de ouro' etc." O paciente ainda trouxe uma porção dessas fantasmagorias. Em 9 de novembro de 1895 foi transferido para Burghölzli. Seu estado era o mesmo da penitenciária. Seus exageros ele os explicava de maneira mais ou menos lógica, as transformações em ouro ele as conseguia pela pintura com a cor adequada; quanto ao plano de reformar o mundo, ele o abandonara depois de ter visto que era impossível melhorar o mundo. Seu comportamento era mutável como antigamente; na maior parte do tempo apresentava excitabilidade eufórica, de tempos em tempos irritabilidade e humor colérico. Este comportamento, com exceção de certo sossego, permaneceu inalterável até a alta em 16 de janeiro de 1897.

216 Nas últimas semanas antes de sua prisão atual, o paciente ficou vagabundeando pelas proximidades de sua aldeia natal; dormia num celeiro cujas paredes rabiscou com versos e ditados. Suas roupas eram trapos miseráveis, os sapatos eram pedaços que amarrava com barbante em torno dos pés. No período de 13 de setembro a 3 de outubro de 1901, o paciente praticou três assaltos noturnos furtando

alimentos, bebida, fumo e roupas. Segundo contou, num desses furtos estava muito agitado e, dentro do porão onde furtava, escutou uma voz que lhe dizia bem alto: "Anda depressa você lá embaixo e deixe alguma coisa também para mim". No dia 8 de outubro foi preso. Na primeira audiência admitiu sem mais os furtos. No dia 1º de novembro foi trazido até nós para observação. Durante o tempo que aqui permaneceu, seu comportamento em nada se modificou. Na internação estava bem disposto, modesto, seguro, cumprimentou os antigos conhecidos de modo cordial, mostrou-se muito loquaz, abordável, dava resposta completa a todas as perguntas e ainda acrescentava observações e histórias mostrando fuga de ideias. Sua história de vida ele a contou de modo coerente e bastante fiel aos fatos. Dormia pouco de noite, passava horas acordado na cama matutando sobre problemas "científicos". Inventou teorias sobre a origem dos meteoritos, sobre o transporte de defuntos para a Lua, sobre aeronaves, sobre a natureza do cérebro e do processo mental etc. Trabalhava ativamente e depressa, falando muitas vezes sozinho. Seu trabalho ele o fazia acompanhar da imitação de vozes de animais como miados, latidos, cacarejos e cantos de galo. Seu deslocamento pela ala se fazia às vezes correndo ou até andando de quatro. Quando trabalhava no campo era falador, gostava de provocar os outros, enfeitava seu chapéu com raízes e flores de ervas. Suas ideias concebidas de noite ele as passava de dia para o papel, de modo detalhado e elaborado. Suas composições eram escritas sem grandes espaços, eram limpas e, com exceção das palavras estrangeiras que usava muito, eram ortograficamente corretas. Mostravam certa erudição, boa memória, nítida *fuga de ideias* com abundante uso de palavras e expressões fortes. Trechos em prosa de sua própria lavra, escritos em alemão clássico ou dialeto, alinhavam-se com citações de Schiller etc., com versos (próprios ou dos outros) e com frases em francês, havendo sempre certa coerência de sentido, sem contudo haver grande profundidade. Não se encontrava em seus escritos nenhuma ideia uniforme ou sintetizadora, com exceção de um sentimento subjetivo intenso de seu próprio valor e de uma autoestima muitas vezes desmedida. A linguagem era muitas vezes patética ao extremo e deliberadamente paradoxal. O paciente deixava que suas ideias fossem discutidas, não se aferrava a elas, abandonava-as para voltar-se a novos problemas. Acontecia mesmo tentarem dissuadi-lo de sua teoria dos meteoritos e ouvir dele a declaração de que "até os maiores sábios já se enganaram". Sabia falar sobre todas as questões morais e religiosas imagináveis; revelava inclusive certo sentimento lírico e religioso, o que não o impedia, porém, de blasfemar e ridicularizar certos ritos sagrados. Assim, por exemplo, escreveu certa vez uma paródia vergonhosa da Ceia do Senhor. Dizia que não nascera para trabalhar pelo sustento, tinha coisa mais importante a fazer, tinha que esperar o tempo em que se realizassem todas as suas grandes ideias, em que criaria institutos de educação para a juventude, novo sistema de comunicação mundial etc. Alimentava grandes esperanças no futuro, em vista das quais todas as atenções ao momento presente desapareciam. Mas apesar dessa esperança, o paciente não tinha uma imagem clara do futuro. Só apresentava planos vagos e fabulosos que, em parte, criava na hora que lhe perguntavam sobre o futuro. Porém, estava absolutamente convencido de que "tudo ainda viria". Dava a entender que talvez vivesse mais tempo do que os outros para ver realizada a sua obra. Suas afirmações anteriores de ser o Messias, o "fundador de um novo Reino de Deus", ele as corrigiu para um sentido simbólico; estava apenas se comparando com o Messias e não afirmara que tivesse uma conexão mais profunda com ele ou com Deus. Também explicou que suas afirmações, consideradas anteriormente como ideias delirantes, eram exageros ou comparações de coloração bem viva.

217 Algumas vezes havia manifestações coléricas de humor, normalmente provocadas por insignificâncias que em outros tempos não teriam provocado uma reação de fúria. Assim, por exemplo, armou um grande escândalo pelas três horas da manhã, xingava, praguejava e latia de modo a acordar quase toda a ala. Como sempre, não dormiu bem depois da meia-noite e irritou-se devido ao ronco de outro paciente. Justificou o escândalo alegando que, se era permitido a um outro perturbá-lo com o ronco, também ele podia fazer barulho de noite.

218 Este paciente descendia de família anormal e parece que ao menos dois de seus parentes próximos (pai e irmão) apresentavam a mesma constituição mental. O quadro clínico da distimia maníaca desenvolveu-se após a puberdade e persistiu, com ocasionais exacerbações, durante o resto da vida. Encontramos também aqui, além dos sintomas especificamente maníacos, uma série de outros fenômenos psíquicos de degeneração. O paciente era apenas um alcoólico oca-

sional, provavelmente por falta de dinheiro, e talvez, por estar sempre ocupado com seu enorme fluxo de ideias, lhe faltasse o devido lazer para beber. Suas ideias mostravam certa afinidade com a *paranoia de inventor,* contudo faltavam-lhe, por um lado, a estabilidade e pertinácia do paranoico e, por outro, as ideias não eram fixas e incorrigíveis, mas eram antes inspirações ocasionais de seu humor eufórico e da exagerada autoestima. Os *episódios alucinatórios,* várias vezes mencionados em seu histórico clínico, não podem ser facilmente relacionados a qualquer quadro clínico conhecido; um deles parece ter ocorrido por causa do esgotamento, outro por causa da prisão e um terceiro por causa de forte excitação. Segundo Magnan, podem ser considerados como *syndromes épisodiques des dégénerés.* Sabemos que nos tipos mais diversos de degenerados podem ocorrer os chamados "complexos de prisão"[7], sem que possamos apontar uma psicose especial que lhes dê origem. Observamos também em nosso paciente que os estados de delírio passavam rapidamente e sem deixar resíduos, parecendo, pois, mais adequado considerá-los como "síndromes" de um degenerado.

219 As *distimias periódicas,* na forma de excitabilidade patológica, também foram encontradas aqui. Uma vez (1885) parece ter havido também uma *depressão* mais profunda durante a qual o paciente alimentou ideias de suicídio. Apesar de cuidadosa investigação, só conseguimos provar esta depressão e, mesmo assim, não é certo se durou longo tempo ou se foi simples e repentina mudança de humor, como sói acontecer também com os maníacos. Abstraindo desses poucos traços, que não fazem parte necessária do quadro da mania, este caso oferece todos os elementos para o diagnóstico de *distimia maníaca.* O paciente apresentava nítida fuga de ideias, uma profusão superabundante de ideias e palavras; sua disposição predominante de espírito não era apenas alegre e despreocupada, mas maniacamente eufórica, expressando-se sempre com trejeitos maníacos e tendo uma compulsão para a atividade que chegava às vezes à compulsão puramente motora de movimentos. A inteligência do paciente era boa e também estava em condições de avaliar sua situação com bastante

---

7. RÜDIN, E. "Über die klinischen Formen der Gefängnisspsychosen". *Allg. Z. f. Psychiat.,* LVIII, 1901, p. 458.

acerto; mas no instante a seguir voltavam as ideias de grandeza dentro das quais ele mesmo se agitava, apoiado na superprodução de sentimentos de prazer. Na verdade o paciente levava a pior vida possível como vagabundo; andava pelo país no inverno e no verão, mal alimentado, dormindo em celeiros e estábulos e, em flagrante contraste com a realidade, alimentava ambiciosas ideias de reformar o mundo. A não aceitação por parte dos outros não tinha a menor importância para ele, ao contrário do paranoico que faz muita questão da aceitação. Seu constante sentimento de prazer também o ajudava a superar esta adversidade. Este caso mostra claramente como o intelecto é muitas vezes arrastado pelas emoções. O paciente não estava realmente convencido de suas ideias, pois dispunha-se a corrigi-las teoricamente; mas *esperava* sua realização, ao contrário do paranoico que espera porque está convencido. Este caso lembra muito a vida miserável de poetas e artistas que, com pouco talento, mas muito otimismo, levaram uma vida de fome, apesar de possuírem inteligência suficiente para reconhecer a impossibilidade de uma realização social dessa forma, e terem energia e talento suficientes, se aplicados em outro lugar, para produzirem algo bom e até extraordinário numa profissão comum. Também os indivíduos que Lombroso classifica de "grafomaníacos" podemos compará-los *cum grano salis* com o nosso caso. São aqueles psicopatas que, sem serem paranoicos ou débeis mentais, superestimam a si mesmos e suas ideias de um modo ridículo; ocupam-se sobretudo com problemas filosóficos e médicos, produzem longos escritos e vão à falência publicando suas obras por conta própria. Sua falta de crítica não está muitas vezes na fraqueza mental, pois sabem bastante bem reconhecer os erros dos adversários, mas está num otimismo incompreensível e exagerado; este impede que enxerguem as dificuldades objetivas, enchendo-os de uma esperança inabalável num futuro melhor, quando se lhes fará justiça e receberão a recompensa. Nosso paciente também faz lembrar muitos "imbecis mais tarimbados" e inventores malucos cuja debilidade mental se concentra numa falta de crítica de seus caprichos; quanto ao mais, sua inteligência e aptidões se situam no nível médio.

220

É preciso ressaltar que, nos quatro casos acima narrados, a inteligência era em geral boa e, no primeiro e segundo casos, muito boa, em flagrante contraste com a conduta externa de vida, inconveniente ao extremo. Este é um contraste que encontramos também na insanidade moral. Sem dúvida a maioria dos casos de insanidade moral, conhecida na literatura, se referia a pessoas mais ou menos débeis mentais, mas também não padece dúvida que na maioria dos casos a debilidade mental não era razão suficiente para explicar a incapacidade social. Tem-se a impressão de que a deficiência intelectual é mais ou menos irrelevante e que o peso maior está no campo da anomalia emocional; e aqui nos parece que o papel principal não é desempenhado pela falta de sentimento moral, mas por um excesso de instintos e de inclinações positivas. Provavelmente uma simples falta de sentimento ético levará antes à configuração de um "sujeito mau", frio e calculista, ou de um criminoso, mas não de indivíduos ávidos de prazer que instintivamente se opõem a qualquer restrição legal, que irrefletida e despreocupadamente estragam, a cada passo, seu próprio caminho e o fazem de maneira tão estúpida que até o débil mental declarado percebe o contrassenso. Tiling[8] voltou a afirmar recentemente que o constitutivo principal no quadro da insanidade moral era um *temperamento excessivamente sanguíneo*[9] que fornece ao processo intelectual uma base movediça demais e não lhe permite a necessária constância nas acentuações dos sentimentos; e sem estas não haverá argumentos e juízos capazes de influenciar as decisões da vontade. Muito já se disse e escreveu sobre a relação entre intelecto e vontade. Se existe uma experiência que ensina que o agir depende da emoção, esta é sem dúvida a psiquiátrica. A inferioridade do intelecto, se comparada com os impulsos instintivos em relação às decisões da vontade, é tão grande que até mesmo a experiência diária de um pensador psicológico, não psiquiatra, como Baumann[10], levou-o a observar que a atividade específica de pensar vem sempre precedida de algo primariamente caracterológico que dá a necessária disposição para este ou aquele procedimento – e com isso Baumann dá um

8. TILING, T. "Die Moral insanity beruht auf einem excessiv sanguinischen Temperament". *Allg. Z. f. Psychiat.*, LVII, 1900.

9. Schüle (*Handbuch der Geisteskrankheiten*. Leipzig: [s.e.], 1878) diz que uma capacidade intelectual sofrível ou mesmo boa vem apenas a reboque dos impulsos ou tendências perversos e, apesar de sua força produtiva, é incapaz de gerar contramotivos eficazes.

10. BAUMANN, J. *Über Willens* – und Charakterbildung auf physiologisch-psychologischer Grundlage. Berlim: [s.e.], 1897.

outro torneio ao *operari sequitur esse* (o agir segue o ser) de Schopenhauer. O "primariamente caracterológico", em sentido amplo, são as acentuações dos sentimentos, quer inexistentes, quer fortes demais ou perversas; e, em sentido estrito, são tendências e impulsos, aqueles fenômenos psicológicos básicos a partir dos quais construímos o caráter empírico que é evidentemente o fator decisivo da ação da grande maioria das pessoas. O papel que nisto desempenha o intelecto é praticamente secundário, pois o máximo que faz é dar ao motivo caracterológico existente *a priori* a aparência de uma sequência forçosamente lógica de ideias e, no pior dos casos (o que em geral acontece), constrói motivos intelectuais *a posteriori*. Este ponto de vista foi expresso em termos gerais absolutos por Schopenhauer da seguinte maneira: O ser humano faz sempre apenas o que quer e o faz necessariamente; isto se deve ao fato de ele já ser o que ele quer, pois daquilo que ele é segue necessariamente tudo o que faz a cada instante[11] .

221 Mesmo admitindo que muitas decisões da vontade são intermediadas ou ponderadas pelo intelecto, não devemos esquecer que todo elo de uma cadeia de ideias tem determinado valor sentimental que é a única coisa essencial para se chegar à decisão da vontade, e sem este valor a ideia é mera sombra vazia. Mas este valor sentimental, como fenômeno parcial, está por baixo das mudanças do todo, donde resulta então, como no caso da mania, o que Wernicke chamou de "nivelação das ideias". Mesmo o processo intelectual mais puro só chega, portanto, à decisão da vontade através do valor sentimental. Por isso, o primeiro motivo de qualquer ação anormal, supondo que o intelecto esteja relativamente preservado, deveria ser procurado no campo do sentimento.

222 Wernicke[12] também coloca a insanidade moral em paralelo distante com a mania, supondo que o sintoma elementar seja uma certa nivelação das ideias. Na maioria dos casos encontrou intranquilidade interna e humor irritadiço, mas omite todos os outros sintomas maníacos igualmente importantes, como fuga de ideias, compulsão para falar, euforia mórbida etc.

---

11. SCHOPENHAUER, A. "Preisschrift über die Freiheit des Willens". *Werke in Auswahl*, II. Leipzig: [s.e.], 1891, p. 231s.

12. WERNICKE, C. Op. cit., p. 230.

223 Examinando a literatura sobre os deficientes morais, ficamos surpresos com a quantidade de vezes em que se mencionam a excitabilidade emocional e a labilidade[13]. Ao estudar os deficientes morais, talvez compense dirigir a atenção para a anomalia emocional, respectivamente a labilidade emocional, e assim dar o devido valor aos incalculáveis efeitos que exercem sobre os processos intelectuais. Desse modo talvez se possa lançar nova luz sobre um ou outro caso que até agora só foi olhado sob o aspecto da deficiência ética e considerá-lo antes como inferioridade emocional no sentido de uma distimia maníaca mais leve ou mais grave. A maior atenção, de acordo com as diretrizes aqui sugeridas, devem merecer aqueles casos de insanidade moral que seguem um curso periódico ou cíclico com "intervalos lúcidos" e exaltações de paroxismo.

224 Resumindo:

1. A distimia maníaca é um quadro clínico que pertence ao campo da inferioridade psicopática, que se caracteriza por um complexo de sintomas, estável e hipomaníaco, geralmente com origem na juventude.

2. Manifestam-se exacerbações de periodicidade incerta.

3. Alcoolismo, criminalidade, insanidade moral, instabilidade ou incapacidade sociais são, neste caso, sintomas dependentes do estado hipomaníaco.

225 Concluindo, quero expressar profunda gratidão ao meu prezado chefe, professor Bleuler, pelo fato de me haver autorizado o uso do material acima.

---

13. Krafft-Ebing fala de uma "grande irritabilidade emocional", op. cit., p. 715. Erdmann Müller, "Über Moral insanity", p. 342, diz: "Unanimemente se enfatiza que a reação emocional é reduzida ou abolida, que há embotamento emocional ou mesmo perda da emoção". Na p. 344: "Os limites restritivos que as tentativas egoístas encontram no campo do direito dos outros levam a distimias e emoções provocando uma grande irritabilidade emocional". A culpa dessa contradição não é do autor, mas do material sobre o qual trabalhou. Sua sintomatologia é tão cheia de contradições porque sob o termo "insanidade moral" são incluídos casos das mais diferentes proveniências que casualmente têm em comum o sintoma da deficiência ética.

Um caso de estupor histérico em pessoa condenada à prisão[1]

O caso a seguir de estupor histérico em pessoa encarcerada foi encaminhado à clínica de Burghölzli para um laudo médico. Com exceção das publicações de Ganser e Raecke, é escassa a literatura sobre casos dessa espécie e, inclusive, sua posição clínica parece incerta diante da polêmica de Nissl[2]. Pareceu-me, pois, de interesse levar ao conhecimento mais amplo um caso como este e, ainda, porque o quadro clínico muito especial que apresenta é de certa importância para a psicopatologia da histeria em geral. 226

A paciente Godwina F. nasceu a 15 de maio de 1854. Os pais teriam sido pessoas sadias. Das quatro irmãs, duas morreram de tuberculose, uma num manicômio e a outra era sadia. Um irmão também era sadio e muito equilibrado. O segundo irmão era Carl F., um criminoso habitual. As duas irmãs ilegítimas da paciente eram sadias. Nada constava a respeito de doenças graves na juventude de Godwina. Provinha de ambiente pobre e trabalhava numa fábrica desde os 14 anos. Aos 17 anos iniciou um caso amoroso e aos 18 deu à luz uma criança ilegítima e, aos 28, nasceu outra também ilegítima. Vivia em total dependência do amante que sempre a sustentou com dinheiro. Segundo disse, teria recebido dele, três anos atrás, cerca de 20.000 marcos, mas que gastou rapidamente. Por isso, entrou em dificuldades financeiras; deixou aumentar muito suas dívidas no hotel quando dele finalmente saiu prometendo ao hoteleiro pagar tudo assim que recebesse a quantia de 10.000 marcos de seu amante. Recaindo sobre ela suspeita de furto, 227

---

1. Publicado em *J. f. Psychol. u. Neur.*, I, 1902, p. 110-122.

2. Cf. tb. as notas 3-5, a seguir.

foi presa no dia 31 de maio de 1902 às dezessete horas. Na audiência deste mesmo dia e na do dia seguinte, comportou-se corretamente; também era calma e atenciosa sua conduta na prisão.

228 Sua filha contou que nos últimos tempos a paciente andava irritadiça e deprimida, o que era perfeitamente compreensível devido à situação difícil por que passava. Além disso, nada de anormal poderia ser arguido.

229 Quando, na manhã do dia 4 de junho de 1902, foi aberta a cela às 6:30 horas, a paciente estava "rígida", de pé, perto da porta e veio "bem rígida" na direção da funcionária exigindo que "lhe devolvesse o dinheiro que lhe havia roubado". Recusou a comida, alegando "estar envenenada". Começou então a esbravejar, a andar de cá para lá na cela, a exigir sempre seu dinheiro, queria ir imediatamente à presença do juiz etc. Chamado pela funcionária, chegou o carcereiro com sua mulher e assistente, tentando acalmá-la. Ao que parece, houve uma cena bastante forte. Teriam segurado as mãos dela e "sacudido" a paciente (segundo relato da funcionária). Negou-se que tivessem espancado a paciente. Depois disso, trancaram-na novamente na cela. Ao reabrir a cela às onze horas, ela havia rasgado suas roupas de cima. Estava muito agitada e disse que o carcereiro lhe havia batido na cabeça; e que lhe haviam roubado o dinheiro que o amante lhe dera; teria recebido dele 10.000 francos em ouro puro que teria contado sobre a mesa etc. Mostrava ter grande medo do carcereiro.

230 Durante a tarde, estava mais sossegada. Às dezoito horas, o médico distrital constatou que a paciente estava totalmente desorientada. Além disso, os seguintes sintomas merecem ser notados: ausência quase total de memória, mudança de humor provocada com facilidade, ideias megalomaníacas, fala gaguejada, insensibilidade total para espetadas profundas de agulha, forte tremor das mãos e cabeça, letra tremida e interrompida. A paciente imaginava estar em hotel de luxo, comendo comidas finas, e que os funcionários da prisão eram outros hóspedes do hotel. Dizia ser muito rica, milionária. De noite havia assaltado um homem que dava a impressão de estar frio. Às vezes ficava agitada, gritava coisas incompreensíveis. Não sabia o próprio nome e também não sabia contar nada sobre sua vida passada ou sobre sua família. Já não conhecia dinheiro.

Na viagem para Burghölzli, a paciente estava muito assustada e medrosa; assustava-se por qualquer coisa e de maneira exagerada; agarrava-se à acompanhante. Deu entrada na clínica às 20 horas do dia 4 de junho de 1902. 231

A paciente era de estatura mediana e fisicamente bem nutrida. Tinha a aparência de cansada e fenecida. A expressão facial era medrosa e chorosa, dando a impressão de pessoa completamente desamparada e desnorteada. 232

A cabeça, a língua para fora e as mãos tremiam. A região da grande fontanela apresentava uma depressão. A circunferência da cabeça era de 55cm; biparietal: 15cm, occipital-frontal: 18,5cm. As pupilas reagiam normalmente à luz e à acomodação. A maneira de andar era insegura. Nenhuma ataxia e nenhum fenômeno de Romberg. Muito vivos os reflexos do antebraço, patelares e do tendão de Aquiles. Reflexo faríngeo presente. 233

5 de junho. A paciente passou a noite bem tranquila. Hoje permaneceu deitada na cama bem quieta e apática. Comeu decentemente e cuidou de sua higiene. Não apresentou nenhuma emoção psíquica espontânea. A expressão facial traía um humor medroso-desagradável sem preponderância de emoção alguma. A paciente olhava para mim com olhar de desamparo, assustava-se por qualquer pergunta ou movimento inesperado. *Seu humor era muito instável e dependia em grau elevado da expressão facial do médico que a examinava.* Um rosto sério levava-a imediatamente ao choro, um rosto sorridente a fazia rir; a um rosto severo reagia logo com grande pavor, virava a cabeça, enterrava o rosto no travesseiro e dizia: “Não me bata”. 234

Não havia sintomas de diminuição mais forte do campo de visão. (Por causa de seu estado psíquico, não havia possibilidade de um exame mais detalhado.) A sensibilidade cutânea, respectivamente a *sensibilidade à dor* mostravam peculiaridades: no primeiro exame observou-se nas pernas e nos pés total analgesia com relação a espetadas profundas de agulha, feitas sem ela o perceber, enquanto que na cabeça e nos braços parecia haver sensibilidade normal. Após alguns minutos, o quadro era bem outro: total analgesia no braço esquerdo e sensibilidade normal nas extremidades inferiores e, note-se, exatamente nos mesmos lugares onde ocorrera o oposto um pouco antes. As zonas analgésicas mudavam a esmo, parecendo independentes de 235 qualquer sugestão (ainda que não pudessem ser excluídas com certeza). Impressionante era o comportamento da paciente neste exame: resistia a ele, mas de forma bem impessoal, não prestando atenção ao que eu fazia, mesmo quando a espetava com as agulhas intencionalmente diante de seus olhos. *Procurava, antes, como que negando conscientemente a real situação, alguma causa desconhecida para a dor,* em sua camisola ou nos cobertores.

236 Travou-se então o seguinte diálogo com a paciente:

Onde a senhora está? *Em Munique.* Em que casa? *Num hotel.* Que horas são? *Não sei.* Sobrenome? *Não sei.* Prenome? *Ida* (este era o prenome de sua segunda filha). Quando nasceu? *Não sei.* Desde quando está aqui? *Não sei.* Seu sobrenome é Meier ou Müller? *Ida Müller.* A senhora tem uma filha? *Não. – Sim! Sim.* Ela é casada? *Sim.* Com quem? *Com um homem.* O que ele faz? *Não sei.* Ele não é diretor de uma fábrica? Sim, *é diretor de fábrica* (Resposta errada). A senhora conhece Godwina F.? *Sim, ela está em Munique.* A senhora é G.F.? *Sim.* Mas a senhora se chama Ida Müller? *Eu me chamo Ida.* A senhora já esteve em Zurique? *Nunca estive em Zurique, mas já estive na casa do meu genro.* A senhora conhece o senhor Benz? (nome do genro) *Não conheço o senhor Benz, nunca falei com ele.* Não é verdade. A senhora já não morou na casa dele? *Sim.* A senhora conhece Carl F.? (irmão dela) *Não conheço Carl F.* Quem sou eu? O *maitre do hotel.* O que é isto? (uma agenda) O *cardápio.* Que horas são? (mostrei-lhe o relógio que marcava onze horas) *Uma hora.* Três vezes quatro é quanto? *Dois.* Quantos dedos tenho aqui? (cinco) *Três.* Não! Preste atenção! *Sete.* Conte-os. *Um, dois, três, cinco, sete.* Conte até dez. *Um, dois, três, quatro, cinco, seis, sete, dez, doze.*

237 A paciente não conhecia o alfabeto nem a tabuada de multiplicar. Ao tentar escrever, manifestava um tremor muito forte: não conseguia escrever com a mão direita uma única palavra legível. Com a esquerda escrevia um pouco melhor. Ler só conseguia com grande dificuldade, trocava facilmente as letras das palavras. Com a leitura dos números era pior ainda; não conseguia distinguir o quatro do cinco. Denominava corretamente os objetos que lhe eram apresentados. Nenhum sintoma de apraxia. Mostrava ser muito sugestionável. Estando de camisola ao lado da cama, foi-lhe dito que estava trajando um belo vestido de seda. A paciente disse: “Sim, muito bonito”, passou a mão sobre a ca-

misola e olhou pelo corpo abaixo. Queria deitar-se na cama quando lhe disseram: "A senhora quer deitar-se com o vestido na cama?" Silenciosamente começou então a desabotoar a camisola, mas parou de repente: "Não estou usando nenhuma camisola".

6 de junho. O estado dela continuava praticamente o mesmo. Já sabia que seu sobrenome era F. Mas como nome ainda continuava indicando "Ida". Já sabia sua idade. Mas, de resto, completamente desorientada. 238

7 de junho. Há quanto tempo a senhora está aqui? *Muito tempo.* Já há vinte anos? *Sim, muito tempo.* A senhora está aqui há apenas oito dias. *É! Só oito dias?* Onde a senhora está? *Em Munique, tenho que dizer isto sempre de novo.* Em que casa? *No hospital. Há muitos doentes aqui, mas eu não estou doente.* O que esses doentes têm? *Dor de cabeça.* Quem sou eu? *O médico.* A senhora já me havia visto antes? *Não.* Então hoje é a primeira vez? *Não, ontem.* Que dia da semana é hoje? *Domingo* (resposta errada). Mês? *Maio.* Dia? *Dois.* Ano? *Não sei.* 1899? *Sim.* Não, 1892! *Está bem.* Ou 1902? *Sim, sim, 1902* (em tom de voz bem vivo) – *Não, estamos em 1900, sim, 1900, estou confusa.* A senhora não esteve ultimamente na prisão? *Não, nunca estive na prisão. Um homem com barba me bateu.* Isto aconteceu aqui? *Sim.* A senhora tem dívidas? *Não.* Tem, sim! *Bem, tenho uma porção de dinheiro.* De onde o recebeu? (não houve resposta) Quanto? *Bastante.* Quanto? *Não sei, nunca contei É de minha filha.* Quem é o pai de seus filhos? *Já morreu há muito tempo.* Qual é a idade da senhora? *Cinquenta.* Nasceu em que ano? *Em maio.* Em que ano? *Isto não sei.* Sua filha está grávida? (estava em estado adiantado de gravidez) *O que é isto?* Sua filha vai ter um bebê? *Não, ele morreu.* A senhora só tem uma filha? *Sim, uma só.* Não, a senhora tem duas. *Sim.* Qual o nome do marido de sua filha? *Isto não sei.* 239

A paciente falava hoje razoavelmente bem, só tropeçava em algumas palavras difíceis. A leitura ia devagar, mas quase sem erros. A compreensão do que havia lido ficava prejudicada sobretudo devido a um *alto grau de deficiência da capacidade de concentração.* Só entendia e reproduzia frases curtas e de conteúdo banal. Frases mais longas não eram compreendidas e nem reproduzidas, embora a paciente fizesse corretamente tudo o que lhe pediam. Hoje conseguiu di- 240 zer sem erros as letras do alfabeto. A contagem numérica ainda continha lacunas: 10,11,12,13-15,16,17,18-20.

241 Os números quatro e cinco ainda eram trocados na hora de escrever. Agora a paciente já conseguia escrever, mas a escrita era bastante deformada por causa do tremor.

242 Nos dias seguintes, a paciente apresentou essencialmente o mesmo quadro.

243 9 de junho. A paciente estava melhor, suas reações eram rápidas e cumprimentou-me amigavelmente. Boa orientação no espaço e chamava-se Godwina F. Não tinha a menor ideia de quando, como e por que viera a este lugar. *Só sabia algo a respeito de uma filha*, Ida. Nada sabia de seu irmão Carl F., nem de sua prisão, nem de seu genro etc. Já não foram constatados graves distúrbios de sensibilidade.

244 10 de junho. Recebeu naquele dia a visita de sua filha Ida. À noite ainda se lembrava da visita. A orientação se mantinha. Perguntou a uma funcionária qual era a data.

245 Ao ser informada de que estava em prisão preventiva, a paciente se alterou emocionalmente, chorou muito e não quis acreditar.

246 11 de junho. Estava melhor do que no dia anterior. A orientação espaçotemporal estava boa, queixou-se de dor de cabeça. Jazia na cama, bem quieta e aparentemente esgotada. Estava muito distraída e tinha quase que ser acordada para qualquer resposta. A memória relativa aos fatos de 9 de junho de 1902 para trás até alguns meses antes de sua prisão estava fortemente afetada. Tinha ideias muito vagas a respeito de sua última estadia em Zurique. Sabia que morara ultimamente num hotel de um senhor König; não conseguia lembrar o nome do hotel, ainda que lhe fosse insinuado de forma bastante clara. *Tinha amnésia absoluta quanto ao tempo imediatamente anterior à sua prisão e também quanto ao tempo da prisão.* Só conseguia lembrar que "um homem havia batido nela, não aqui, num outro lugar, provavelmente em outro hospital".

247 *Sua memória começa de novo a partir do dia 10 de junho.* A paciente ainda se lembrava da visita que sua filha lhe fizera no dia anterior, *mas não se lembrava de sua alteração emocional quando lhe informaram que estava em prisão preventiva.* Lembrava-se do dia 9 ou talvez de antes, pensando estar em Munique (onde realmente esteve há

cerca de seis meses). Apesar de minucioso exame e perguntas, nada mais se conseguiu obter.

A paciente estava com medo e se assustava por qualquer ninharia. Cansava-se facilmente e várias vezes fechou os olhos durante a conversa, parecendo esgotada. 248

12 de junho. Orientação perfeita. Preocupou-se várias vezes com sua situação. Pensou que tivesse vindo para cá por causa de doença; tinha forte dor de cabeça e os olhos estavam turvos. Foi-lhe dito (pela funcionária) que a polícia a havia trazido aqui. Mas não se lembrava absolutamente disso. Teria ficado na prisão; quanto tempo, não o sabia, talvez oito dias. Na prisão teriam batido nela porque teria dito que fora roubada. Parecia que havia colocado dinheiro na mesa e este repentinamente desaparecera. 249

Lembrava-se agora também do montante de suas dívidas e da acusação de furto contra ela. Estava apavorada, muito cansada, confusa e antes de qualquer resposta tinha que pensar muito. 250

Nos dias subsequentes, nenhuma mudança importante. 251

18 de junho. Menos assustada e menos cansada. Deu hoje uma anamnese coerente, mas ainda com muitas falhas de distração, sobretudo com referência a datas. *Retrocedendo, sua memória foi bastante clara até o dia da prisão (31 de maio), quanto ao tempo anterior havia muita imprecisão.* A paciente teve que pensar muito até lhe ocorrer o lugar onde havia sido presa (por volta do meio-dia, em vez de às cinco horas da tarde). Sabia que fora ouvida em audiência e achava que havia sido apenas uma vez; teria ficado cerca de oito dias presa na cela. A audiência teria ocorrido no primeiro ou segundo dias (2 de junho) após a detenção. (Na verdade ocorreu logo após a prisão, às seis horas da tarde, e na manhã do dia seguinte; depois estivera presente enquanto foram ouvidas várias testemunhas.) Também se lembrava vagamente de ter visto sua filha na audiência. (A filha fora presa sob idêntica acusação.) Disse que teve que assinar alguma coisa, mas não sabia mais do que se tratava. Na segunda ou terceira noite teria tido “a nítida impressão de ter colocado sobre a mesa os esperados 10.000 mil marcos”. Esse dinheiro lhe teria causado grande alegria. Aí pareceu-lhe de repente que a porta se abrira, entrando um homem preto todo encurvado; ele a teria tomado pelos ombros com as mãos frias, apertando seu 252

rosto contra o travesseiro. Então lhe ocorreu a ideia: "Jesus, ele quer pegar o meu dinheiro!" De tanto susto, teria "voltado a si"; ainda sentia as mãos frias em seus ombros e fora certificar-se se a porta estava fechada e ver se o seu dinheiro estava na mesa. Viu que o dinheiro desaparecera e entrou então em desespero; já não conseguia orientar-se e não sabia mais onde estava. De manhã vieram dois homens e duas mulheres que ela não conhecia. Um deles pegou-a pelos cabelos e começou a bater-lhe. Ela gritara e "provavelmente havia perdido os sentidos". "Era como se tivesse morrido". Quando voltou a si, estava deitada aqui (na clínica) na cama. Parecia-lhe estar em Munique, mas a funcionária lhe disse que estava em Zurique.

253 Disse que agora se sentia bem, com exceção da dor de cabeça e da dificuldade de dormir bem; que só de noite tinha sonhos assustadores como, por exemplo, que estava deitada sobre gatinhos ou que muitos gatos se agarravam a ela.

254 A paciente ainda apresenta forte torpor e capacidade de atenção muito reduzida, apesar de ser boa a compreensão. Má retenção na memória do assunto lido, falhando completamente em histórias mais longas. Nas operações aritméticas bem curtas e simples ia bem, mas as operações um pouco mais longas como, por exemplo, 3x17, 7x17, 35:6, 112+73, não conseguia resolvê-las porque sempre esquecia de novo uma das partes da operação. Devido à facilidade com que ficava cansada, havia rápido decréscimo da atenção.

255 Um teste mais preciso da sensibilidade mostrou uma imprecisa distinção entre qualidades de tato e temperatura, sobretudo nas extremidades inferiores. O exame perimétrico constatou campo de visão normal. Nenhuma analgesia.

256 À noite, a paciente foi levada em pouco tempo ao *sonambulismo hipnótico* através de alguns passes e simples cerrar dos olhos. Levada por sugestão condizente, bebeu vinho e vinagre num copo vazio. Também por sugestão mordeu um limpador de caneta como se fosse uma maçã e disse que era bastante azeda.

257 Perguntas cautelosas mostraram que a *amnésia retrógrada do período de 31 de maio até a noite de 3/4 de junho desaparecera sob o efeito da hipnose.* A paciente contou que fora presa às 17:00 horas na praça Bellevue, quando passeava com sua filha. A filha fora detida

por primeiro, chegando depois a paciente que havia ficado para trás. Fora ouvida em audiência às 18:00 horas do mesmo dia e na manhã seguinte etc. (Os detalhes foram confirmados pela filha). *A amnésia total referente ao período de 3/4 de junho até 10 de junho resistiu à hipnose.* Não foi possível obter nenhuma recordação apesar de repetidas tentativas.

258 Através de sugestão foi removida a dor de cabeça. Para a noite foi sugerido sono profundo, como também amnésia para todo o conteúdo da hipnose. Após acordar, as dores de cabeça haviam melhorado sensivelmente e, durante a noite, a paciente dormiu oito horas ininterruptas.

259 Nos dias seguintes foi hipnotizada com bastante regularidade e com bons resultados. Em cada hipnose mostrava continuidade de memória com as anteriores.

260 24 de junho. A paciente passava agora a maior parte do tempo fora da cama; ocupava-se com trabalhos manuais. Com exceção de certa sonolência e distração, não apresentava sintomas de maior importância. *As amnésias retrógradas parcial e total continuavam inalteradas.* A paciente se mostrava sugestionável, realizando-se inclusive sugestões pós-hipnóticas.

261 27 de junho. Hoje foi possível *penetrar na amnésia total* através de um artifício.

262 A paciente foi induzida ao sono da forma costumeira. Imediatamente ficou cataléptica e com profunda analgesia.

263 Pergunta: A senhora está hipnotizada agora? *Sim.* Está dormindo? *Sim.* Mas, a senhora não está dormindo; está falando comigo! *Certo, não estou dormindo.* Preste atenção, vou hipnotizá-la agora! (Foi retomado o processo anterior. A paciente estava deitada bem relaxada. Os leves espasmos nos braços que costumam ocorrer na hipnose cessaram). Está dormindo agora? Nenhuma resposta. Está dormindo? Nenhuma resposta. Daqui a pouco poderá falar! (Passes em torno da boca). Está dormindo? (Baixinho e hesitante) Sim. Como foi que a senhora chegou aqui? *Não sei.* A senhora está agora na cela da prisão, não é? *Sim.* E agora está se abrindo a porta. *Sim e entra um policial que me levou para o manicômio.* Como chegou até aqui? *Numa carruagem.* Agora vocês estão na carruagem! *Sim, estou com*

muito medo na carruagem, está relampejando e trovejando e chove muito. Estou sempre com medo daquele homem grande e gordo que me bateu. Agora a carruagem parou. A senhora está na clínica. Que horas são? *São oito horas. Estou sentada num pequeno quarto, chega um senhor com barba e diz que não preciso ter medo, pois não apanharei mais – chegam então mais duas mulheres e mais uma – levam-me para a cama.*

264 Aqui a memória sofreu uma interrupção. O relato da paciente coincidia perfeitamente com a realidade. Fora trazida para a clínica por um policial, numa carruagem, às oito horas da noite, durante forte tempestade. Durante a viagem se agarrara ao policial, pois tinha muito medo "de apanhar novamente". Na internação estava presente um médico, depois chegaram duas zeladoras e, pouco após, a zeladora da ala.

265 No correr das duas semanas seguintes, o estado geral da paciente melhorou muito com o emprego intermitente da hipnose. A extensão da amnésia permaneceu inalterada.

266 21 de julho. De noite, a paciente pulou de repente da cama, totalmente perturbada, mostrava grande medo e estava desorientada ao extremo. Só depois de muita conversa foi acalmada e voltou a deitar-se na cama. De manhã estava na cama, tremia, assustava-se muito quando lhe dirigiam a palavra, demonstrava um medo indefinido e se queixava de tonturas e dor de cabeça.

267 Uma pesquisa imediatamente posterior constatou que na noite anterior, por ocasião de um concerto na clínica, a paciente reencontrara um homem, também internado, que a deixara numa situação desagradável no hotel em que morava antes da detenção, ao contar a todos a história de seu irmão, criminoso contumaz. Já se queixara, durante o concerto e após, da desagradável impressão que o paciente lhe causara. Após duas horas de repouso na cama, cujo efeito foi salutar, a paciente foi examinada da maneira mais cuidadosa possível. Ela contou o seguinte:

268 Na noite anterior, ao ir para a cama, sentia tonturas e "ruídos" na cabeça. Teria dormido bem e se sentia agora com a cabeça bem clara. De algo desagradável que lhe tivesse acontecido no dia anterior, nada conseguia lembrar. Quando perguntada se se lembrava do con-

certo da noite anterior, ficou de repente muito vermelha e com lágrimas nos olhos, mas disse com voz indiferente que se lembrava muito bem do concerto – o que demonstrou contando diversos detalhes. No concerto nada de desagradável lhe teria acontecido. Todas as perguntas indiretas haviam sido inúteis. Só quando lhe foi perguntado diretamente se vira o paciente M, lembrou-se do incidente. Contou, então, sem demonstrar nenhuma emoção e num tom de voz bastante indiferente, o acontecido.

22 de julho. Noite calma. Nenhuma piora. 269

Na hipnose deste dia desapareceu a amnésia com relação ao estado crepuscular da véspera. A paciente foi reconduzida, pela sugestão, ao estado daquela noite em que teve medo, sem saber onde estava. Mostrou então como pulou da cama. A zeladora gritou: "Senhorita F., fique quieta e volte para a cama". Mas ela não foi, procurando esconder-se, tinha grande medo e então apareceu uma colega, a paciente K., que a consolou e acalmou. (Os detalhes da descrição puderam ser comprovados.) 270

24 de julho. Continuou queixando-se de dor de cabeça e de dormir mal. 271

Descobriu-se de repente que, mesmo sem a dupla hipnose, a paciente tinha uma recordação hipnótica do estado crepuscular de 4 a 10 de junho. A memória se estendia agora também à manhã do dia 5 de junho, do qual reproduziu as cenas das visitas e do exame com riqueza de detalhes. Também foi possível obter alguma coisa acontecida depois do dia 5, mas isto não pôde ser verificado por falta de informações mais precisas. Como sugestão pós-hipnótica *foi proposta a lembrança do episódio do estado crepuscular.* Em vez do curto sono após a hipnose, manifestou-se o *sonambulismo histérico,* no qual a paciente confundiu-me com seu amante e dirigiu palavras carinhosas a "Ferdinand". Por meio de alguns passes e enérgica sugestão para dormir, o estado crepuscular foi cortado e convertido em simples sono. Depois que acordou, havia amnésia total. *Não foi feita a sugestão pós-hipnótica para lembrar-se do episódio da internação.* 272

A paciente teve alta no dia 25 de julho sob escolta policial. 273

No dia 4 de agosto de 1902, a paciente escreveu uma carta a uma conhecida da clínica: "Desde que estou aqui (fora do país), estou 274 sempre indisposta; de noite, quando acordo, não sei absolutamente onde estou, e me dá a sensação de nunca mais conseguir pensar; tenho que levantar da cama e andar pelo quarto até saber onde estou".

275 Conforme escreveu na carta, encontrava-se em difícil situação financeira.

276 Este caso apresenta várias peculiaridades interessantes. Sem dúvida trata-se de doença puramente histérica.

277 Na prisão, a paciente sofreu de um *estado crepuscular de delírio* que, pouco depois, passou para um *estágio semelhante a estupor, caracterizado pelo sintoma das respostas aproximadas, forte distúrbio da capacidade de prestar atenção, apesar de compreensão relativamente boa, alto grau de sugestionabilidade, fatigabilidade, desorientação, timidez, ansiedade, ausência de sintomas catatônicos e distúrbios da sensibilidade.*

278 Em sua conferência sobre um "estranho estado crepuscular de histeria", Ganser[3] descreveu, em 1897, ainda que em rápidos traços, estados que são observados as mais das vezes em presos solitários. O quadro que estes doentes em geral apresentam é de confusão alucinatória; muitos demonstram um medo impulsivo, além de distúrbios variados de sensibilidade. Em geral, após alguns dias, verifica-se uma mudança impressionante, respectivamente uma melhora que está vinculada com amnésia em relação ao ataque doentio. Estes estados recebem seus traços característicos do "*sintoma das respostas aproximadas*", que consiste no fato de os pacientes "*não conseguirem responder corretamente as perguntas mais simples feitas a eles, ainda que, pelo tipo de resposta dada, mostrem ter entendido bastante bem o sentido da pergunta e demonstrem, em suas respostas, uma crassa ignorância e uma impressionante falta de conhecimento que certamente possuíram ou ainda possuem*".

279 A alternação de um estado de consciência com deficiências de memória em conexão com outros sintomas histéricos é a base do diagnóstico de um estado crepuscular de histeria. Raecke estudou a fun-

---

3. GANSER, S. "Über einen eigenartigen hysterischen Dämmerzustand". *Arch. f. Psychiat. u. Nervenkr.*, XXX, 1898.

do os casos desse tipo e sobretudo o sintoma das respostas aproximadas[4]. Os casos, não totalmente uniformes e talvez não totalmente inquestionáveis, publicados por Raecke em seu primeiro trabalho, deram a Nissl oportunidade a uma crítica severa. Ele acusou Raecke de diagnóstico falho e afirmou que *"o sintoma de Ganser, do falar desconexo, é em primeiro lugar manifestação específica do negativismo catatônico"*[5]. O falar desconexo dos hebefrênicos e catatônicos é um fenômeno bem conhecido e não creio que um observador com certa experiência vá confundir este "falar desconexo" com a "resposta aproximada do histérico". O máximo que pode acontecer é que passe despercebida uma catatonia que se esconde sob fenômenos histeriformes. Se as respostas inadequadas forem emanação direta da catatonia, *serão caracterizadas claramente como catatônicas pela marcante ausência do elemento emotivo e pela associação com coisas não pertinentes à questão*, diferindo essencialmente das *respostas intencionalmente aproximadas dos histéricos*. O falar desconexo do hebefrênico se deve muitas vezes à mera falta de interesse, à característica "indiferença" desses pacientes e talvez também à compulsão negativista; mas a "resposta aproximada" é, por um lado, o *produto de uma negação quase intencional que se opõe ao esforço de responder adequadamente* e, por outro, *um produto da profunda restrição da consciência que impede a associação consciente dos elementos necessários à resposta adequada*. Como epifenômeno típico desse último caso é preciso salientar o comportamento semelhante a estupor da maioria dos referidos pacientes. Em seu segundo trabalho neste campo[6], Raecke descreve alguns desses casos de estupor, já havendo constatado um comportamento semelhante a estupor em três dos cinco casos referidos na primeira publicação.

280

No campo da histeria, não é fenômeno raro o sintoma da perda temporária das faculdades intelectuais. Lembro apenas os casos de al-

---

4. RAECKE, J. "Beitrag zur Kenntniss des hysterischen Dämmerzustandes". *Allg. Z. f. Psychiat.*, LVIII, 1901.

5. Hysterische Symptome bei einfachen Seelenstörungen.

6. "Hysterischer Stupor bei Strafgefangenen". *Allg. Z. f. Psychiat.*, LVIII, 1901.

ternância da consciência, conforme descritos por Azam[7], Weir Mitchell[8], Schroeder Van Der Kolk[9], Mac Nish[10] etc. Após um estágio prodrômico de sono, alguns desses pacientes perderam a noção inclusive das coisas mais simples. No caso narrado por Weir Mitchell, o paciente não conseguia nem mesmo usar as palavras em seu sentido correto. Deficiências intelectuais semelhantes foram observadas também nos estados-*moria* (estados de loucura) de histéricos jovens.

281 O fenômeno de que estamos falando tem, contudo, um quadro clínico bem diferente em nosso caso e assume um aspecto especial quando combinado com diversos outros sintomas. *Se entendermos pela síndrome de Ganser um estado passageiro de alteração da consciência, amnesicamente separada, com insensatez negativamente exagerada das respostas*, então é inegável sua afinidade interna com o *estupor dos presidiários*, descrito por Raecke. Este estupor também é frequente em criminosos, sobretudo logo depois de presos, e deve ser considerado consequência da agitação e canseira que sofreram. Um estágio alucinatório prodrômico que antecede o estupor também aparece na síndrome de Ganser com os mesmos sintomas clínicos e pode dominar a situação por um período maior ou menor. Também os distúrbios da sensibilidade são comuns a ambos. A questão sobre a extensão da amnésia é ainda bastante obscura; assim como a amnésia histérica, também esta é difícil e muitas vezes impossível de ser delimitada com precisão. Igualmente imprecisos são o transcurso e o prognóstico. Pode-se dizer que neste assunto vale o mesmo que para a neurose traumática em que a doença está numa relação recíproca com a nocividade etiológica.

282 Nosso caso me parece apropriado para lançar alguma luz sobre os aspectos do quadro clínico de Ganser-Raecke, pouco pesquisados porque difíceis de observar, ou seja, sobre a questão, ainda em aberto, da amnésia e do mecanismo psicológico dos sintomas característicos.

---

7. AZAM, C.M.E.-E. *Hypnotisme, double conscience et altérations de la personnalité*. Paris: [s.e.], 1887. Caso Albert X.

8. MITCHELL, S.W. "Mary Reynolds. A Case of Double Consciousness". *Trans. Coll. Phys. Philadelphia*, X, 1888.

9. SCHROEDER VAN DER KOLK, J.L.C. *Pathologie und Therapie der Geisteskrankheiten auf anatomisch-physiologischer Grundlage*. Op. cit., p. 31.

10. MAC NISH, R. *The Philosophy of Sleep*. Apud BINET, A. Op. cit., p. 4s.

Em nossa paciente, cuja anamnese nada de especial tem a oferecer, desenvolveu-se com rara pureza, sob influência evidente da detenção, o quadro clínico descrito por Raecke. Na solidão da cela, a paciente naturalmente pensou muito na desgraça que de repente se abateu sobre ela, também a atormentava a preocupação com sua filha de gravidez adiantada e, acima de tudo, havia o medo e a agitação causados pela acusação de furto (que mais tarde se provou ser falsa). Tudo isso levou, na quarta noite após a detenção, à irrupção de um estado de delírio com violenta excitação motora. Como *conteúdo do delírio* encontramos principalmente aquela síndrome que *"toda psicose que ocorre na prisão pode apresentar passageiramente"*[11]. Trata-se daquela conhecida mistura de alucinações e delusões realizadoras de desejos, por um lado, e prejudiciais, por outro. É preciso considerar como sintoma de prisão aquele episódio narrado pela paciente que começa, qual sonho vívido, com uma ilusão realizadora de desejo e termina num estado de perplexidade e ausência de juízo crítico. E, neste estado, apesar de estar mais ou menos acordada, nada mais pôde ser corrigido. A paciente sonhou que havia recebido os tão esperados 10.000 mil marcos e os havia colocado sobre a mesa; uma figura preta, que entrou de repente, assustou-a muito; ela se enfureceu; as alucinações desapareceram, mas deixaram para trás as delusões prejudiciais de ser roubada, envenenada etc. No decorrer do dia seguinte, predominou novamente a delusão realizadora de desejos: A paciente estava num hotel de luxo, era muito rica, milionária. Ao mesmo tempo já mostrava claramente a profunda limitação intelectual que o médico da cadeia, chamado na ocasião, considerou como *dementia paralytica*. 283

Esta intensificação da delusão realizadora de desejos até chegar a uma ideia de grandeza propriamente dita foi devida talvez à grande limitação do campo de visão mental, pois, como Wernicke[12] mostra, na falta de ideias orientadoras e na predominância do pensamento egoísta, facilmente aparecem ideias de grandeza. Também Raecke observou coisa semelhante em seus casos. 284

---

11. RÜDIN, E. "Über die klinischen Formen der Gefängnisspsychosen". *Allg. Z. f. Psychiat.*, LVIII, 1901, p. 458.

12. WERNICKE, C. *Grundriss der Psychiatrie in klinischen Vorlesungen*. Op. cit., p. 316.

285 Na internação na clínica, a paciente apresentava o quadro da mais profunda limitação de consciência, com grande ansiedade e perplexidade. Pouco depois, este estado passou para um estágio mais tranquilo, caracterizado por absoluta falta de conteúdo psíquico: a consciência da paciente era praticamente *tabula rasa*. A continuidade da memória parecia quebrada; fantasiava que estava num hotel, mas isto era mais conjetura com vaga reminiscência de sua vida anterior do que equívoco real e delirante sobre o ambiente em que se encontrava. Perdera a noção das coisas mais simples, inclusive do próprio nome e, como se lhe ocorresse em sonho, dava o nome da filha como sendo o seu. Em marcante contraste com esta profunda limitação intelectual, estava sua boa capacidade de compreensão. Entendia bem ordens e perguntas; apenas nas respostas, ou seja, na performance psíquica centrífuga, aparece a perturbação. Como era de se esperar, a capacidade de prestar atenção era praticamente nula, de modo que todo o processo psíquico se decompunha em momentos aparentemente desconexos. Para completar o quadro, existe ainda a *sugestionabilidade:* aquilo que lhe era dito ou que era forçada a fazer constituía o único conteúdo de seu vazio mental; este comportamento é típico de quem está sob hipnose.

286 Este estado semelhante ao estupor está tão distante do estupor da catatonia que este último não tem nenhum significado diagnóstico diferencial para o nosso caso.

287 Apesar deste vazio aparentemente absoluto, temos uma série de pontos de referência que sustentam a hipótese de um processo psíquico que anormalmente não é iluminado pela consciência.

288 Perguntada sobre o seu nome, a paciente respondeu: “Ida”. Ida era o nome da filha que foi presa com ela. Perguntada se conhecia uma Godwina F., respondeu: “Sim, está em Munique”. A paciente esteve tempos atrás em Munique. A ideia de estar agora em Munique, esta vaga continuidade da memória com sua personalidade anterior, evidentemente deu-lhe a ideia indistinta de sua estada real e passada em Munique e, assim, a recordação de seu verdadeiro nome.

289 Perguntada se já esteve em Zurique, respondeu: “Em Zurique nunca estive, mas estive na casa de meu genro”. O genro morava de fato em Zurique. A palavra “Zurique” despertou-lhe a recordação das

histórias desagradáveis que lá viveu e com as quais estava vinculado em grande parte o seu genro. Esta dupla vinculação colocou a lembrança do genro em primeiro plano, enquanto a resposta mais imediata – se já esteve em Zurique – foi rejeitada. Ainda veremos mais sobre este curioso mecanismo tão característico da afecção histérica.

290 Perguntada sobre o mal de que sofriam os pacientes na clínica, respondeu: "Dor de cabeça". Esta resposta indica que estava inconscientemente orientada com relação ao meio ambiente, mas que sua supraconsciência só conseguia produzir uma associação distante com a ideia correta.

291 Bem semelhante é a psicologia da resposta seguinte. Perguntada se já esteve na prisão, respondeu: "Não, nunca estive na prisão. Um homem de barba me bateu". Também aqui não podia ser dada a resposta certa, ou seja, foi diretamente negada, e em seu lugar foi expressa uma ideia associada à resposta correta. Também o reverso pode acontecer: é dada uma resposta afirmativa como resultado da sugestionabilidade, mas tem que ser negada logo depois, devido ao negativismo que lhe é peculiar. Perguntada se estávamos no ano de 1902, respondeu: "Sim, sim, 1902 – Não, estamos em 1900, sim 1900 – estou confusa".

292 Sua orientação ficou patente no episódio do sugerido vestido de seda: A sugestão de estar usando um vestido de seda realizou-se de imediato e durou até que a paciente quis tirar a roupa a fim de ir para a cama. Neste momento, a orientação inconsciente se rompeu; ela parou de repente e disse: "Mas, estou sem camisola". Sabia subconscientemente que estava de camisola e que ficaria nua se a tirasse. O sentimento de vergonha foi mais forte do que a sugestão, impedindo-a de despir-se não pelo motivo correto, mas por causa de uma associação, adequada à sugestão estranha, com a ideia correta.

293 Com a melhora a partir de 9 de junho, apresentou-se, apesar da orientação espaçotemporal bastante boa, *uma deficiência marcante de memória com referência a todos os acontecimentos desagradáveis do passado mais recente,* incluindo todas as pessoas ligadas de qualquer forma às recordações desagradáveis da paciente. Só se lembrava da filha Ida; nada sabia da outra filha e do genro com o qual brigara e nem do irmão, o delinquente. Apesar de mostrar, no dia 10 de junho,

continuidade de memória com o dia anterior, não se lembrava da informação que recebera, com grande transtorno emocional, de sua prisão; temos aqui novamente uma repressão do desagradável para fora do campo da consciência.

294 Conforme se pode ver na história clínica, o contorno da consciência vai aos poucos se reconstituindo, com exceção da deficiência de memória em relação ao tempo do estado crepuscular, deficiência que permaneceu irreparável até o fim da observação. Conforme já vimos, a explicação da memória vaga desde o momento da prisão até a irrupção da psicose na noite de 3/4 de junho não apresentou dificuldade alguma. Obstáculos maiores colocaram-se no caminho da explicação hipnótica do estado crepuscular. Contudo, tive êxito ao lançar mão de dois artifícios mencionados na literatura. O primeiro procede de P. Janet[13]. Para colocar sua bem conhecida médium Lucie num sono mais profundo, a fim de obter certo resultado, hipnotizou Lucie II (isto é, Lucie I, já hipnotizada até o sonambulismo hipnótico), através de passes, como se ainda não estivesse hipnotizada. Através desse procedimento, Janet descobriu o estado de Lucie III, *cuja memória era como um círculo maior que englobava os dois círculos menores das memórias de Lucie I e II*, isto é, tinha à sua disposição memórias inacessíveis a Lucie I e II. Como estado intermediário entre Lucie II e III, Janet observou um sono profundo no qual Lucie era totalmente imune à influência[14]. Em nossa paciente foi observado algo semelhante. O curto estado de sono que se seguiu ao segundo hipnotismo e a partir do qual foi bastante difícil conseguir que a paciente falasse, corresponde provavelmente ao estado intermédio mencionado por Janet.

295 O segundo artifício que usei foi o método empregado por Forel no célebre caso narrado por Naef[15], que consiste em transferir o paciente, por sugestão e sempre de novo, para a situação apropriada.

---

13. JANET, P. *L'Automatisme psychologique*. Op. cit., p. 87.

14. Ibid., p. 87: "C'est là cet état de syncope hypnotique que j'ai déjà signalé, je l'ai revu souvent depuis et, chez certains sujets, il m'a paru former une transition inévitable entre les divers états psychologiques" (Trata-se do estado de síncope hipnótica que já assinalei. Observei-o frequentes vezes depois e, no caso de alguns pacientes, parece constituir uma inevitável transição entre os vários estados psicológicos").

15. NAEF, M. *Ein Fall von temporärer, totaler, theilweise retrograder Amnesie* (durch Suggestion geheilt). Leipzig, 1898.

Desta forma, foram dados ao paciente pontos de apoio aos quais se agregavam como cristais as outras associações.

296 Através desses dois métodos foi possível demonstrar com exatidão que nossa hipótese de uma orientação inconsciente, mas nem por isso menos segura – inclusive ao tempo do estado crepuscular mais profundo – está correta. *Descobrimos assim o importante fato de que o distúrbio aparentemente grave do processo psíquico no estado crepuscular de Ganser-Raecke é uma afecção apenas superficial, que atinge exclusivamente a extensão da consciência e que, portanto, a atividade mental inconsciente é pouco ou nada prejudicada.*

297 O mecanismo psicológico do aparecimento de um tal distúrbio fica bem ilustrado na história da pequena recaída que foi observada na clínica, quando a paciente teve o desprazer de reencontrar uma pessoa que a abalou muito. À noite sentiu tonteira e ruído nos ouvidos, e no meio da noite acordou de repente totalmente desorientada, apavorada e confusa. No dia seguinte tinha amnésia com relação ao interlúdio noturno e, ao ser examinada para se descobrir a causa de tudo, mostrou negativismo sistemático que a impediu de contar os fatos reais, ainda que estes lhe tivessem sido quase que colocados na boca. Em sua narrativa, a paciente não mostrou nenhuma emoção adequada, mas seu repentino enrubescimento e as lágrimas nos olhos comprovaram que um ponto vulnerável fora atingido.

298 Temos aqui aquele fenômeno primitivo da gênese dos sintomas histéricos que Breuer e Freud chamaram de *conversão histérica*[16]. Segundo eles, toda pessoa tem uma certa medida dentro da qual pode suportar emoções não "ab-reagidas" e deixar que se acumulem. O que passar disso leva, *cum grano salis,* à histeria. De acordo com a linguagem de Breuer e Freud, a medida da paciente ficou cheia e cheia demais por causa da prisão e a emoção não ab-reagida – a "excitação procedente da ideia emocional" – desembocou em canais anormais e foi "convertida". O "como" do desembocar é "determinado" na maioria das vezes pelo acaso ou pelo indivíduo, isto é, o lugar da menor resistência pode ser, em um doente, o mecanismo de convulsão, em outro, a sensibilidade e, num terceiro, o distúrbio da consciência

---

16. BREUER, J. & FREUD, S. *Studien über Hysterie*. Op. cit., p. 177s.

etc. Em nosso caso, ao menos de acordo com todos os momentos cruciais da história clínica da paciente, o fator determinante parece ter sido a *ideia de esquecer.* O não-saber-mais revela-se como *não-querer-saber,* em parte inconsciente e em parte semiconsciente. Raecke acha que o notório não saber de seus pacientes estaria talvez no medo de já não saberem as coisas mais simples, o que levaria, por meio de autossugestão, a um efetivo não saber. Isto muitas vezes pode acontecer. Em nossa paciente, porém, a repressão quase intencional de todo o desagradável para fora da consciência era um fenômeno tão evidente e dominante que o sintoma de Ganser parece ser totalmente acessório. Pode ser considerado diretamente como consequência patologicamente exagerada da compulsão inconsciente para esquecer, uma vez que a consciência recua não só diante de ideias com carga emocional, mas também de outras regiões da memória.

299 No que se refere à situação clínica de nosso caso, deve ser considerada como *"estupor histérico em presidiários"*, no sentido de Raecke. Sem considerar o "complexo de prisão", as alucinações e delusões, esta forma especial de doença histérica pode ser designada como *"psicose de prisão"*, com base no material casuístico até agora conhecido, uma vez que os casos de que se teve notícia até aqui só foram observados, com raras exceções, em presidiários.

300 Finalizando, expresso ao meu venerando chefe, o professor Bleuler, meus sinceros agradecimentos por permitir que eu expusesse este caso.

Sobre a simulação de distúrbio mental[1]

Bolte[2] publicou recentemente na revista *Allgemeinen Zeitschrift für Psychiatrie* alguns casos de simulação, dizendo, entre outras coisas, que o problema da simulação apresenta menos dificuldades na prática do que na teoria. Não posso subscrever esta afirmativa. Às vezes chegam casos para observação que são extremamente confusos e que criam sérias dificuldades para a opinião dos médicos. E é exatamente o aspecto prático que às vezes desafia a arte do diagnóstico. Falando em geral, antigamente se presumia a simulação com maior frequência e com menor precaução do que hoje em dia; apesar disso, também a literatura mais antiga conhece casos sobre os quais não houve consenso, mesmo após minuciosa observação. Pelo fato de havermos dado hoje um passo adiante, devido ao conhecimento de certos quadros clínicos da demência precoce e da histeria, também conseguimos uma visão mais ampla do problema da simulação; mas isto não quer dizer que tenhamos alcançado maior segurança com referência a simuladores duvidosos. Ainda não temos método infalível para desmascarar os simuladores e ainda dependemos, agora como antigamente, da impressão subjetiva que tais casos exercem sobre o observador. Como diz muito bem Bolte, a publicação desses casos é sempre um negócio melindroso, pois há necessidade de grande talento na exposição para descrever plausivelmente impressões subjetivas. Infelizmente, conforme diz Fürstner[3], o observador não consegue transmitir ao leitor também os traços detalhados do quadro clínico, a expressão do rosto, a atitude, a reação da voz etc. Por isso, não pode

301

1. Publicado em *J. f. Psychol. u. Neur.*, II, 1903, p. 181-201.

2. BOLTE, A. "Über einige Fälle von Simulation". *Allg. Z. f. Psychiat.*, LX, 1903.

3. "Die Zurechnungsfähigkeit der Hysterischen". *Arch. f. Psychiat. u. Nervenkr.*, XXXI, 1899, p. 628.

o autor surpreender-se se um leitor duvidar de seu caso de simulação ou se o criticar negativamente. No julgamento criterioso de um simulador é preciso considerar e examinar tanta coisa que, na leitura de um relato talvez um pouco sumário, facilmente lamentamos a falta desse ou daquele detalhe que nos parece ser importante.

302 As exigências modernas do diagnóstico são bem maiores hoje do que antigamente, pois, por mais estranho que pareça, muitas vezes era simples questão de saber se o caso se enquadrava no esquema puramente teórico da psicose ou não. Muito elucidativa sob este aspecto foi a prolongada polêmica sobre o célebre caso de Reiner Stockhausen[4]. Principalmente a teoria da histeria nos trouxe, desde então, tanta coisa e de tão grande importância que somos obrigados hoje a levar em consideração número bem maior de fatores do que vinte anos atrás. É fato conhecido que a maioria dos simuladores não é mentalmente normal, mas que é constituída sobretudo de degenerados dos mais diferentes tipos. É difícil avaliar a frequência com que ocorre a histeria em indivíduos dessa espécie, mas, por analogia com outros campos da degeneração mental, a porcentagem deve ser bem alta, presumindo-se, é claro, que tomemos por histéricos todos os sintomas "psicógenos". É importante para o diagnóstico da simulação conhecer o problema da disposição histérica. O "mentir" do histérico é proverbial, e é no campo da neurologia que a histeria talvez forneça o maior número de simuladores. Temos base para afirmar que também na simulação de distúrbio mental a histeria tem certa importância, considerando-se que número não desprezível de psicoses histéricas ocorre exatamente entre detentos preventivos e entre condenados à prisão que têm grande interesse em simular. Gostaria de chamar a atenção especial para os estados crepusculares de Ganser, muito estudados recentemente.

303 No julgamento de um simulador duvidoso deve estar claro que uma simulação bem-sucedida não é coisa simples; às vezes há grandes exigências na arte de fingir, autocontrole e pertinácia. Só a mentira não resolve; o embuste tem que ser mantido consequentemente e com vontade inabalável durante semanas ou meses. Para tanto, há

4. Cf. § 346 deste volume.

necessidade de energia incomum junto com uma arte de representar que faria honra a qualquer ator. Casos desse tipo são raros, mas acontecem. Não é de duvidar que, entre degenerados e criminosos, existem indivíduos que possuem uma quantidade incomum de energia e autocontrole que aparentemente atinge inclusive o domínio dos processos vasomotores[5]. Esses casos excepcionais não são frequentes, pois, em geral, o criminoso, ao invés de persistência, possui uma energia impulsiva que facilmente se cansa. *A arte de fingir* é certamente um dom muito difundido entre os criminosos. É encontrado sobretudo entre ladrões e envenenadores. A praxe de mentir é notória entre os ladrões; deles diz Krauss[6]: "Todos os outros criminosos também mentem, mas é uma mentira grosseira e palpável. Só os ladrões mentem com arte e naturalmente. Tão logo abram a boca, mentem, e o fazem sem pestanejar e sem o menor escrúpulo. Nem mesmo eles sabem que estão mentindo. Este hábito tornou-se sua segunda natureza, a ponto de mentirem para si mesmos". Em consonância com isso, temos entre o número de simuladores sobretudo os ladrões. Dos dez simuladores estudados por Fritsch, sete estavam presos por delitos contra a propriedade alheia e, dos três restantes, dois já haviam sido condenados por furto. Dentre 8.430 internações nesta clínica, encontrei onze simuladores[7]. Seis deles haviam sido indiciados por delitos contra a propriedade alheia (furto, desfalque, trapaça), dois haviam sido presos por furto e um estava sendo averiguado por causa de tentativa de homicídio com uso de veneno.

304

Os simuladores dessa categoria de criminosos têm, portanto, uma certa disposição natural para enganar. Se abstrairmos do grau de inteligência e de fatores casuais que podem auxiliar a simulação, desempenharia melhor o seu papel quem mentisse com mais engenho. Os mentirosos mais seguros são os embusteiros patológicos e o convincente em sua mentira está no fato de eles mesmos acreditarem nela, pois já não conseguem distinguir entre verdade e ficção. Diferem do ator pelo fato de este saber quando seu papel termina, ao pas-

5. Cf. GROSS, H. *Kriminal-Psychologie.* Op. cit.

6. KRAUSS, A. *Die Psychologie des Verbrechens.* Ein Beitrag zur Erfahrungsseelenkunde. Tübingen: [s.e.], 1884, p. 258s.

7. Que foram assim qualificados nos registros.

so que aqueles se deixam hipnotizar pelo jogo que praticam e o levam adiante numa fantástica mistura de duas esferas de pensar que se excluem mutuamente. Delbrück[8] fala inclusive de uma dupla consciência propriamente dita. Quanto mais o ator se transferir para dentro de seu papel, maior será a vivência e tanto mais sua representação virá acompanhada de movimentos emocionais inconscientes do corpo[9], e é por isso que representa com tanta convicção. Certamente a construção dramática de um papel não é ato puramente volitivo, mas depende sobretudo de uma certa disposição, cujo ingrediente principal parece ser algum grau de sugestionabilidade. Quanto maior a quantidade subjetiva de sugestionabilidade, maior a possibilidade de o papel, a princípio apenas representado, falsificar a realidade, manter cativo o sujeito e substituir a personalidade original. Belo exemplo dessa mudança, operada aos poucos, passando de simples fantasia a autêntico estado crepuscular, foi-nos legado por Pick[10] . Conta ele a história de uma jovem que namorava a ideia de ser imperatriz; pintava para si este quadro com cores sempre mais vivas, aprofundava-se cada vez mais nele até chegar a estados crepusculares histéricos em que a divisão da consciência se tornou total. O segundo caso narrado por Pick refere-se a uma moça que sonhava com situações sexuais, acabando por inventar um atentado de estupro contra si mesma; deitou-se no chão e amarrou-se à mesa e a cadeiras. Caso interessante desse tipo vem referido numa dissertação[11] elaborada sob a orientação de Wernicke: Uma jovem fantasiou um noivado e começou a receber do noivo flores – que ela mesma mandava para si – e cartas – que escrevia para si mesma com letra falsificada. Também eu observei um caso desse tipo, numa jovem que desempenhava em seus estados crepusculares sonambúlicos um papel fantasiado[12]. Semelhantes fenômenos não são muito raros e podem ser observados em todos os

8. DELBRÜCK, A. *Die pathologische Lüge und die psychisch abnormen Schwindler.* Op. cit.

9. Cf. os estudos de Lehmann sobre as manifestações da emoção num ator em *Die körperlichen Äusserungen psychischer Zustände.* Leipzig: [s.e.], 1899, I, p. 182.

10. "Über pathologische Träumerei und ihre Beziehungen zur Hysterie". *Jbb. f. Psychiat. u. Neur.*, XIV, 1896.

11. BOHN, W. *Ein Fall von doppeltem Bewusstsein.* Op. cit.

12. Cf. o primeiro trabalho neste volume, § 116.

graus, desde o exagero fantasioso até o estado crepuscular. Em todos os casos, há no início uma ideia com carga emocional que evolui para automatismo com base na sugestionabilidade. Estas experiências deveriam ser consideradas no estudo do problema da simulação. Não se pode esquecer que grande parte dos simuladores são histéricos[13] e, portanto, trazem em si um solo muito propício à autossugestão e distúrbios da consciência.

305 Um ditado japonês diz: "A mentira é o primeiro passo do ladrão". A mendacidade congênita e a disposição histérica são o começo da simulação. A arte consciente de fingir é um dom tão raro que não pode ser pressuposto sem mais nos simuladores; o fingimento prolongado exige uma energia que ultrapassa a medida normal, qualitativa e quantitativamente. Não se deve acreditar que exista, enquanto não se excluir com absoluta certeza o mais comum, ou seja, a histeria. Encontramos muitas vezes na histeria todos aqueles mecanismos que podem levar ao mais incrível em matéria de refinamento e persistência. Se uma histérica avessa ao trabalho pode queimar, de forma horrenda, pés com ácido sulfúrico só para poder ficar tranquilamente internada no hospital, ou se outra pode matar todo o seu pombal para simular, com sangue de pombo, uma hemoptise, então podemos esperar algo semelhante ou mais refinado de indivíduos que agem por motivos com carga emocional. Em casos como estes já não podemos contar com os recursos de uma psicologia normal – caso contrário deveriam dispor da energia de um Múcio Scaevola[14] –, mas com mecanismos subconscientes que ultrapassam em muito o impulso consciente inicial e, com o auxílio de anestesias e de outros automatismos, realizam uma autossugestão sem maior contribuição da consciência ou mesmo às suas custas. A natureza totalmente automática de muitos sintomas histéricos explica sua persistência e sua perfeição no desempenho teatral, uma vez que não podem intervir processos ponderados e refletidos da consciência, chegando então os complexos subconscientes a um livre desenvolvimento. Devido à falta de métodos adequados de investigação dos distúrbios da consciên-

13. Cf. HOCHE, A. *Handbuch der gerichtlichen Psychiatrie*. Berlim: [s.e.], 1901.

14. O general Caio Múcio Scaevola teria, segundo a lenda, após sua prisão pelos etruscos, em 508 a.C., deixado queimar sua mão direita no fogo do altar como sinal de seu destemor.

cia, que infelizmente escapam com facilidade à observação, e que pertencem, em geral, a um dos capítulos mais obscuros da psiquiatria, os simuladores duvidosos devem ser examinados para verificar se apresentam possíveis sintomas histéricos.

306 Se levarmos em conta o mecanismo psicológico de um estado crepuscular com base no que foi dito acima, não será de admirar se muitos traços do quadro clínico derem a impressão de algo produzido e artificial, ou se alguns sintomas forem reconhecidos como sendo produzidos voluntariamente. Mas não podemos tirar a falsa conclusão de que com isso se prova também o simulacro dos outros sintomas. Há que tomar muito cuidado no emprego de certos artifícios, como os indicados por Jacobi-Jessen, pois, quando o examinando assume um sintoma sugerido, isto não significa que algo foi decidido a favor ou contra o que foi dito acima. Se, após o término do distúrbio, houver uma confissão de simulação, esta deve ser aceita com certa cautela (sobretudo quando, como aconteceu em determinado caso, houve uma ameaça de ficar oito dias numa cela escura). Isto pode soar paradoxal, mas certas experiências com pessoas hipnotizadas que, após clara hipnotização, disseram não haver sido hipnotizadas, obrigam-nos a esta precaução. Em hipótese alguma podemos contentar-nos com a simples confissão de simulação num caso duvidoso. Há necessidade de minuciosa catamnese para esclarecimento, pois são raríssimos os casos em que se pode ter uma visão objetiva do estado interior do examinando durante o período de duração do distúrbio psíquico. Havendo disposição histérica, podem estar presentes, apesar da confissão, deficiências amnésicas ou outras, desconhecidas ao próprio examinando, e que são detectadas apenas por minuciosa catamnese.

307 Falamos acima de ideias com carga emocional que podem desempenhar papel libertador na disposição histérica. Podemos ver nos distúrbios causados pelas neuroses de acidentes e de susto quão graves são às vezes as consequências da emoção. Abstraindo das consequências duradouras da emoção, encontramos também no momento da emoção distúrbios peculiares que sobrevivem por maior ou menor tempo à emoção. Refiro-me à confusão emocional que chamamos também de "pavor do exame" ou "paralisia emocional". A última expressão vem de Baetz[15] que, durante um terremoto no Japão, observou em si mes-

---

15. BAETZ, E. von. "Über Emotionslähmung". *Allg. Z. f. Psychiat.*, LVIII, 1901.

mo uma paralisia geral de movimentos e sentimentos, permanecendo absolutamente intacta a apercepção. Seu caso faz parte daqueles outros fenômenos que são observados durante e logo após grandes emoções[16]. É conhecida a confusão tragicômica causada em pessoas e animais nos incêndios: colchões e travesseiros são carregados escadas abaixo, enquanto lustres e louça são jogados pela janela.

308 Analogamente a estas observações em pessoas normais, podemos esperar algo semelhante em sujeitos degenerados, mas com anormalidades, tanto sob o aspecto qualitativo como quantitativo. Infelizmente nossos conhecimentos neste campo são deficientes e a casuística especializada também é pobre. Sobre o assunto reuni algumas observações junto a débeis mentais que, entrementes, só podem ser consideradas como relatos casuísticos.

1.

309 O primeiro caso refere-se a um débil mental, acusado de estupro, que nos foi enviado para um parecer médico. Em todas as audiências deu respostas absolutamente razoáveis; mas, como o juiz duvidasse da necessária capacidade de discernimento do acusado a respeito da punibilidade de sua ação, foi requisitado um parecer médico. Ao ser recebido na clínica, o examinando mostrou um comportamento bem estúpido que levantou a suspeita de haver simulação. Não falava com ninguém, com as mãos nos bolsos andava a passos largos para cá e para lá no quarto, ou ficava parado, com olhar apatetado, fitando o vazio. Ao interrogá-lo era preciso repetir várias vezes em voz alta a pergunta até conseguir uma resposta. Respondia gaguejando ou não dizia nada, apenas fixando os olhos no inquiridor. Estava espaçotemporalmente orientado, mas não sabia dizer por que e para que viera à clínica. Além disso chamavam a atenção outras extravagâncias: ao ir e vir pelo quarto, fazia muitas vezes uma meia-volta muito rápida ou, quando parado, retorcia-se de repente sobre si mesmo (havia no mesmo quarto um catatônico que fazia movimentos semelhantes). A partir do quinto dia, seu comportamento começou a modificar-se lentamente: tornou-se mais solto, abandonou sua postura rígida, pergun-

---

16. Cf. aqui também o trabalho de PHLEPS, E. "Psychosen nach Erdbeben". *Jbb. f. Psychiat. u. Neur.*, XXIII, 1903.

tou espontaneamente por que estava aqui, pois não era doente mental. Assim que foi possível iniciar o exame, percebeu-se imediatamente uma extraordinária dificuldade de raciocínio, todas as reações eram muito lentas, a respeito de dados mais precisos tinha que refletir longamente, a narrativa da história de sua vida foi um misto estranho de fragmentos cronologicamente desordenados e de contradições ininteligíveis. Já não conseguia lembrar-se de datas e nomes, entes familiares; falava a respeito deles de modo confuso e indireto. Fora despedido de uma empresa litográfica porque não conseguia suportar o cheiro dos ácidos. Este fato foi por ele narrado da seguinte forma: "Lá havia uma coisa aberta e ali dentro havia uma coisa, era como uma pequena frigideira e aí me senti mal certa vez etc." Nos dias seguintes tornou-se aos poucos mais animado e pôde finalmente relatar, de modo bem claro e com ordenamento lógico, sua história. Tinha noção de sua estupidez inicial e explicou-a como efeito do grande susto que levara devido à transferência para um manicômio, pois "sempre acontecia o mesmo quando chegava a um lugar estranho".

310 Teria o paciente simulado? Não acredito. Mais tarde nunca procurou tirar proveito desse distúrbio estranho, ainda que tentasse, com esperteza típica de débil mental, usar todos os modos possíveis para ser libertado. Parecia encarar este efeito anormal da emoção como algo regular e comum. Além disso, parece-me impossível que simulasse de maneira tão natural a confusão, a dificuldade de raciocinar e sobretudo o "pavor do exame". Será que a imitação do catatônico era intencional, não intencional ou apenas algo casual? Gostaria de abster-me de emitir um julgamento definitivo sobre este caso.

2.

311 O segundo caso refere-se também a um débil mental. Trata-se de um rapaz de 17 anos, acusado de estupro, que nos foi enviado para parecer médico. Apresentou nos primeiros dias um ar apatetado, uma expressão facial de evidente estupidez e dava respostas gaguejadas, emitidas com grande esforço. Durante as semanas que passou na clínica, seu estado foi melhorando aos poucos; tornou-se mais animado, dava respostas bem mais claras e rápidas do que antes, e percebeu-se também que se relacionava com os funcionários e outros pacientes com naturalidade e desinibição bem mais cedo do que com os médicos. Para obter um quadro preciso de seu distúrbio mental, fiz duas sé-

ries de testes de associação, num total de 324 ao todo, com intervalo de três semanas entre uma série e outra. A primeira série foi feita no dia seguinte à internação. Os testes[17] mostraram o seguinte resultado:

Tabela I

Associações	6.5.1903	27.5.1903	Associações	6.5.1903	27.5.1903
	em %	em %		em %	em %
Coordenação etc.	6,4	2,0			
Relação predicativa	8,9	67,3			
Dependência causal	0,0	0,0	Interna	15,3	69,3
Coexistência	14,1	15,3			
Identidade	0,0	0,0			
Reminiscência verbal	2,5	12,2	Externa	16,6	27,5
Complementação da palavra	0,0	0,0			
Som	2,5	0,0			
Rima	1,2	0,0	Realções de som	3,7	0,0
Indireta	0,0	0,0			
Sem sentido[18]	64,1	3,0			
Perseveração[19]	15,3	0,0			
			Repetições[20]:	19,1	13,0
			Ocorrendo 2 vezes	12,8	6,0
			Ocorrendo 3 vezes	5,1	1,0
			Ocorrendo 4 vezes	0,0	4,0
			Ocorrendo 5 vezes	0,0	0,0
			Ocorrendo 6 vezes	1,2	1,0
			Ocorrendo 7 vezes	0,0	1,0

17. A classificação segue o esquema de Aschaffenburg. Cf. KRAEPELIN, E. (org.). *Psychologische Arbeiten*. Vol. I. Leipzig: [s.e.], 1896, p. 231. As palavras de estímulo foram reunidas ao acaso e não estavam subordinadas a nenhum esquema, seja por número de sílabas ou por qualidades gramaticais e de conteúdo.

18. As reações sem sentido consistiram neste caso na designação de objetos que estavam por acaso no campo visual do paciente. Na segunda série foram incluídos alguns casos em que o paciente não reagiu de modo algum.

19. Pelo termo "perseveração" designo aquilo que Aschaffenburg denomina "associação a palavras que ocorrem previamente". Neste caso são somadas as associações a palavras de estímulo e palavras de reação que ocorreram previamente.

20. Repetições, isto é, o número de palavras de reação que aparecem mais vezes, expresso em porcentagem.

312 Nesta tabela percebe-se claramente a mudança do estado mental. A preponderância das reações sem sentido, das palavras-estímulo não compreendidas adequadamente (complementação de palavras e associações de som) e das repetições na primeira série indica um estado de inibição de associação que seria melhor caracterizada pela palavra "embaraço"[21]. Quanto à perseveração e sua enorme preponderância na primeira série, não me atrevo a dizer nada, devido à limitação do material. Gostaria de colocar este complexo de sintomas em analogia com o descrito acima no caso 1.

3.

313 Agora gostaria de falar sobre duas observações resultantes de pesquisas que estou fazendo juntamente com o médico Dr. Riklin.

314 Embaraço é um estado em que a atenção não consegue concentrar-se, pois está fixada alhures, devido a uma ideia com carga emocional intensa. Tentei reproduzir este estado desviando a atenção no momento da associação. Isto aconteceu assim: A pessoa sob exame (naturalmente treinada) devia dirigir sua atenção para as ideias visuais que se apresentassem quando a palavra-estímulo fosse pronunciada, mas, como no teste usual, reagir o mais rápido possível. O estado dessa pessoa correspondia, assim, de certa forma, ao do embaraço, uma vez que a atenção estava fixa e só parte dela podia sobrar para a reação que ocorria ao mesmo tempo. As duas experiências, feitas com duas pessoas diferentes, consistiram de aproximadamente 300 testes individuais.

Tabela II

Associações	N	D	N	D	Associações	N	D	N	D
	em %					em %			
Coordenação etc.	15,5	4,0	13,5	19,0	Interna	38,5	23,0	46,5	33,0
Relação predicativa	25,5	19,0	31,5	12,0					
Dependência causal	1,5	0	1,5	2,0					

21. O fator treino pode ficar de lado neste distúrbio bem grosseiro.

Coexistência	7,5	6,0	7,5	4,0	Externa	58,5	65,0	51,0	36,0
Identidade	6,0	5,0	5,0	6,0					
Reminiscência verbal	45,0	54,0	37,0	26,0					
Complementação da palavra	0,5	8,0	2,0	5,0	Reações de som	1,5	11,0	2,5	29,0
Som	0	2,0	0,5	15,0					
Rima	1,0	1,0	0	9,0					
Indireta	1,5	1,0	1,5	2,0					
Sem sentido	0	0	0	0					
Perseveração	1,0	2,0	1,5	1,0					

N = normal
D = distraído

Resultados semelhantes foram obtidos em experiências com distração externa que consistem em a pessoa traçar com lápis linhas de certo comprimento, enquanto o metrônomo bate o tempo. O exemplo a seguir, também baseado em 300 associações, mostra uma mudança análoga. 315

Tabela III

Associações	N	D Batidas do metrônomo por minuto 60	100	Associações	N	D Batidas do metrônomo por minuto 60	100
		em %				em %	
Coordenação etc.	29,0	20,0	20,0	Interna	46,5	32,0	26,0
Relação predicativa	16,0	12,0	6,0				
Dependência causal	1,5	0	0				
Coexistência	7,5	2,0	2,0	Externa	33,5	36,0	36,0
Identidade	6,0	0	2,0				
Reminiscência verbal	20,0	34,0	32,0				
Complementação da palavra	0,5	0	2,0	Reações de som	5,5	20,0	6,0
Som	5.0	20,0	14,0				
Rima	0	0	0				
Indireta	4,5	12,0	12,0				
Sem sentido	1.0	0	10,0				
Perseveração	0,5	2,0	2,0				
				Não entendida	1,0	0	10,0

N = normal
D = distraído

316 Nesta série de experiências, o fator treino desempenha papel importante, mas nem por isso é menos palpável a mudança nas associações. Falaremos depois mais detalhadamente sobre experimentos e sua importância para a psicopatologia[22]. Creio que os exemplos apresentados bastam para lançar uma luz esclarecedora sobre o distúrbio de associação no débil mental.

317 Vemos nestas experiências que o emprego insuficiente de atenção piora a qualidade das associações em geral, isto é, que existe clara tendência de se produzirem associações, em parte externas e em parte puramente mecânicas. Uma pessoa que pensa de acordo com essas associações compreende mal, assimila mal e se aproxima, portanto, do estado de certa demência. Talvez esteja aí a razão da debilidade mental, aumentada pela emoção, observada no caso 2. Esta conclusão referente ao caso 2 pode também lançar certa luz sobre o caso 1 que, infelizmente, não foi examinado com cuidados psicológicos especiais. No segundo caso, a simulação fica excluída com certeza e, mesmo assim, o comportamento do paciente segue quase o mesmo curso daquele do primeiro caso. Não seria possível que, nos indivíduos débeis mentais e degenerados, a internação incomum num manicômio estivesse ligada a emoções que se neutralizam apenas lentamente, correspondendo à pequena capacidade de adaptação dos imbecis? Se me permitem um julgamento dessa questão, acho que não se trata tanto da imbecilidade, mas de uma disposição mental, também encontrada em outros indivíduos degenerados, que coloca obstáculos anormais à assimilação interna das emoções e a novas impressões e, assim, produz um estado de constante perplexidade e embaraço.

318 Até que ponto esta disposição de neutralizar emoções de maneira deficiente ou anormal coincide com a histeria, é difícil dizer; segundo a teoria de Freud sobre a histeria, as duas seriam idênticas. De acordo com as experiências de Pierre Janet, os efeitos das emoções são mais evidentes nos histéricos e produzem aquele estado de dissociação em que ficam paralisadas a vontade, a atenção e a capacidade de concentração, e em que todos os fenômenos psíquicos superiores são diminuídos em benefício dos inferiores; isto significa que há um

---

22. Cf. *Diagnostische Assoziationsstudien*, 1906/1911 [OC, 2]. Cf. tb. *Über die Psychologie der Dementia Praecox*, 1907 [OC, 3].

deslocamento para o lado dos automatismos, quando fica livre tudo aquilo que estava preso sob o domínio da vontade. A respeito do efeito das emoções sobre o histérico, diz Janet: "A emoção tem uma ação dissolvente sobre o espírito, diminui sua síntese e o torna miserável por um momento. As emoções, sobretudo as deprimentes como o medo, desorganizam as sínteses mentais; se assim podemos dizer, sua ação é analítica, em contraste com a ação da vontade, da atenção e da percepção, que é sintética"[23].

319

Em sua obra mais recente, Janet estende sua concepção sobre a ação das emoções a todas as outras espécies de inferioridade psicopática; diz algo semelhante ao que afirmara antigamente: "Um dos fenômenos da emoção é vir acompanhada de uma acentuada diminuição do nível mental. Não produz apenas a perda da síntese e a redução ao automatismo, que é tão visível no histérico, mas, de acordo com sua força, suprime gradualmente os fenômenos superiores e diminui a tensão ao simples nível dos fenômenos chamados inferiores [...] Sob o efeito da emoção, vemos desaparecer a síntese mental, a atenção, a vontade e a aquisição de novas lembranças; ao mesmo tempo, vemos diminuir ou desaparecer todas as funções do real, o sentimento e o prazer do real, a confiança e a certeza. Em seu lugar vemos subsistir os movimentos automáticos [...]"[24] A emoção exerce efeito particularmente deletério sobre a memória. Janet diz: "Mas este poder de dissociação, próprio da emoção, manifesta-se mais nitidamente em sua ação sobre a memória [...] Esta dissociação pode atuar sobre as recordações logo que produzidas e constituir, assim, a

---

23. "L'émotion a une action dissolvante sur l'esprit, diminue sa synthèse et le rend pour un moment misérable. Les émotions, surtout les émotions déprimantes comme la peur, désorganisent les synthèses mentales; si on peut ainsi dire, leur action est analytique par opposition à celle de la volonté, de l'attention, de la perception qui sont synthétiques". *L'Automatisme psychologique*, p. 457 [modificado].

24. "Un des phénomènes de l'émotion, c'est de s'accompagner d'un abaissement marqué du niveau mental. – Elle ne produit pas seulement la perte de la synthèse et la réduction à l'automatisme qui est si visible chez l'hystérique, elle suppprime graduellement suivant sa force les phénomènes supérieurs et abaisse la tension au seul niveau des phénomènes dits inférieurs [...] Dans l'émotion nous voyons disparaître la synthèse mentale, l'attention, la volonté, l'acquisition de souvenirs nouveaux; en même temps nous voyons diminuer ou disparaître toutes les fonctions du réel, le sentiment et le plaisir du réel, la confiance, la certitude. A la place nous voyons subsister les mouvements automatiques". *Les Obsessions et la psychasthénie.*

amnésia contínua. Também pode atuar de repente sobre um grupo de recordações já constituído [...]" etc.[25] Esta ação das emoções é de especial importância para nós, pois explica o distúrbio da memória nos casos de confusão emocional e lança grande luz sobre as amnésias dos estados crepusculares de Ganser. Na síndrome de Ganser, que analisei[26], o fenômeno essencial foi uma amnésia anterógrada que dependia de fatores emocionais. Evidenciou-se que uma amnésia prolongada e anterógrada, presente neste caso, se estendia principalmente a todos os acontecimentos desagradáveis e com forte carga emocional do passado mais próximo. Uma recaída que aconteceu à paciente em observação foi causada por forte emoção de desprazer. Phleps diz algo semelhante em seu trabalho anteriormente mencionado sobre a amnésia que existia, em seus casos, devido a uma emoção causadora (isto é, o terremoto de Lubiana).

320 O quadro apresentado pelos dois pacientes acima foi de debilidade mental, em alto grau, que tomou forma aguda e não foi causado por nenhuma doença demonstrável. As observações subsequentes mostraram que o grau de debilidade mental na verdade existente não era tão grande assim. Em muitos dos chamados simuladores que aparentam um alto grau de estupidez, encontramos o mesmo comportamento externo que vai desde o falar sem sentido, consciente e grosseiro, passando por todos os graus de intensidade, até os casos limites, difíceis de julgar e dos quais falamos há pouco. Mas encontramos também nos estados crepusculares descritos por Ganser e, recentemente, por vários outros autores[27], sintomas que parecem apontar para uma improvável debilidade mental de alto grau, mas que na ver-

---

25. "Mais jamais ce pouvoir de dissociation qui appartient à l'émotion ne se manifeste plus nettement que dans son action sur la mémoire [...] Cette dissociation peut s'exercer sur les souvenirs au fur et à mesure de leur production et constituer l'amnésie continue. Elle peut aussi s'exercer tout d'un coup sur un groupe de souvenirs déjà constitué". *Névroses et idées fixes.* Vol. I, p. 144s.

26. GANSER, S. "Über einen eigenartigen hysterischen Dämmerzustand". *Arch. f. Psychiat. u. Nervenkr.*, XXX, 1898; § 226s. deste volume.

27. RAECKE, J. "Hysterischer Stupor bei Strafgefangenen". *Allg. Z. f. Psychiat.*, LVIII, 1901. • WESTPHAL, A. "Über hysterische Dämmerszustände und das Sympton des 'Vorbeiredens'". *Neur. Centralbl.*, ano 22, 1903. • LÜCKE, R. "Über das Ganser'sche Symptom mit Berücksichtigung seiner forensischen Bedeutung". *Allg. Z. f. Psychiat.*, LX, 1903.

dade parece basear-se numa redução puramente funcional, explicável por motivos psicológicos, conforme demonstrei no caso acima citado. As respostas de Ganser são da mesma espécie que as de um simulador, só que ocorrem a partir de um estado crepuscular que não me parece estar clinicamente muito longe dos casos de estupidez emocional, referidos acima[28]. Se aplicarmos o que ficou dito até agora ao problema da simulação, podemos imaginar casos que descambam para a confusão emocional devido a momentos de excitação provocados por prisão, exame, confinamento solitário etc.[29] Nesta situação pode ocorrer a um, a ideia de simular distúrbio mental; a outro, por causa da disposição mencionada acima, cair num estado de estupidez no qual, dependendo da constituição mental do indivíduo, podem ocorrer exageros conscientes, representações teatrais semiconscientes e automatismos histéricos, tudo numa mistura impenetrável, semelhante ao quadro de uma "neurose traumática" onde o "simulado" e o "histérico" estão inseparavelmente combinados. Parece-me até que existe apenas um passo entre a simulação e a síndrome de Ganser e que o quadro de Ganser é mera simulação que passou da consciência para o subconsciente. Os casos de trapaceiros e sonhadores patológicos mostram que esta transposição é possível. Um fator importante nisso tudo é a influência anormal da emoção, como descrito acima. Sob este aspecto a literatura sobre a simulação deixa muito a desejar, pois muitas vezes os peritos ficam felizes quando, em casos difíceis, conseguem desmascarar um ou outro sintoma como "simulado" e, então, partir para a conclusão errada de que tudo o mais também é simulação.

---

28. Dos 58 casos de simulação que reuni, 29 deram respostas sem sentido, de acordo com o complexo de Ganser. A larga incidência desse sintoma que é tão característico do complexo de Ganser é de interesse para a avaliação do estado que estamos discutindo.

29. Schürmayer diz: "Não raro a má consciência atua de forma tão poderosa sobre a vida psíquica da pessoa que pode dar a impressão de sofrimento mental. Depressão e disposição irritada encontram-se em quase todos os delinquentes que não são criminosos profissionais. São, em geral, taciturnos, durante muitas semanas não têm sossego de noite, fenecem fisicamente, recusam alimento, têm medo, alucinações. Nas audiências dão respostas bem absurdas e são levados ao desespero através do inquérito." SCHÜRMAYER, I.H. *Theoretisch-practisches Lehrbuch der gerichtlichen Medicin*. Erlangen: [s.e.], 1850.

321 Gostaria de relatar um caso[30] que é instrutivo sob vários aspectos:

322 J., nascido em 1867, tecelão. Hereditariedade: Pai irascível. Irmã da mãe, melancólica, cometeu suicídio.

323 Nada de especial se conhecia sobre sua juventude, a não ser que o pai lhe havia dito que acabaria na prisão. Com 16 anos, saiu de casa e começou uma vida nômade; trabalhou em diversas fábricas, durante aproximadamente sete anos. Aos 22 anos casou-se. Por sua culpa, o matrimônio foi infeliz. Após dois anos fugiu de casa, levando inclusive as economias de sua esposa. Foi para a América onde levou uma vida nômade e aventureira. Depois de alguns anos retornou à Alemanha, país que percorreu de norte a sul, vagabundeando. Chegando à Suíça, reconciliou-se com sua mulher que, então, retirou do Fórum o pedido de divórcio. Fugiu novamente de casa, apropriou-se indebitamente de uma soma que lhe fora confiada por um colega de trabalho, esbanjou o dinheiro e, por isso, foi preso, sendo condenado a seis meses de prisão (1892). Após cumprir a pena, voltou a vagabundear pela Suíça a fora.

324 Em 1894 esteve preso durante um mês por causa de furto. Naquela época (mas não vinculada à pena) teria acontecido uma tentativa de suicídio. Cumprida a pena, voltou a vagabundear até 1896. A partir dessa data trabalhou por quatro anos seguidos na mesma fábrica. Em 1900 casou-se pela segunda vez. Também este casamento foi infeliz. Em 1901 abandonou a mulher, levando as economias dela no valor de 1.200 francos. Farreou durante catorze dias, voltou para casa e devolveu à mulher 700 francos. Mais tarde (1902), tomou novamente o dinheiro e fugiu de vez, cometendo dois furtos quando o dinheiro acabou. Logo a seguir, foi preso e condenado a seis meses de trabalhos forçados pelo primeiro furto. Só na primavera de 1903 foi julgado como autor do segundo furto e preso. Na primeira audiência forneceu corretamente seus dados pessoais, depois negou a acusação, enredou-se em contradições e, finalmente, só dava respostas confusas e incoerentes. Na cela individual ficou inquieto de noite, jogou os sapatos para debaixo da cama, cobriu a janela com um cobertor porque sempre tinha alguém "querendo entrar". Nos dias que se seguiram recusou a comida, alegando estar envenenada. Já não dava resposta alguma e via aranhas na parede. Na segunda noite, numa cela coletiva, esteve in-

30. Cf. também os § 359s. deste volume.

quieto e dizia haver alguém debaixo da cama. No terceiro e quarto dias, ficou apático, não respondia, só comia vendo que os outros também comiam, afirmava ter matado sua esposa e que debaixo da cama havia um assassino com uma faca. Segundo o parecer do médico da prisão, o paciente dava a impressão de ser catatônico.

Em 3 de junho de 1903 foi internado para um laudo médico. 325

O paciente parecia embotado, apático, a expressão facial era rígida e abobada. Com muita dificuldade era levado a responder. Forneceu corretamente os dados sobre nome e residência. Parecia desorientado quanto a tempo e espaço. Sendo-lhe apresentados cinco dedos, dizia serem quatro, e dez dizia serem oito. Não sabia olhar as horas no relógio e confundia o valor do dinheiro. Cumpria corretamente as ordens recebidas, mas executava-as de maneira disparatada. Se solicitado a trancar a porta, insistia em fazê-lo com a chave voltada para cima. Para abrir uma caixa de fósforos, rasgava a lateral. Forte suspeita de simulação. Foi transferido para a sala de observação. De noite ficava quieto; só se levantou uma vez para deslocar a cama, pois dizia que um enfeite colocado no teto estava a ponto de cair. No dia seguinte, o mesmo estado. Ao ser examinado, dava respostas disparatadas e tinha que ser forçado a dá-las. Ficou claro que o paciente entendia bem as perguntas e ordens, mas esforçava-se para reagir a elas do modo mais absurdo possível. Não conseguia escrever nem ler. Segurava o lápis de modo correto, mas o livro de cabeça para baixo. A caixa de fósforos rasgou-a novamente do lado, acendeu e apagou uma vela corretamente. Designava e avaliava o dinheiro de modo totalmente absurdo. 326

O exame corporal constatou reflexos intensificados no antebraço e patelares. A sensibilidade à dor parecia reduzida em geral, quase ausente em alguns lugares de modo que havia apenas uma reação quase imperceptível a espetadas profundas de agulha. Pôde-se verificar reação da pupila à dor. A pupila direita era algo maior do que a esquerda. A reação era normal. O rosto apresentava-se bem assimétrico. 327

Este exame foi feito numa sala separada, no mesmo andar da sala de observação, onde o paciente estava pouco tempo antes. Terminado o exame, deixamos que o paciente encontrasse sozinho o seu quarto. Caminhou inicialmente na direção oposta e mexeu numa porta do corredor diante da qual não havia passado antes; recebeu então ordens de caminhar na direção contrária. Experimentou abrir 328 duas outras portas que davam para quartos ao lado da sala de observação. Finalmente chegou à porta certa que lhe foi aberta. Entrou, mas ficou rijo na soleira da porta. Recebeu ordens para deitar-se na cama; mas ficou parado sem atender à ordem. Sua cama ficava perto da parede oposta à porta, mas era perfeitamente visível do lugar em que se achava o paciente. Deixamos que ficasse parado ali. Permaneceu rijo no mesmo lugar por aproximadamente hora e meia; de repente ficou pálido, começou a suar muito, pediu água ao funcionário, mas antes de recebê-la caiu no chão sem sentidos. Depois de jazer por dez minutos no chão e ter-se recuperado um pouco, foi levantado, mas passou mal de novo. Foi então levado para a cama. Não reagia a perguntas e recusou a comida. Após o meio-dia, levantou-se de repente e atirou-se, de cabeça, violentamente contra a porta; quando os funcionários quiseram detê-lo por causa do perigo de suicídio, houve luta corporal, havendo necessidade de várias pessoas para segurá-lo. Foi posto numa camisa de força, acalmando-se rapidamente. Na noite de 5 de junho ficou quieto, só trocou uma vez a cama de lugar. Na visita da manhã, agarrou de repente o médico e quis imobilizá-lo na sua cama; também agrediu o funcionário. Recebeu uma injeção de hioscinina. Nos dias seguintes apresentou o mesmo comportamento embotado e abobalhado, com eventuais ataques a médicos e funcionários, mas que não chegaram a pancadaria perigosa. Raras vezes dizia alguma coisa e, mesmo assim, só dizia coisas absurdas pronunciadas em tom monótono. Nos primeiros três dias recusou qualquer comida, a partir do quarto começou a comer e a cada dia que passava comia melhor. No dia 7 de junho pediu que lhe tirassem sangue da veia; dizia que o tinha demais. Quando se negaram a fazê-lo, voltou àquele estado de estupidez. Em contraste com seu comportamento apático, parecia interessar-se pelo ambiente ao seu redor; vendo um paciente, seu vizinho de cama, rebelar-se fortemente contra a alimentação por sonda, sugeriu que lhe amarrassem os pés, pois assim daria mais certo. No dia 8 de junho, recebeu forte dose de faradização. A reação foi pequena. Foi-lhe dito que daqui em diante isto se repetiria todos os dias. Na manhã do dia 9 de junho, o paciente estava lúcido e pediu uma audiência privada. Contou o seguinte:

329 "O senhor já sabe que meu estado não é tão grave assim. Quando fui preso – tenho mãe e irmãos excelentes – entrei em tal estado de

pânico e agitação que não sabia mais o que dizer. Ocorreu-me então a ideia de fazer com que a coisa parecesse pior do que era. Aqui percebi logo que ninguém acreditava em mim, também me senti estúpido fazendo o papel de louco e me desgostava ficar sempre na cama. Aliás, tudo me desagradava e eu sempre pensava em suicídio. Não sou doente mental, mas assim mesmo sinto às vezes como se nem tudo estivesse bem com minha cabeça. Não fiz isto para evitar a prisão, mas por causa de minha família. Havia-me proposto andar na linha e, durante nove anos, até o último outono, não tive que cumprir pena alguma".

330 Perguntado sobre como chegara à ideia de simular a insanidade mental, respondeu: "Tive pena de minha velha mãe e me arrependi do que havia feito. Entrei em tal estado de pavor e agitação que resolvi fingir que minha situação era pior do que na verdade era. Quando, após a audiência, voltei para a cela, não sabia mais o que fazer. Teria me suicidado se tivesse à mão uma faca". Sobre a finalidade da simulação parecia não ter muita clareza, "queria ver o que fariam com ele". Apresentou motivos adequados para seu procedimento durante a insanidade simulada. Impressionante foi a revelação de que, apesar do jejum de quase duas semanas, não sentira *apetite algum.* Fez-se então uma anamnese combinada com uma catamnese, devendo-se ressaltar a afirmação do paciente de que era impelido a ir de lugar em lugar devido a uma "inquietação interna". Assim que se estabilizava por certo tempo em algum lugar, era acometido de um impreciso desejo de liberdade que o fazia ir embora. Em toda a sua história mostrou bastante insegurança quanto a datas. Impressionante, porém, foi a incerteza relativamente a datas dos últimos acontecimentos. Apesar de bem orientado quanto ao tempo em geral, afirmou estar duas semanas na clínica (ao invés de seis dias). À noite desse mesmo dia, ficou em dúvida quanto a esta afirmação e vacilou entre dez e doze dias. Falava com imprecisão sobre os detalhes de sua estadia na clínica e já não se lembrava de muitos pequenos incidentes, em si sem importância, durante a simulação e também embaralhava muita coisa no tempo. Lembrou-se apenas vagamente da cena da internação e do primeiro exame. Lembrava-se ainda de que devia enfiar uma chave na fechadura, mas que tinha feito tudo certo. Também se lembrava do exame no dia seguinte e disse que o quarto estivera cheio de médi-

cos, uns sete ou oito (em vez de cinco). Dos detalhes do exame só se lembrava quando era auxiliado.

331 Relatou o seguinte sobre a cena após o exame: "Sabia muito bem como havia saído da sala de exame; haviam deixado que andasse e ele ficou confuso no grande corredor. Para chegar à sala de exame tinha a impressão de haver subido uma escada. Como não encontrasse escada para descer, pensou que o queriam fazer de bobo e levá-lo a um quarto errado. Quando finalmente o deixaram entrar na enfermaria, pensou que não fosse o lugar certo e também não reconheceu a sala, ainda mais quando viu que todas as camas estavam ocupadas (a cama dele, porém, estava vazia e bem à vista). Por isso ficou parado na entrada da porta, começou a sentir-se mal e caiu desmaiado no chão. Somente quando foi colocado na cama percebeu que havia mais uma cama livre, que era a sua, e que estava no quarto certo".

332 O paciente se referia a este entreato como simples mal-entendido, sem perceber que se tratava de acontecimento patológico. Explicou o ato brutal e perigoso de atirar-se de cabeça contra a parede como tentativa real de suicídio.

333 No dia seguinte levamos o paciente a fazer adições de números simples (de acordo com os testes aritméticos de Kraepelin). A média foi de 28,1 por minuto, de um total de 1.297 adições em 46 minutos. Um maior treinamento mostrou ser de pouca valia: a diferença entre a performance média na primeira metade e na segunda metade do tempo chegou apenas a 1,5 em favor da segunda. Portanto, não só o rendimento foi pequeno, mas também o aumento por causa do treino foi precário. Em comparação com esta tarefa relativamente muito simples, o *número de erros foi alto demais*: 11,2% das adições estavam erradas. Houve 1,5 erros por minuto na primeira metade e 4,7 na segunda. Este dado ilustra muito bem a rápida diminuição de energia e de atenção, sem que houvesse a presença de uma fadiga psíquica anormal. A *capacidade ótica de percepção* estava muito reduzida. O paciente precisava de tempo muito longo para entender as ilustrações simples do livro de Meggendorfer. *A compreensão do que ouvia ou lia* também estava reduzida. Ao reproduzir uma fábula simples de Esopo, o paciente omitia trechos importantes e inventava outros. A *retenção*, sobretudo de algarismos, era ruim. Conforme já mencionado, a memória de fatos do passado mais remoto era razoável; também os conhecimentos

adquiridos na escola apresentavam contorno normal. Não havia sinal de imbecilidade e nenhuma limitação do campo visual. Também não havia sintomas de histeria ou daltonismo. Os reflexos eram os mesmos do primeiro exame. Não havia distúrbios da sensibilidade, com exceção de uma hipalgesia geral. Uma semana depois (19 de junho) o paciente foi novamente submetido a exame minucioso, tendo nesse meio-tempo apresentado um comportamento correto. Não houve mudanças no estado somático. A *capacidade de compreensão* ainda não havia atingido o grau do normal médio; contudo foi possível constatar sensível melhora. A *retenção* não havia melhorado. A curva *de trabalho* mostrava certa modificação.

334 Para facilitar uma visão global, coloco lado a lado os resultados do primeiro e segundo testes.

Tabela IV

	10 de junho	19 de junho
Média da performance por minuto	28,1	32,4
Média da primeira metade por minuto	27,4	31,9
Média da segunda metade por minuto	28,9	32,9
Erros em %	11,2	4,0
Erros da primeira metade por minuto	1,5	1,1
Erros da segunda metade por minuto	4,7	1,5

335 O resultado do segundo teste mostra um aumento da performance por minuto de 4,3 em relação à primeira série e um visível decréscimo de erros. Este resultado pode servir de confirmação para o nosso exame clínico que constatou no período de uma semana visível melhora da energia e da atenção. Infelizmente não se fez um teste das associações. Em 23 de junho fez uma ostensiva tentativa de suicídio, cortando lentamente a pele do pulso esquerdo com uma pedra afiada. Depois resistiu de forma infantil contra as ataduras.

336 O parecer médico declarou que o paciente deve ser considerado responsável pelo ato de furto que praticou e, portanto, passível de pena, mas só parcialmente responsável pelo delito da simulação.

337 Não há dúvida de que o paciente simulou de fato. Temos que admitir que era uma simulação de primeira qualidade, tão boa que, ape-

sar de não descartarmos a possibilidade de simulação, chegamos às vezes a pensar seriamente em demência precoce ou em algum estado crepuscular histérico mais profundo, no sentido de Ganser. A rígida máscara de seu rosto, a periculosidade de suas tentativas de suicídio (à época do distúrbio), o seu desmaio real, a hipalgesia aparentemente profunda eram fatos não facilmente explicáveis por pura simulação. Por essas razões, descartamos logo a ideia de mera simulação, supondo que, se fosse realmente o caso de simulação, deveria estar presente também um fator patológico que, de alguma forma, atuasse como estímulo. Por isso, a repentina confissão do paciente foi para nós uma surpresa.

338 De acordo com o material exposto acima, o paciente era um degenerado. Sua falta de memória e de concentração indicavam uma certa forma de *inferioridade histérica*, pois lesões cerebrais mais graves pareciam excluídas pela anamnese. Ainda que não tivéssemos outras indicações diretas de histeria, esta suposição nos parecia a mais provável. (A hipalgesia é uma característica da degeneração que também pode ocorrer em outras circunstâncias, sobretudo nos criminosos.) Como vimos, o paciente ficou confuso na audiência, o que atribuiu a seu desespero na ocasião, ou seja, a uma forte emoção. A questão sobre os motivos lógicos permanece bastante obscura neste caso, e tudo indica que o paciente nunca se decidiu, com toda clareza, pela simulação. Na catamnese ele acentuou e reiterou expressamente a forte emoção que havia experimentado antes e não tínhamos nenhum motivo para não acreditar nele. Parecia, antes, que a emoção desempenhava importante papel etiológico. Ainda que todos os aspectos do quadro clínico resultante tenham sido simulados (com exceção do desmaio), quase todo sintoma vinha acompanhado de fenômenos que não podiam ser simulados. Para não me perder em detalhes, restrinjo-me ao fato revelado pela catamnese: que o paciente, *durante a simulação*, tinha ao menos às vezes uma *compreensão deficiente e adulterada*, com o que concorda o distúrbio da atenção constatado no dia 9 de junho. Consequentemente também a memória do período crítico era muito vaga. *Portanto, junto com a simulação, encontramos grandes e reais distúrbios no campo da atenção. Os distúrbios sobreviviam à simulação, mas melhoravam claramente no período de uma semana.*

339 Autores mais antigos afirmam que a simulação exerce influência nociva sobre o estado mental[31]. Ressalvado erro de diagnóstico, esta nocividade provavelmente se restringe a um distúrbio da atenção, semelhante à hipnose, o que pode ser uma explicação plausível para o nosso caso[32]. Não se deve esquecer, porém, que mudança desse tipo não ocorre como resultado de simples decisão. Para isso é necessário haver certa predisposição (dissociação no sentido de Forel). E aqui, segundo opinião minha, a emoção recebe importância decisiva. Conforme exposto detalhadamente acima, as emoções têm um efeito dissociante (dispersivo) sobre a consciência, provavelmente porque enfatizam unilateral e exageradamente *uma* ideia, de modo que sobra pouca atenção para ser investida no restante das atividades psíquicas conscientes. Assim, todos os processos mais mecânicos, que fluem automaticamente, ficam livres e adquirem aos poucos, à custa da consciência, uma certa autonomia. Basta lembrar as belas experiências de Binet[33] e Janet[34] sobre automatização no estado de distração.

340 É nisto que Janet baseia sua concepção da influência das emoções, segundo a qual todo e qualquer automatismo é fomentado pela distração (isto é, fraqueza de atenção) e, como se expressa Binet, desenvolve-se principalmente "no lado sombreado da psique". É de se supor, portanto, que certas ideias, presentes na consciência juntamente com a emoção, mas que não precisam estar relacionadas com a emoção, no tocante ao conteúdo, se tornem automatizadas. Esta suposição é amplamente confirmada pela experiência clínica, sobretudo pela anamnese de tiques histéricos. Nosso caso, que apresenta o estado de semissimulação, tem como sintoma principal um forte e persistente distúrbio de atenção, como ocorre por exemplo no hipnotizado cuja atenção está igualmente fixada numa certa direção. Um assunto interessante pode absorver tanto a nossa atenção que ficamos "presos" a ele. Na

---

31. Cf. LAURENT, A. *Etude médico-légale sur la simulation de la folie*. Considérations cliniques et pratiques à l'usage des médecins experts, des magistrats et des jurisconsultes. Paris: [s.e.], 1866.

32. Já em 1856, Richarz, um dos peritos do caso Stockhausen, defendia a opinião, sem dúvida correta, de que um comportamento assumido externamente tem grande influência sobre a atividade dissimuladora. RICHARZ, F. "Über psychische Untersuchungsmethoden". *Allg. Z. f. Psychiat.*, XIII, 1856.

33. BINET, A. Op. cit.

34. JANET, P. *L'Automatisme psychologique*. Op. cit.

pessoa histérica ainda se soma algo: ela tem a tendência de *identificar-se sempre mais com o assunto de interesse.* Acontece então que, ao contrário da pessoa normal que produz número bem limitado de associações, aparece um número ilimitado e com todo tipo de vinculações subconscientes. Devido à natureza peculiar da histeria, estas vinculações só podem ser desfeitas com muita dificuldade. *Sob este ponto de vista, considero nosso paciente um simulador para quem a simulação correu muito bem, isto é, escorregou para o subconsciente.*

341 Seria desejável que se desse mais atenção a esses casos-limites. Talvez pudessem elucidar muita coisa cujo esclarecimento enfrenta hoje em dia as maiores dificuldades. Lembro-me, por exemplo, de um caso que recebeu laudos médicos de várias clínicas alemãs. Refere-se a um refinado chantagista e ladrão que, no momento da prisão, mergulhou num estupor semelhante à catatonia e nele permaneceu por meses a fio. Este caso recebeu um laudo também de nossa clínica. Na hora de ser solto, acordou de repente de seu profundo estupor imbecil e despediu-se de modo cortês e absolutamente correto.

342 Devo ao colega Dr. Rüdin a possibilidade de expor o caso a seguir, observado na clínica de Heidelberg. Refere-se a um indivíduo várias vezes condenado por furto e ofensas ao pudor. Era epiléptico desde os 14 anos. Ao ser preso após o segundo atentado ao pudor, em 1898, o paciente dificilmente respondia às perguntas; depois de alguns dias ficou completamente mudo e a seguir ficou sete meses em estado de estupor com orientação inalterada. Em 1901, ao ser preso em flagrante por furto com invasão de domicílio, entrou em estado de excitação e, a seguir, de estupor durante seis semanas. Em 1902, novamente preso por furto, ficou muito assustado, quieto e só dava as respostas absolutamente necessárias. A seguir, total mutismo, não obedecia às ordens, mas de resto bem ordenado. Nas três ocasiões houve um parecer médico e o paciente foi declarado irresponsável por causa do estupor epiléptico.

343 Leppmann[35] conta o seguinte caso de "simulação": Um assassino débil mental, após indiscutível confissão enquanto preso, caiu em estado de estupor ("melancolia depressiva"). Depois de desaparecida a "depressão", simulou imbecilidade com perda de memória em rela-

---

35. LEPPMANN, A. "Simulation von Geistesstörung umgrenzt von Störungsanfall und Rückfall". *Allg. Z. f. Psychiat.*, XLVIII, 1892.

ção ao passado mais próximo. Foi condenado a quinze anos de prisão. Após a sentença, caiu novamente em estado de estupor ansioso.

344 Landgraf[36] relata a história de um simulador notável. Era um ladrão contumaz. No segundo ano de uma pena de dez anos, o preso se tornou imbecil, mudo, permanecendo de olhos fechados. Neste estado passou oito anos (!) na enfermaria; muitas vezes não comia nada durante semanas, normalmente sem sono e de noite brincava com sementes de frutas, botões etc. Opunha grande resistência à narcose com clorofórmio. Depois ficou duas semanas como que paralítico e fazia as necessidades nas calças. Cumprida a pena, foi para casa, imbecil, cego e surdo. De repente fugiu de casa e cometeu mais alguns furtos refinados. Duas semanas após foi preso, apresentando então o mesmo comportamento anormal de antigamente. Considerado simulador, foi condenado a dez anos de prisão. Na penitenciária, ficou dez semanas imbecil, cego, surdo e mudo, nunca deixando de representar seu papel. De repente abriu os olhos, começou a trabalhar, mas permaneceu surdo e mudo até sua morte.

345 Marandon De Montyel[37] narra o seguinte caso: Mulher psicopática, em período de menstruação, tentou afogar seu filho de 4 anos. Foi presa, confessou o fato e disse que o praticou por dificuldades financeiras. Seis dias após negou ter sido por dificuldades financeiras, fingiu amnésia em relação ao fato e a seus motivos, comportava-se como imbecil, não reconhecia o meio ambiente, nem se lembrava de seu passado (amnésia anterógrada). Por causa de simultânea depressão, foi considerada incapaz de responsabilidade e internada num manicômio, onde seu estado melhorou. Alguns meses depois, foi levada à presença do promotor, entrou em pânico e no dia seguinte recaiu na "simulação".

346 Merece menção o caso de Reiner Stockhausen que foi inclusive publicado em monografia por Jacobi, Böcker, Hertz e Richarz (1855)[38]:

---

36. LANDGRAF, K. "Ein Simulant vor Gericht". *Friedreich's Blätter*, ano 35, 1884.

37. MARANDON DE MONTYEL, E. "Folie simulée par une aliénée inculpée de tentative d'assassinat". *L'Encéphale*, II, 1882.

38. Cf. tb. a crítica de Jessen ao trabalho de Böcker, Hertz e Richarz: JESSEN, P.W. "Über psychische Untersuchungsmethoden. Böcker, Hertz e Richarz: Reiner Stockhausen, ein actenmässiger Beitrag... " *Allg. Z. f. Psychiat.*, XII, 1855; e a réplica de RICHARZ, F. "Über psychische Untersuchungsmethoden". *Allg. Z. f. Psychiat.*, XIII, 1856. Cf. tb. SNELL, L.S. "Über Simulation von Geistesstörung". *Allg. Z. f. Psychiat.*, XIII, 1856.

St. era indivíduo degenerado, já várias vezes condenado por furtos e vadiagem. Durante uma audiência entrou em confusão, dava respostas evidentemente idiotas (Ganser), sobretudo de caráter negativo ("Tudo foi embora, tenho que me matar, sempre precisando de dinheiro, mas nada sobrou, tudo foi vendido, tudo sumiu" etc.)[39]. Depois dava menos informações e muitas vezes estava irritado. As respostas eram dadas por murmúrios pouco inteligíveis, repetia frases estereotipadas: "Não tenho mais nada, tudo foi vendido, queimado e gasto em bebidas" etc. Andava muito sujo, dormia pouco e tinha sono inquieto.

347 Três laudos médicos indicaram simulação, um indicou doença mental. Foi enviado por um ano ao manicômio, a fim de ser observado. A princípio, mostrava-se excitado e inacessível, depois foi abandonando sempre mais sua rigidez e reserva. Comportava-se "como pessoa pacífica, mais ou menos sociável e razoável". Mas logo que a conversa chegava a coisas que podiam ter alguma relação com o crime de que era acusado, ou que se referissem a seu estado emocional ou de saúde, parecia ficar violentamente indignado e começava "a falar como um louco". Um quarto parecer médico decidiu pela simulação, pois os sintomas observados no paciente não condiziam com "delírio, melancolia, insanidade, loucura, demência ou idiotice". Foi, então, condenado a quinze anos de prisão, o que não lhe causou impressão alguma. Durante o período de dois anos, o paciente foi sendo examinado de tempos em tempos pelos mesmos médicos que deram seu parecer, e sempre constataram a permanência consequente dos sintomas que já existiam há três anos.

348 Finalmente, gostaria de lembrar um caso publicado por Siemens[40]: Jovem operário diarista, equivocadamente acusado de homicídio, chorava sem parar na prisão, jurava ser inocente, já não respondia às perguntas, só gemia, recusava a alimentação e dormia mal. Num acesso de agitação, quebrou tudo ao seu redor. Provavelmente

---

39. É impressionante como semelhantes negações voltam frequentes vezes nas afecções de que estamos tratando. Será que isto se deve à confusão emocional que inibe o afluxo de associações?

40. SIEMENS, F. "Zur Frage der Simulation von Seelenstörung". *Arch. f. Psychiat. u. Nervenkr.*, XIV, 1883.

era algo imbecil (sabia mal e mal ler e escrever). Ao ser internado na clínica mostrou grande medo, tinha que ser forçado a responder pela repetição frequente das perguntas, dizia não estar doente, dormia pouco. No início recusou a comida. Depois não respondia mais a pergunta alguma, olhava com ar apalermado para os médicos, mas contou a um dos funcionários a história de sua detenção. Apesar de seu comportamento apático, teve que rir certa vez por causa da pilhéria de um maníaco. Ficou neste estado por dois meses até ser solto. Recebeu impassível a notícia de sua libertação. *Em casa continuou taciturno por certo tempo, com atitude de indiferença e não trabalhava.* Depois voltou ao estado normal, queixava-se da injustiça sofrida e negava que tivesse alguma doença mental.

349 Do ponto de vista moderno, não se pode considerar esses casos como sendo casos de simulação. O característico desses distúrbios está em sua dependência de processos externos, em geral carregados de forte emoção; aproximam-se, por isso, e também por causa de seu comportamento clínico, das afecções psicógenas ("histéricas"), conforme descritas por Ganser e Raecke, e da estupidez (sobretudo o último caso) que eu chamaria de "emocional". Freud demonstrou claramente que o papel etiológico principal nos distúrbios psicógenos cabe à emoção. Convém, pois, prestar mais atenção às emoções reprimidas nos criminosos que apresentam estado duvidoso. Já dispomos de algumas observações pertinentes ao nosso assunto; por exemplo, a síndrome intercorrente de Ganser, observada por Westphal[41], que pode ser atribuída a uma emoção; experiência semelhante é relatada por Lücke[42]. A repetição de uma síndrome de Ganser, por mim observada[43], correspondeu inclusive ao mecanismo freudiano de uma repressão emocional. Por isso temos certa razão em considerar estes estados peculiares como influência *prolongada* das emoções; e nos distúrbios psicógenos não é de admirar que se insinue todo tipo de sintomas "fabricados" e dependentes do meio ambiente.

41. WESTPHAL, A. "Über hysterische Dämmerszustände und das Sympton des 'Vorbeiredens'". *Neur. Centralbl.*, ano 22, 1903.

42. LÜCKE, R. "Über das Ganser'sche Symptom mit Berücksichtigung seiner forensischen Bedeutung". *Allg. Z. f. Psychiat.*, LX, 1903.

43. Cf. "Über einen eigenartigen hysterischen Dämmerzustand". § 226 deste volume.

350 Não podemos discutir o problema da simulação com base na casuística, sem fazer algumas observações de natureza mais geral.

351 No que se refere ao material, é difícil imaginar algo mais inadequado e menos utilizável. Em muitos casos, o modo de apresentá-lo é deficiente, pois se coloca o valor principal nos sintomas óbvios, enquanto os outros (especialmente os histéricos) são omitidos. O exame e o "desmascaramento" dos sintomas consistem muitas vezes em artifícios, quando não, como antigamente, em crueldades como duchas frias e coisas semelhantes. O ponto de vista dos autores antigos – que passou inclusive para alguns livros em voga ainda hoje – de que tudo aquilo que não está de acordo com os quadros clínicos conhecidos ou com um sistema dogmático de conceitos não é doença, mas simulação, é triste e nada científico. Particularmente prejudicial para a descrição e o exame é também o otimismo no diagnóstico[44] que se dá muito mal com os fatos. De tempos em tempos surgem casos de simulação que podem manter enganados por longo tempo até os mais experientes médicos. Temos, por exemplo, o caso do paciente de Billod[45] que simulou com êxito nove vezes; o caso de um paciente de Laurent[46] que simulou com sucesso durante dois anos; e o caso de um indivíduo que, submetido a um segundo exame, foi desmascarado como simulador astucioso, havia sido declarado mentalmente incapaz por um médico muito experiente[47]. Portanto, há motivos de sobra para agir com cautela.

352 Há, finalmente, um ponto a ser lembrado: O conceito de simulação não é entendido do mesmo modo por todos os autores. Assim, por exemplo, conta Fürstner[48] o seguinte caso de "simulação":

---

44. Cf. as seguintes afirmações: "Para desmascarar a simulação, basta o bom-senso, comum e sadio" (CLAUS. "Ein Fall von simulierter Geiststörung". *Allg. Z. f. Psychiat.*, XXXIII, 1877, p. 153). "Portanto, o problema da simulação apresenta menos dificuldades na prática do que na teoria" (BOLTE, A. "Über einige Fälle von Simulation", p. 59).

45. BILLOD, E. "Rapport médico-légal sur un cas de simulation de folie". *Ann. méd.-psychol*, ano 26, n. XII, 1868.

46. LAURENT, E. "Un détenu simulant la folie pendant trois ans". *Ann. méd-psychol.*, ano 46, t. VIII, 1888.

47. WILBRAND, & LÖTZ. Simulation von Geisteskrankheit bei einem schweren Verbrecher. *Allg. Z. f. Psychiat.*, XLV, 1889.

48. FÜRSTNER, C: "Über Simulation geistiger Störungen". *Arch. f. Psychiat. u. Nervenkr.*, XIX, 1888.

Levada pela leitura da biografia de Catarina Emmerich[49], Sabina S., de 17 anos, encenou uma grande farsa de santidade. Abstinha-se aparentemente de toda comida, perfurou com prego duas vezes o dorso dos pés até a sola etc. Forjava todo tipo de milagres, enganando médicos e autoridades e causando grande sensação. Ao ser examinada por Fürstner, apresentou espasmos tônicos e clônicos nos olhos e na musculatura do rosto e do pescoço. Na clínica psicológica, sua abstenção mística de alimentos foi naturalmente desmascarada como pura, mas bem tramada farsa. Aparentemente, o propósito de todo o seu comportamento era o de morar com um parente que exercia funções eclesiásticas.

353 Casos desse tipo não podem evidentemente ser apresentados como simulação, pois os meios empregados aqui não estão relacionados com o objetivo, mas são sintomas de conhecido distúrbio mental, de que a história nos pode dar centenas de exemplos. Quando um criminoso simula perturbação mental, quer apenas usar um meio relativamente simples e cômodo para ser transferido, por exemplo, para um manicômio e de lá poder fugir mais facilmente. Neste caso, o meio é adequado ao fim. Mas quando uma histérica tortura a si mesma para parecer interessante, então fim e meios são resultado de uma atividade mental doentia. Uma hemorragia pulmonar pode ser simulada, mas nem por isso o paciente é um simulador; está realmente doente, mas não do pulmão. Quando o médico qualifica o paciente de simulador significa que não conseguiu identificar bem o sintoma, isto é, não reconheceu o sintoma como histérico. Se Sabina S. fingiu milagres, não pode ser considerada simuladora, pois sob este nome deve-se entender uma pessoa que é sadia, mas cujo modo de agir quer esconder a sanidade mental, ao passo que em Sabina o proceder anormal revela a patologia interior. O mesmo acontece com os histéricos; eles não mentem, ainda que o afirmado por eles não seja verdadeiro objetivamente falando. Quando entra em questão a histeria, deve-se ter muito cuidado em falar de "simulação", a fim de evitar mal-entendidos.

354 Gostaria de resumir os resultados do meu trabalho nas seguintes conclusões:

---

49. Cf. *Símbolos de transformação* [OC, 5, 1952, § 490s.].

1. Há pessoas que apresentam uma reação anormal a fortes emoções (sobretudo susto e medo) na forma de perplexidade duradoura que poderíamos chamar de "estupidez emocional".

2. As emoções e sua ação específica sobre a atenção fomentam o surgimento de automatismos psíquicos no sentido mais amplo.

3. Provavelmente certo número de casos de simulação deve ser explicado pela reação anormal a emoções e automatização (ou auto-hipnose) e, por isso, considerado doentio.

4. Provavelmente o complexo de Ganser em prisioneiros pode ser explicado da mesma forma e deve ser considerado um sintoma automatizado e intimamente relacionado com a simulação.

355 E, para terminar, gostaria de expressar a meu venerando chefe, o professor Bleuler, meu sincero agradecimento pela gentil autorização de poder usar este material que acabo de expor.

Parecer médico sobre um caso de simulação de insanidade mental[1]

356 A simulação de insanidade mental é fenômeno geralmente bem raro. Restringe-se quase exclusivamente a presos e condenados. Para as demais pessoas o medo do manicômio é grande e esta forma de simulação é muito incômoda para que valha a pena querer tirar vantagens ilícitas por este caminho. Mostra a experiência que o tipo de pessoa que apela para a simulação na maioria das vezes é constituído por indivíduos que apresentam evidentes sinais de degenerescência física e psíquica. Portanto, a simulação cresce, em geral, num solo patológico. Disso se conclui que o reconhecimento da simulação de insanidade mental é uma das tarefas mais difíceis da arte de diagnosticar. Reconhecida e provada a simulação, coloca-se o problema de saber se a pessoa é ou não doente mental, e esta decisão pode esbarrar nos mais diversos tipos de dificuldades.

357 Abstraindo dos casos de exagero de sintomas patológicos reais ou imaginários, há uma série de estados mentais peculiares nos indivíduos degenerados. A causa desses estados pode ser atribuída às fortes emoções devido à prisão, exame e confinamento solitário. Mesmo entre pessoas normais há aquelas que assimilam com grande dificuldade fortes emoções, que ficam muito deprimidas ou irritadas por causa de emoções desagradáveis e que não conseguem, por longo tempo, recuperar a compostura normal. No campo da inferioridade psicopática – esta zona tão ampla quanto indefinida entre "sadio" e "doente" – encontramos caricaturizados os diversos tipos do normal, e as fortes emoções do normal assumem aqui um caráter excessivo e

1. Publicado em *Schweiz. Z. f. Strafrecht*, XVII, 1904, p. 55-75.

extravagante em todo o sentido. Os estados emocionais são muitas vezes anormalmente prolongados ou anormalmente intensos; prejudicam outras regiões psíquicas ou funções corporais que não são diretamente atingidas pela emoção normal. Dessa forma, podem manifestar-se alterações estranhas e repentinas de comportamento psíquico tão surpreendentes que muitas vezes nos levam a pensar em simulação. Observamos sobretudo em débeis mentais esse tipo de mudança emocional que assume na maioria das vezes a forma de extrema imbecilidade. Não se exclui que estes estados podem ocasionalmente vir acompanhados de um exagero consciente, o que complica mais ainda o quadro geral. O conhecimento desse tipo de possibilidades psicológicas tem importância prática não só para o médico, mas também para o encarregado do exame. O caso a seguir parece-me sob este aspecto muito instrutivo, pois refere-se a um prisioneiro em que se misturam a inferioridade psicopática e a simulação semiconsciente. O lado psiquiátrico e psicológico desse caso já foi submetido a um estudo mais detalhado. O trabalho apareceu há pouco em *Journal für Psychologie und Neurologie*[2]. Trago aqui a opinião médica só para conhecimento geral. Quanto às considerações psicológicas do caso, devo remeter ao meu trabalho acima mencionado.

358 O caso nos foi confiado pela promotoria regional de Zurique para parecer.

Parecer

359 Fomos solicitados para dar um parecer sobre o estado mental de I.G., de Rothrist, Cantão de Aargau, nascido a 24 de março de 1867, tecelão, e para responder às seguintes perguntas:

1. "I.G. é doente mental?"

2. "Sendo procedentes as suposições do Dr. S., de que outra doença mental poderia sofrer esta pessoa?"

3. "Desde quando se presume existir este estado?"

---

2. SNELL, L.S. "Über Simulation von Geistesstörung". *Allg. Z. f. Psychiat.*, XIII, 1856. Cf. § 301s. deste volume.

O material em que se baseou nosso parecer consistia dos autos de um inquérito sobre furto de bicicleta, incriminando o senhor acima qualificado; dos autos do juízo criminal de Schwyz, referentes a furto em 1902; dos autos da corte distrital de Hinwil, referentes a furto em 1894; dos autos da corte distrital de Baden, referentes a estelionato em 1892; de uma informação escrita do irmão do examinando; do depoimento do soldado da polícia S. e das observações feitas na clínica. 360

1. Vida pregressa

O *pai* do examinando teria sido um homem respeitável, porém algo irascível. A *mãe* vive e é saudável. Um irmão do pai seria um religioso piegas. Uma irmã da mãe teria cometido suicídio por causa de melancolia. O examinando não tem filhos. Sua primeira mulher teve apenas um natimorto. 361

Nada de especial se sabe da juventude do examinando, a não ser que era um menino arteiro e que o pai lhe dizia muitas vezes que ainda acabaria na cadeia. Frequentou a escola por oito anos. Aos 15 anos de idade foi admitido numa fábrica de tecidos, onde trabalhou um ano e meio. Um belo dia foi embora para Turgi onde encontrou trabalho numa fábrica semelhante. Ficou dezesseis meses e teria mandado algumas vezes dinheiro aos pais. Foi embora de novo e conseguiu emprego na tecelagem de Wollishofen, onde permaneceu cinco meses. Depois perambulou durante "muitas semanas", chegou a Linthal, trabalhou ali durante ano e meio, foi embora e chegou a Ziegelbrücke, onde ficou três anos. Ali se casou aos vinte e dois anos de idade. O casamento não foi feliz; fugiu de casa após dois anos levando as poucas economias de sua mulher (cerca de 300 francos) e emigrou para a América do Norte. Ali levou uma vida aventureira e nômade; após várias peripécias, conseguiu um emprego de foguista num barco a vapor europeu que o trouxe de volta à Alemanha. Andou de Bremen através de toda a Alemanha até a Suíça, chegando a Wald onde trabalhou por meio ano. Reconciliou-se com sua mulher, mas a paz não durou muito. Após algum tempo, a mulher entrou com pedido de divórcio que foi concedido. Aproveitou a oportunidade da primeira punição do indiciado. Aparentemente devido a uma oportunidade de trabalho irregular, foi para Baden, em Aargau, onde encon- 362 trou emprego numa tecelagem. Ali, a 13 de novembro de 1892, fugiu levando 275 francos que um companheiro de quarto lhe confiara para guardar, uma vez que o indiciado possuía uma mala com chave. Com o produto do furto viajou para Zurique, Mühlhausen, Colmar, Estrasburgo, Belfort, Montbéliard, Chauxde-Fonds, Berna e Glarus, onde foi preso, a 27 de novembro de 1892, quando ia receber o auxílio-desemprego. Havia gasto toda a quantia furtada. Segundo informações, o indiciado cumpriu, em 1892, uma pena de dez dias de prisão, em Baden, por fraude. Foi condenado à pena de seis meses em "presídio correcional" e teve seus direitos civis suspensos por três anos. Cumprida a pena, voltou a andar sem destino certo pela Suíça, trabalhando cá e lá em diversos empregos. No dia 15 de março de 1894 foi condenado pela corte regional de Hinwil a um mês de prisão por ter furtado uma tesoura de podar, no valor de 4,50 francos. No atestado de conduta, exarado naquela ocasião, lê-se que "algum tempo antes" fora encontrado "em estado de total abandono" no Cantão de Glarus e enviado para a sua comunidade de origem; teria anteriormente tentado suicídio, mostrando-se refratário a qualquer meio de transporte, tendo por isso que ser trancado na cadeia local, donde fugiu de noite.

363 Conforme disse, andou e vagabundeou por todos os Cantões da Suíça até 1896, quando aceitou um emprego fixo numa tecelagem em Schwanden. Teria permanecido no emprego por quatro anos e oito meses. Casou-se no outono de 1900. Foi um casamento sem filhos e não muito feliz.

364 No verão de 1901, fugiu de casa numa segunda-feira de manhã, após passar a noite anterior na orgia; levou consigo uma caderneta de poupança no valor de 1.200 francos, que pertencia à sua mulher, e que descontou ilegalmente no Banco de Glarus. A ocorrência foi registrada nos anais da polícia a 12 de julho de 1901. Depois de duas semanas voltou e devolveu à mulher 700 francos, ficando com o restante. Passadas cerca de oito semanas, foi novamente embora, sob o pretexto de procurar trabalho, levando consigo 400 francos. Regressando algum tempo depois, enganou a mulher dizendo não ter mais dinheiro. Mas evidentemente ainda estava de posse de uns 500 francos. Após dez semanas saiu outra vez de casa, pernoitando sempre em hospedarias, segundo informou. No dia 15 de setembro de 1902 roubou uma bicicle-

ta, estacionada diante de uma casa em Zurique e no dia 26 de outubro do mesmo ano roubou outra bicicleta que estava no corredor de uma hospedaria em Siebnen (Cantão de Schwyz), no valor de 200 francos. Com ela foi para Luzerna e lá foi preso a 28 de outubro, quando tentava vendê-la por 120 francos. Foi condenado a seis meses de trabalhos forçados no dia 22 de novembro de 1902.

365 Soube-se mais tarde que vendera a primeira bicicleta a um mecânico em Glarus por 70 francos, recebendo um binóculo no valor de 45 francos e o restante em dinheiro.

366 No inquérito policial de 29 de maio de 1903 forneceu corretamente seus dados pessoais, negou a acusação e disse que havia comprado a bicicleta de um certo Emil H. na última festa de igreja em Wädenswil. E a partir daí só deu respostas confusas e incoerentes.

367 Antes disso, o indiciado não teria dado nenhuma impressão de anormalidade. Só quando esteve sozinho na cela ficou muito agitado de noite. Atirava os sapatos para debaixo da cama, tapava a janela com um cobertor "porque sempre tinha alguém querendo entrar". No dia seguinte recusou a comida alegando que lhe estavam dando veneno. Daí em diante só falava quando pressionado; afirmou que uma aranha estava andando pela parede, que as aranhas eram venenosas e que isto era sinal de que seria envenenado. Na noite de 31 de maio dormiu num quarto com mais três outros detentos. Passava as noites bastante agitado e dizia muitas vezes que havia alguém debaixo de sua cama. No dia 2 de junho, seu comportamento foi o mesmo; estava apático e não falava com os outros presos; só comia ao ver que os outros também comiam. O médico regional adjunto declarou que as manifestações ("de que queriam matá-lo porque havia assassinado sua esposa, que tinha visto um assassino debaixo da cama com uma faca" etc.) e o comportamento em geral do detento davam a impressão de um estado catatônico.

2. *Observações na clínica*

368 Na internação, em 3 de junho de 1903, o indiciado ficou sentado, indiferente a tudo, e só a muito custo respondia às perguntas. A expressão do rosto era idiota, semelhante a uma máscara. Informou cor-

retamente nome e endereço. Sabia que estava em Zurique, mas de resto parecia espaçotemporalmente desorientado; também não sabia dizer o ano de seu nascimento. Ao mostrar-lhe cinco dedos, insistia em dizer que eram quatro, e mostrando dez dizia serem oito. Lia as horas de maneira errada: em vez de 5,50 dizia 5,30; em vez de 7,30 dizia 3,30; e quando lhe mostraram 3,30 disse: "também 3,30". De dinheiro só conhecia a moeda de 5 francos. Confundia a moeda de 1 franco com a de 20 centavos. Pedindo-lhe que trancasse uma porta com a respectiva chave, sempre a introduzia virada no buraco da fechadura. Para abrir a caixa de fósforos, rasgava a parte lateral. Depois foi conduzido para a cama. Permaneceu calmo durante a noite, só tirou a cama do lugar uma vez, pois dizia que a roseta de gesso cairia do teto.

369 No exame do dia seguinte deu poucas respostas, tinha que ser forçado a dá-las. Parecia não ter clareza sobre tempo e lugar; dizia estar num hospital em Zurique. Entendia bem as perguntas, mas dava respostas sem sentido, quase todas monossilábicas, restringindo-se a um mínimo de palavras.

370 Exemplos: Qual o nome deste hospital? "Hospital Suíço". Que tipo de pessoas estão em seu quarto? "Doentes". O que elas têm? "Não conseguem andar". Essas pessoas não sofrem da cabeça? "Não, sofrem das pernas". Quanto tempo faz que o senhor está aqui? "Dois dias". Que dia é hoje? "Sábado". Que dia o senhor chegou aqui? "Quarta-feira". Que dia é hoje? "Sábado" (era uma quinta-feira). Que dia é hoje? "Domingo". Que festa foi celebrada no domingo passado? (Pentecostes) "Festival da canção de Zurique. Eu ouvi cantos". Onde esteve o senhor no último domingo? "Em Zurique". O que estava fazendo lá? "Nada". Onde morava? (Não deu resposta). Em Glarus? Em Wädenswil? "Em Glarus". Onde esteve antes de vir para cá? "Em Zurique". O que fez em Zurique? Ficou andando a esmo? "Fiquei rodando por lá".

371 A partir daí não quis mais responder, apesar de nossas tentativas de toda espécie. Recebeu então ordens para fazer diversas coisas; entendia perfeitamente as ordens – assim como havia entendido bem as perguntas –, mas executava tudo de forma deliberadamente absurda.

372 Foi-lhe ordenado que escrevesse a palavra "Rothrist". Tomou a caneta corretamente na mão e traçou uma linha em zigue-zague.

373 Recebeu um livro para ler. Tomou-o de cabeça para baixo e tentou ler da direita para a esquerda; chamou a letra O de "anel", o nove invertido de "5" e o 1 de "risco".

um	6	(invertido)	"3"	
||	4	||	12	
||	3	||	—	(não respondeu)
||	2	||	2	
||	3	||	5	

374 Disse espontaneamente que não conseguia ler isto.

375 Foi-lhe ordenado que tomasse o livro corretamente nas mãos. Começou a folheá-lo. O livro foi colocado diante dele na posição certa. Pergunta: Como se chama isto? Ele respondeu: "Como se chama o senhor? Por que está aqui?" Foi impossível fazê-lo ler.

376 Solicitado a fechar a porta com a chave, girava a chave para a direita para fechar e para a esquerda para abrir; ambas as operações eram feitas com muito esforço (note-se que a fechadura funcionava justamente ao contrário dessas operações).

377 Para abrir a caixa de fósforos, tentou como ontem rasgá-la do lado, mas, quando informado sobre o modo de abri-la procedeu corretamente; acendeu também corretamente o fósforo e uma vela e apagou ambos de modo certo.

378 Foi-lhe ordenado abrir a lâmina de um canivete: ele abriu o saca-rolhas.

379 Foi-lhe entregue um estojo com óculos para abri-lo e colocar os óculos. Disse espontaneamente: "Não quero. Isto não são óculos". Virava e revirava o estojo nas mãos. Quando lhe ensinaram como fazer, abriu corretamente o estojo e tentou colocar os óculos na posição inversa.

380 Foi-lhe entregue um porta-níqueis com a pergunta: O que é isto? "Uma pequena caixa". O que há dentro dela? "Charutos". Tentou abri-la, mas arrancando o fecho.

381 Foram-lhe apresentados 3,40 francos com a pergunta: Quanto dinheiro temos aqui? "5 francos".

382 Foi-lhe mostrada uma moeda de ouro (20 francos) com a pergunta: Quanto vale? "Nada".

383 O exame corporal revelou vigorosos reflexos patelares e do antebraço.

384 A sensibilidade à dor parecia diminuída em geral e, em alguns lugares, quase nula como, por exemplo, no antebraço direito. A reação das pupilas à dor se mantinha. A pupila direita era um pouco maior do que a esquerda, mas ambas apresentavam reações normais. O rosto era um pouco assimétrico, ficando a sobrancelha esquerda mais alta do que a direita. Na perna esquerda as veias se apresentavam fortemente entumescidas. No peito esquerdo, na altura da segunda e terceira costelas, havia uma cicatriz superficial de 5,5cm de comprimento e 3cm de largura (provavelmente causada pela tentativa de suicídio).

385 O exame foi feito numa sala especial que ficava no mesmo andar da sala de observação onde o indiciado havia ficado desde a noite anterior. Terminado o exame, foi-lhe dito que voltasse sozinho ao seu quarto. Inicialmente caminhou na direção oposta e tentava abrir uma porta no corredor, pela qual não havia passado antes; foi-lhe avisado que seguisse na outra direção. Tentou então abrir duas portas que davam para salas próximas à sala de observação. Finalmente chegou à porta certa que lhe foi aberta. Entrou, mas ficou parado na entrada. Ordenaram que fosse procurar sua cama, mas ficou parado sem mexer-se, não reagindo às instruções recebidas. Sua cama ficava no lado oposto à porta, mas era perfeitamente visível a partir do lugar em que se encontrava. Deixamos que ali ficasse. Continuou parado no mesmo lugar por uma hora e meia, depois ficou pálido, suava muito, pediu água a um funcionário, mas desmaiou antes de recebê-la, caindo de comprido ao lado da lareira. O rosto ficou pálido-arroxeado e estava coberto de suor. Não dizia nada e não reagia a qualquer pergunta, mas estava consciente. Após uns dez minutos, foi colocado em pé, mas ficou novamente pálido, o pulso ficou fraco, mas a frequência se elevou. Foi levado para a cama onde permaneceu deitado sem dizer uma palavra.

386 Por volta das quatro horas da tarde levantou-se, foi até a porta e bateu fortemente contra ela com a cabeça. Tomou impulso e lan-

çou-se de cabeça contra a porta com toda a força. (Segundo informou um funcionário, o barulho foi tão grande que parecia estar "vindo tudo abaixo" na sala de observação.) Tentando segurá-lo, opôs tal resistência que foi preciso colocar-lhe uma camisa de força, acalmando-o de imediato.

387 Passou a noite de 4/5 de junho sossegado, só mudou uma vez de posição a cama e não queria mais ficar nela. Na visita da manhã, agarrou de repente o médico e quis jogá-lo na cama, também agrediu o funcionário que com ele lutou. Foi-lhe aplicada uma injeção narcotizante. Nos dias seguintes, apresentou o mesmo comportamento apático e idiota com eventuais ataques a médicos e funcionários; os ataques se restringiam a pequenas lutas corporais, nunca chegando a pancadarias. Raras vezes dizia alguma coisa e, mesmo assim, era tudo desconexo, sem sentido e pronunciado em tom monótono. Nos primeiros dias não comeu nada. A partir do quarto dia começou a comer e daí em diante comia cada vez melhor. No dia 7 de junho falou ao médico que tinha sangue demais, queria que tirassem um pouco, o que naturalmente foi recusado. Observou-se também que o indiciado, em contraste com sua aparente apatia, tomava parte ativa no que acontecia à sua volta; assim, por exemplo, falou que se deveria amarrar as pernas de um paciente que reagia violentamente contra a alimentação por sonda, pois dessa forma seria mais fácil.

388 No dia 8 de junho foi aplicado ao indiciado forte dose de faradização e foi-lhe dito que isto aconteceria agora diariamente, pois melhoraria bastante o seu estado, sobretudo no tocante à fala.

389 Na manhã do dia 9 de junho o indiciado estava bem lúcido e pediu que marcassem uma audiência dele com o diretor. Foi então levado a uma sala especial onde relatou o seguinte:

390 "O Senhor já sabe que meu estado não é tão grave assim. Quando fui preso – tenho mãe e irmãos excelentes – entrei em tal estado de pânico e agitação que não sabia mais o que dizer, quando me ocorreu a ideia de fazer com que a coisa parecesse pior do que era. Aqui percebi logo que ninguém acreditava em mim, também me senti estúpido fazendo o papel de louco e me desgostava ficar sempre de cama. Aliás tudo me desagradava. Tinha ideias suicidas. Nesta semana pedi que me tirassem sangue da veia; meu plano era impedir depois que

fechassem o lugar da incisão e deixar o sangue correr. Não sou doente mental, mas mesmo assim tenho às vezes a sensação de que nem tudo está bem com minha cabeça. Não fiz isto para evitar a prisão, mas por causa de minha família. Durante nove anos não cumpri pena alguma, até o último outono" (Chorou).

391 Perguntado como havia chegado à ideia de simular a insanidade mental, respondeu: "Tive pena de minha velha mãe e me arrependi do que havia feito. Entrei em tal estado de pavor e agitação que resolvi fingir que minha situação era pior do que na verdade era. Quando, após a audiência, voltei para a cela, não sabia mais o que fazer. Se não fossem as grades, ter-me-ia atirado pela janela. Pensei que não queria mais causar vergonha à minha mãe e meus irmãos. Minha vida teria sido bonita se tivesse me comportado direito. Mas, em vez de trabalhar, andava sempre bebendo por aí. A mulher sempre me dizia que eu sofria da cabeça; naturalmente quando se tem a cabeça cheia de bebida". Não sabia bem o que poderia acontecer-lhe pelo fato de haver simulado; queria ver o que fariam com ele. Outros também já haviam simulado e teriam se saído bem. Também não sabia que estava em Burghölzli; pensava estar no hospital do Cantão.

392 E dessa maneira teria chegado à ideia de bancar o louco. Já não comia porque pensava em morrer de fome. (Outra vez disse que já não sentia apetite algum.) Tinha ficado completamente desesperado e ainda estava hoje, se quiséssemos poderíamos abrir-lhe uma veia; até agora se abstivera de cometer suicídio porque não queria dar à sua mãe o desgosto de ter um filho suicida.

393 O medo de envenenamento foi apenas um pretexto, pois assim tinha um motivo para não comer. Havia simulado as alucinações porque sabia que os doentes mentais viam muitas vezes coisas assim. Ao ser colocado em cela coletiva, teve que comer novamente, pois via que os outros também comiam. Durante a narrativa, derramou várias vezes lágrimas e tinha uma atitude realmente arrependida.

394 Neste mesmo dia e no dia seguinte (9/10 de junho) foi submetido a um exame minucioso.

395 Os reflexos das pupilas, patelares e outros não mostraram alteração. No teste da sensibilidade à dor reagiu inequivocamente, mas constatou-se que a sensibilidade à dor estava bastante reduzida em

geral e de modo uniforme sobre toda a superfície do corpo (hipalgesia). O campo visual não apresentou limitação. Apresentou daltonismo típico. A faculdade de compreensão estava bem reduzida; só conseguia entender muito devagar e com vários erros quadros bem simples. Sendo-lhe mostrado por longo tempo o quadro, conseguia entendê-lo e descrevê-lo corretamente. Quando lhe contaram a fábula de Esopo, do burro com pele de leão, entendeu-a quanto ao sentido, mas reproduziu-a de modo incorreto.

396 "Um burro encontrou uma armadilha para leão com um leão morto dentro dela (este pedaço ele acrescentou por conta própria). Pegou então a pele e cobriu-se com ela. Andava por toda parte com ela e urrava como um leão. Vieram os outros animais e o dilaceraram. Lição a tirar: Não se deve querer ser mais do que se é".

397 Sua *retenção* também estava reduzida, o que se percebia claramente nas contas que fazia de cabeça, pois facilmente esquecia um ou outro componente de uma soma simples. Não conseguia somar 147 + 178; executava tarefas simples com dificuldade como, por exemplo, 15 + 17 = 42 sim – 42 não, 37. Calculava assim 15 + 15 = 30 + 7 = 37 – não, 32. O pior eram as divisões; não conseguia resolver 92 ÷ 8. Além da pouca aptidão para a matemática, a principal dificuldade estava na retenção diminuída, isto é, uma *assim chamada memória ruim*.

398 No mais, tinha uma inteligência mediana e dispunha de conhecimentos, ainda que não grandes, suficientes e adequados para seu relacionamento com os outros.

399 Escreveu também uma autobiografia bem realista, de cinco páginas e meia, na qual atribuía a si a culpa principal pela vida errada e pelo infeliz desfecho de seus dois casamentos. Em tom semelhante de remorso e arrependimento, fez um relato oral de sua história, sublinhando sempre de novo que somente ele era o culpado de sua carreira criminosa, de sua bebedeira leviana e de ter abandonado o trabalho; uma inquietação interna sempre o havia atraído para longe, impedindo-o de adaptar-se à sua mulher; nunca havia conseguido "ficar sob o jugo". De tempos em tempos tinha que ir embora, pressionado por uma vaga necessidade de liberdade.

400 A descrição era correta naquilo que pôde ser comprovado objetivamente. Errava muitas vezes nas datas. Contou também fielmente e

sem dissimulação a história dos diversos furtos. Era extremamente inseguro na localização temporal dos fatos mais recentes. Não sabia dizer com certeza se esteve três ou quatro vezes em Selnau, num quarteirão de Zurique. Na manhã do dia 9 de junho acreditou firmemente estar na clínica há 14 dias; depois, por volta do meio-dia, pareceu-lhe que eram no mínimo 12 dias. À noite ficou indeciso entre 10 e 12 dias. De resto estava bem orientado no tempo. Narrou imprecisamente os detalhes sobre sua estada nesta clínica, não se lembrou de acontecimentos menores durante a simulação e muita coisa vinha misturada quanto ao tempo. Lembrava-se apenas vagamente da cena da internação e do exame daquele dia; lembrava-se ainda que teve que colocar uma chave na fechadura, mas que o fizera corretamente. Também se lembrava do exame do dia seguinte, dizendo que o quarto ficou cheio de médicos, uns sete ou oito (na verdade foram apenas cinco). Dos detalhes desse exame só se lembrava quando ajudado.

401 Descreveu a cena após o exame da seguinte maneira: Sabia ainda bem como havia saído da sala de exame. Haviam-no deixado andar e ele se perdeu no grande corredor. Tinha a impressão de que, para chegar à sala do exame, havia subido uma escada. Como não havia nenhuma escada para descer agora, pensou que estavam zombando dele e queriam levá-lo a um quarto errado. Por isso, ao ser levado para a enfermaria achou que não era o quarto certo e também não reconheceu o quarto, sobretudo porque viu que todas as camas estavam ocupadas. Por isso ficou parado na entrada. Lá o teriam deixado, passou mal e desmaiou. Só quando foi levado para a cama, reconheceu que ainda havia uma cama livre, que era a sua e que estava no quarto certo.

402 O fato de arremeter-se violentamente com a cabeça contra a porta, atribuiu-o a seu desespero, durante o qual pouco lhe importaria ter rachado a cabeça.

403 (Não quis aceitar a versão de tentativa de suicídio, contida nos autos criminais; disse que na ocasião brincava desajeitadamente com um revólver que disparou; não houve a menor intenção de suicídio.)

404 Para precisar melhor o estado do indiciado, foi ele submetido, no dia 10 de junho, ao chamado teste da curva de trabalho. Deixamos que fizesse, durante 46 minutos, adições de números simples. Ordenamos

numa curva os resultados (performance e erros)[3]. Espantoso foi o fato de que, apesar do aumento de treinamento, a performance por minuto aumentou pouco, mas houve grande e rápido aumento do número de erros. Este comportamento não foi devido à fadiga, mas refletia um estado de debilidade psíquica peculiar e de insegurança.

405 Nos dias seguintes, deixamos o indiciado entregue a si mesmo. Passava o tempo lendo e jogando cartas, queixava-se às vezes de dores vagas ("fraqueza nas costas" etc.), criticava os funcionários e a clínica, dizia que estavam internados certos pacientes que não tinham nada etc.

406 No dia 19 de junho foi submetido a novo e minucioso exame.

407 O estado físico não apresentou alterações.

408 A *capacidade de compreensão* apresentou sensível melhora. Ainda não compreendia com suficiente segurança e rapidez, mas havia maior velocidade e certeza do que antes.

409 Não foi possível constatar mudanças em sua *capacidade de retenção*. Ainda reproduzia suas tarefas e executava suas contas aritméticas tão mal quanto no dia 9 de junho.

410 Porém, a curva de trabalho (realizada já no dia 17 de junho) havia demonstrado grande melhora. Não só a performance média havia aumentado, mas também o número de erros havia diminuído muito.

411 Continuava apresentando, porém, um comportamento levemente deprimido e perguntava sempre quando poderia ir embora.

412 No dia 23 de junho fez uma *tentativa de suicídio* cortando com uma pedra afiada a pele do pulso esquerdo, bem perto da artéria. Começando a sangrar, pediu ao funcionário uma faca porque "não havia completado o serviço", sendo então descoberta a tentativa de suicídio. Quando se quis costurar e enfaixar o local ferido, opôs resistência, mas, ao ser informado de que quatro funcionários o segurariam, permitiu a operação.

---

3. A curva foi apresentada de forma que o número de adições feito por minuto ficasse registrado como uma coordenada. Também o número de erros foi reunido numa curva correspondente. As curvas foram anexadas ao parecer. Em vez das curvas apresento aqui as médias, apenas para orientação (cf. p. seguinte).

	10/junho	17/junho
Média da performance por minuto	28,1	32,4 adições
Média por minuto da 1ª metade do número total	27,4	31,9 adições
Média por minuto da 2ª metade do número total.	28,9	32,9 adições
Do número total de adições estavam erradas	11,2%	4,0%
Média do número de erros por minuto da 1ª parte das adições	1,5	1,1 erros
Média do número de erros por minuto da 2ª parte das adições	4,7	1,5 erros

3. *Parecer*

413 Do material reunido e descrito nos itens 1 e 2, conclui-se:

414 Desde sempre o indiciado tinha tendência a uma vida errante e avessa ao trabalho. Em parte alguma aguentava ficar por muito tempo, mudava constantemente de moradia e emprego; não suportava uma vida matrimonial regrada, brigava com a mulher, apropriou-se de seu dinheiro e gastou-o. Havendo ocasião propícia, cometeu vários furtos. Sua instabilidade característica era devida, segundo sua opinião, a uma inquietação interna que sempre de novo o impelia a ir embora, abandonando até empregos onde poderia dar-se bem. Ele mesmo sabia dessa peculiaridade e reconhecia também que a culpa por essa vida infeliz era exclusivamente sua.

415 O exame mostrou também que, desconsiderando esta particularidade, o indiciado não era pessoa bem normal. Mostrava uma série de desvios da norma que, se não considerada diretamente patológica, pode ser qualificada de sinais de degenerescência; por exemplo, *a redução geral da sensibilidade à dor* (hipalgesia), *a cegueira para as cores verde e vermelha* (daltonismo), *redução da atenção e distúrbio da capacidade compreensiva para o que via e ouvia*, que se caracterizava pela lentidão e falta de exatidão.

416 Este estado anormal se aproxima mais do quadro de *degenerescência congênita* do que de uma doença mental conhecida. Devido à escassez de informações sobre suas relações familiares, não foi possí-

vel provar a presença de fortes influências hereditárias, mas provavelmente terão existido.

417 É possível distinguir, entre os afetados hereditariamente, certos grupos que correspondem a determinados quadros clínicos de acordo com a eventual constelação de seus sintomas. O indiciado aproxima-se mais da *histeria* porque seus sintomas principais – a instabilidade de seu caráter e o esquecimento – desempenham grande papel no campo da histeria. A cegueira para o verde e o vermelho e o embotamento dos sentidos em geral são sintomas que podem manifestar-se em todas as formas possíveis de degenerescência (ou "inferioridade psicopática"). Sua fácil excitabilidade emocional, sua interessada participação e seu julgamento precipitado sobre nossas condições na clínica não podem ser qualificados com certeza como histéricos, mas deixam esta impressão. A tentativa de suicídio, feita aqui na clínica, que só foi levada até o ponto em que começou a ser perigosa, tem caráter definitivamente histérico. (Não se exclui, porém, que o distúrbio possa ter chegado a um grau tal que a tentativa teve mais do que um desfecho apenas teatral.)

418 Se considerarmos que o indiciado provém de uma família respeitável e que não é apenas uma pessoa moralmente decaída, mas que foi impedido de levar uma vida persistente e sistemática, sobretudo por sua disposição psíquica anormal, temos que admitir que as razões por ele apresentadas para a simulação, e principalmente o forte sentimento de contrição, eram suficientes, ainda que o aspecto psicológico naquelas circunstâncias não estivesse ainda bem claro. É impressionante a indefinição dele quanto ao fato da simulação: não tinha clareza sobre o que queria conseguir com a simulação e também sobre o que lhe poderia acontecer se simulasse. Provavelmente alimentava a ideia de ser perdoado por seus delitos; mas, julgando pelo que nos contou, não tinha naquela ocasião ideia exata do alcance de seu modo de agir. Parecia muito mais que tinha uma necessidade indefinida de safar-se de sua situação do que apresentar uma clara concatenação de ideias.

419 Quanto à aparência externa de seu estado naquela época, convém ressaltar que o indiciado, exceto por uma série de pequenas inconsequências e improbabilidades que mantinham viva em nós a ideia

de simulação, desempenhou muito bem o papel de doente mental, e tão bem que era evidente uma perfeita afinidade com certos estados crepusculares histéricos por um lado, e, por outro, com certas formas de demência precoce (demência dissociativa). A idiotice de sua expressão facial, a crueza com que bateu sua cabeça contra a porta e o desmaio real são fatos difíceis de explicar pela mera simulação; por isso, naquela época tivemos a impressão de que, mesmo estando presente a simulação, havia algo de doentio que tornava o indiciado capaz de desempenhar seu difícil papel. Observações complementares confirmaram plenamente nossa suposição. Segundo o que nos contou posteriormente, tratava-se de uma simulação intencional de doença mental, mas que, contra a vontade e conhecimento do indiciado, correu tão bem que quase se transformou em distúrbio mental, isto é, já começava ele a assumir certos traços patológicos porque a representação, consequentemente levada a efeito, de um estado semelhante à idiotice teve efeito sobre a atividade normal da mente e isto se tornou visível em diversos sintomas que já não podiam ser simulados. Prova disso é o que ele relatou sobre a cena da sala de observação. A fraca memória que, de resto, era particularmente ruim durante o período todo da simulação, não pode ser levada em consideração no relato acima mencionado, pois se tratava de uma memória bem positiva de uma falsificação de percepção que não pode ser considerada normal e que explica suficientemente a situação estranha daquela época. Vemos, portanto, que o indiciado tinha na oportunidade uma percepção patologicamente indistinta e diretamente falsificada do meio ambiente. Outra prova para supormos o distúrbio da consciência é dada pelo evidente desamparo do indiciado que levou ao desmaio. Poderia facilmente ter mudado a posição ou ter feito outra coisa para evitar a posição desconfortável e o desmaio, sem com isso sair de seu papel. Significativa é também sua informação de que no começo de sua greve de fome não tinha apetite. Tudo isso leva a supor que a intenção de simular distúrbio mental se transformou em forte *autossugestão* que chegou a um embaraçamento da consciência, influenciando seu modo de agir, independentemente de sua vontade consciente. Isto nos dá também a chave para entendermos seu desempenho teatral notável. A ciência conhece inúmeros casos em que ilusões, a princípio conscientes, se transformaram, pela autossugestão, em involuntárias e inconscientes, e, com isso, se tornaram mais convincentes e consequentes. Aqui se incluem todos os casos de mentira patológica *(pseudologia phantastica)*.

420 Esses fenômenos ocorrem, em geral, em pessoas com predisposição histérica; mais uma razão para supormos que o indiciado tinha uma degeneração histérica.

421 Ainda que certos episódios de sua simulação só tenham ocorrido devido à limitação e embaçamento da consciência, não se deve estranhar que às vezes saísse de seu papel e mostrasse interesse no seu meio ambiente, o que contradiz sua aparente apatia.

422 A hipótese mais provável é que a maior parte do tempo ele representou o aparente distúrbio mental com intenção consciente; mas alguns elementos da simulação atuaram tão convictamente sobre ele que adquiriram a importância de forte sugestão e o induziram a uma verdadeira *auto-hipnose*. A diferença entre as duas curvas de trabalho – dois dias após ter cessado a simulação e nove dias mais tarde – prova que a atividade mental também foi prejudicada em outra parte devido a esses processos psíquicos anormais.

423 Como se infere das declarações do indiciado, o desenvolvimento da simulação estava vinculado com fortes emoções. As emoções têm sempre uma influência perturbadora sobre a consciência, uma vez que enfatizam demais o curso do pensamento com carga emocional, enquanto que os outros cursos de pensamento, presentes na mesma ocasião, ficam obscurecidos. Por isso, é compreensível que o indiciado não tivesse clareza sobre o que realmente queria conseguir com a simulação. Em nossa opinião, as emoções iniciais foram a fonte da fortíssima sugestão posterior para a simulação. O fato de que esse fenômeno de uma simulação em parte consciente e em parte inconsciente pudesse existir, deve-se à disposição histérica do indiciado, cuja característica mais destacada é uma *dissociabilidade anormal* da consciência que facilmente pode levar, no momento de forte emoção, à confusão da consciência e à formação de uma sugestão difícil de combater. O mecanismo psicológico de sua simulação parece-nos indicar que a fraqueza psíquica existente desde sempre foi a causa última que levou o indiciado à ideia da simulação. Provavelmente estava ciente da confusão causada pela emoção e talvez a tenha convertido no de-

sejo de preferir ser louco a trazer mais vergonha à mãe devido a uma nova condenação.

424 Seja como for, é suficiente mostrar que a simulação apresenta traços patológicos e que parece ter sido influenciada desde sua origem por razões não totalmente normais.

425 Não temos base suficiente para afirmar se já existia este ou aquele distúrbio mental antes da detenção ou antes da prática dos atos; além disso é bem improvável que houvesse algum distúrbio patológico naquela época, a não ser que se queira designar seu estado ordinário de degeneração congênita como tal. Contudo, esses fenômenos de degeneração são encontrados com frequência em criminosos habituais que, aos olhos da lei, são considerados perfeitamente responsáveis por seus atos. Por outro lado, somos da opinião de que o estado psicológico em que foi tomada a decisão de simular não é bem o mesmo que é entendido sob o conceito da responsabilidade porque, no primeiro caso, houve uma inegável predisposição, que veio ao encontro do desejo, apoiando-o de tal forma que precisamos supor tenha o indiciado agido, no delito de simulação, sob influências anormais que limitaram consideravelmente sua autodeterminação.

426 Concluímos, portanto, que *não havia distúrbio mental, no sentido da lei, à época da prática do furto, mas que, no tocante à simulação, é preciso admitir uma diminuição da responsabilidade.*

427 Dada a circunstância de que a maior parte da simulação aconteceu conscientemente e que, portanto, está excluído um estado crepuscular espontâneo, o réu deve ser considerado *punível.*

428 Respondemos da seguinte forma às perguntas formuladas:

429 1. O réu não está mentalmente doente neste momento.

2. Está, por outro lado, num estado de inferioridade psicopática, com traços histéricos.

3. Este estado existe, provavelmente, desde o nascimento. Não exclui a responsabilidade pelo furto; para a simulação é preciso admitir uma diminuição da responsabilidade.

Um terceiro e conclusivo parecer sobre dois pareceres psiquiátricos contraditórios[1]

430 Não é raro que dois pareceres psiquiátricos se contradigam em suas conclusões, principalmente quando se trata, como no presente caso, do limite muito elástico entre *irresponsabilidade* e *responsabilidade parcial*. A peculiaridade deste caso está em primeiro lugar no fato de o perito não se ter avistado pessoalmente com a culpada, mas só ter à sua disposição os pareceres já emitidos sobre ela. Assim procedendo, as autoridades estavam convencidas de que os pareceres já existentes tinham reunido material suficiente e que nova observação era perfeitamente dispensável. O perito pôde concordar com esta suposição. Em segundo lugar, o caso é de tal interesse que deu oportunidade a uma discussão em princípio sobre a relação – muito importante na prática – entre deficiência moral e histeria.

431 Nosso parecer se baseia nos atos processuais etc., a relação do vasto material dos autos vem descrito no item C.

432 Além disso procuramos formar um juízo próprio visitando por duas vezes a indiciada na prisão.

Perguntas feitas pelo juiz instrutor do processo.

433 1. Com base no parecer psiquiátrico de A. e B., pode-se admitir que a senhora Z. seja completamente irresponsável, ou trata-se apenas de um caso de responsabilidade parcial?

2. O material que estava à disposição da diretoria da clínica B. era completo?

1. Publicado em *Mschr. f. Kriminalpsychologie u. Strafrechtsform*, II, 1906, p. 691-698.

I. Parecer de A., em 17 de novembro de 1904

434 A. *Os fatos.* A senhora Z. enganou duas senhoras obtendo delas 200 marcos e dizendo estar de posse de um bilhete da loteria federal da Hungria que lhe dava direito a um grande prêmio (38.000 ou 180.000 marcos). Precisava desse dinheiro para pagar o bilhete, pois só assim poderia receber o prêmio.

435 B. *Exame.* Diante do juiz instrutor afirmou a indiciada que em novembro de 1903 um senhor August Baumann lhe teria oferecido outros bilhetes de loteria no valor de 2.000 francos. Foi para comprar esses bilhetes que vinha ajuntando o dinheiro.

436 O exame, porém, revelou que já em 1900 e 1901 ela havia enganado um senhor Bl. no valor de 4.000 francos contando a mesma história. A existência de Baumann foi afirmada por ela com tanta obstinação que a princípio se suspeitou que talvez ela fosse vítima dele.

437 Apesar de buscas meticulosas, a existência do senhor Baumann não pôde ser comprovada. Mas como a indiciada continuasse irredutível em sua afirmação e algumas outras demonstrações colocassem em dúvida sua sanidade mental, o juiz instrutor não descartou a possibilidade de autoengano patológico. Por isso a indiciada foi submetida a um parecer médico.

438 C. *Material para o parecer.* Estavam à disposição os autos. Deles destacamos sobretudo os autos do juízo cantonal de G.; um relatório da direção do presídio de G. que dizia o seguinte: "A senhora Z. é uma pessoa sensual, dissoluta e uma refinada impostora. Seu comportamento na penitenciária sempre foi normal e nunca se constatou qualquer deficiência psíquica"; e um parecer do médico distrital de K., de setembro de 1904, que admitia uma condição psíquica anormal e uma responsabilidade limitada com fundamento em alguns distúrbios nervosos, na "autossugestão" inabalável da existência de Baumann e na correção de início incompleta de um sonho de ansiedade que tivera na prisão. Além disso havia alguns testemunhos importantes que diziam ser a indiciada mentalmente anormal.

439 A observação começou em 28 de setembro de 1904 e o parecer foi entregue no dia 17 de novembro. A observação constatou a presença de *sintomas histéricos;* a crença na existência de Baumann devia ser considerada como *mentira patológica* em que a própria indicia-

da acreditava. Admitia que a maneira como conseguira o dinheiro fora fraudulenta; mas sua intenção era devolver o dinheiro tão logo tivesse recebido o prêmio.

440 De resto, não havia qualquer distúrbio de inteligência e da consciência.

441 D. *Conclusões do parecer.* A principal descoberta é a existência de uma histeria. Na base da histeria encontra-se o *caráter histérico* que normalmente é congênito. "Mostra a experiência que tais pessoas costumam mentir, mesmo sem necessidade, e inventar histórias inteiras" que, no entanto, têm valor de realidade para elas. "É preciso dizer que nestas pessoas, constitucionalmente histéricas, a mentira e o embuste não podem ser considerados da mesma maneira que nas pessoas normais, uma vez que aquelas sucumbem mais facilmente a uma tendência já existente para o logro, que suas mentiras conseguem sugestioná-las com facilidade e que nelas não opera uma série de entraves que afasta as pessoas normais de mentir e enganar".

442 O parecer manifesta-se em favor da *responsabilidade parcial.*

443 E. *Crítica ao parecer.* O histórico é incompleto, uma vez que se baseia quase exclusivamente nos autos do processo. Disso não tem culpa o emitente do parecer, mas a grande distância que separava A. da Suíça, impedindo uma entrevista pessoal com a indiciada. Um exame por carta era neste caso totalmente impossível. A constatação de sintomas histéricos não era muito difícil, sendo pequeno por isso o risco de engano. Acresce que os médicos que a examinaram, Dr. X e Y, são especialistas de grande renome. Ainda que fosse desejável um parecer mais completo, ele não só é confiável, mas também suficiente para fundamentar a conclusão acima citada.

444 Não se discutiu a importante questão da influência que a crença na existência de Baumann exerceu sobre o agir da senhora Z. Se ela realmente acreditava em Baumann e em seu bilhete de loteria, suas manipulações fraudulentas se lhe apresentavam bem menos reprováveis, uma vez que podia desculpar-se sempre a seus próprios olhos dizendo para si mesma que devolveria o dinheiro. Este modo de pensar seria muito aliciante para uma histérica de caráter fraco. Esta circunstância deveria ter tido peso importante na determinação do grau de responsabilidade. O parecer de A. parece admitir que a indiciada

acreditava na existência de Baumann. Neste caso, há uma lacuna no parecer que torna duvidosa toda a conclusão. Mas se a indiciada estivesse mentindo e colocando (convenientemente) sua culpa num estranho, ainda assim o resultado do parecer poderia estar correto, mesmo que não tenha tomado posição também diante desta questão.

II. Parecer de B., em 23 de março de 1905

445 A. *Os fatos.* A senhora Z. defraudou um certo senhor H. no valor de 700 francos. Contou ao lesado que possuía um bilhete da loteria de Budapeste que fora premiado (inicialmente 135.000 e depois 270.000 francos). Sob vários pretextos que não vêm ao caso fez com que H. lhe desse de tempos em tempos maiores somas de dinheiro. Basicamente repetia o mesmo jogo de antes.

446 B. *Exame.* Na audiência, a indiciada insistiu novamente que recebera um bilhete lotérico do agente Baumann. Dado o fato de que ela já fora objeto de um parecer médico, o juiz de instrução achou por bem submetê-la a um segundo parecer.

447 C. *Material para o parecer.* Serviram de base ao parecer os autos processuais então existentes etc. (segue a lista dos documentos). Além disso foram incluídas informações que a clínica conseguiu sobre a indiciada.

448 O material era bem mais completo do que o de A. Não vamos fazer uma reprodução minuciosa de todos os pontos de vista válidos que o referido material poderia ensejar. Remetemos o leitor para a conclusão do parecer, onde se afirma cabalmente que a indiciada era de antemão, por assim dizer, uma pessoa moralmente deficiente e psicopática, tendo praticado delitos de várias espécies.

449 A observação começou a 19 de janeiro de 1905 e o parecer foi entregue em 23 de março do mesmo ano. O tempo da observação foi longo, de modo que se poderia esperar um levantamento completo do estado psíquico da indiciada. Como principal descoberta foi apresentada novamente uma série de *sintomas indubitavelmente histéricos.* (O fato de terem sido constatados distúrbios corporais em maior número e diferentes do que em A. não tem maior importância. Os sintomas histéricos podem mudar com muita rapidez.) Assim como

em A., também aqui não se constatou nenhuma deficiência doentia da inteligência e nenhum distúrbio da consciência. O exame bem mais profundo do estado mental da indiciada mostrou principalmente a existência de um *caráter histérico* com todos os sintomas colaterais: falta de sociabilidade, irritabilidade, memória deficiente, tendência a mentir e fazer intrigas etc.

450 Também aqui se demonstrou inabalável (ao menos assim parecia) a crença na existência de Baumann. A indiciada afirmou ter empregado a maior parte do dinheiro na compra do bilhete lotérico de Baumann. No relacionamento com os outros mostrava sua natureza falsa e rebelde.

451 D. *Conclusões do parecer.* Observando a vida e o comportamento, congenitamente agravados, da indiciada, torna-se bem claro que sofre de histeria. O *caráter histérico* manifesta-se como *crasso egoísmo.* Mostra total falta de sentimentos para com seus parentes, seu marido e noivo aos quais enganou sem escrúpulos. Também no campo sexual não conhecia barreiras morais. Era sensual e pródiga. Características eram sua grande *instabilidade* e *manha.* Seus sentimentos mudavam excessivamente.

452 Sabe o que é permitido e o que é proibido, *mas carece totalmente de qualquer sentimento moral.*

453 A crença na existência de Baumann deve ser considerada como *fraude patológica* que ela aos poucos inculcou a si mesma e, agora, parece nela acreditar.

454 Seus atos ilegais devem ser considerados como sintomas de sua aberração histérica. Por isso, é *totalmente incapaz de responsabilidade.* A doença se desenvolveu junto com a própria personalidade. É, portanto, incurável.

455 A indiciada é doente perigosa à sociedade e "é preciso proteger a sociedade de suas maquinações. Considerando a astúcia de seu procedimento, isto se conseguirá com internação permanente numa instituição fechada".

456 *Crítica ao parecer.* O material utilizado no parecer nada deixa a desejar; é mais que suficiente para fundamentar a histeria constitucional. Mas, na conclusão, o parecer vai longe demais, na minha opinião. Constata muito bem que *existe uma total falta de senso moral.*

457 *Mas isto não é sintoma histérico e não pertence de forma alguma ao caráter histérico.* Há milhares de histéricos graves que possuem um apurado senso de moral, assim como existem inúmeros criminosos perversos sem qualquer sintoma de histeria. *Deficiência moral e histeria são duas coisas bem diferentes que se apresentam independentes uma da outra,* conforme o comprova a experiência cotidiana.

458 *Como salienta o parecer, a indiciada é pessoa moralmente deficiente que, além disso, é histérica. Somente a deficiência moral pode levar a indiciada à criminalidade, não a histeria,* caso contrário todos os histéricos deveriam ser criminosos, o que é contestado por qualquer experiência.

459 E assim cai por terra a conclusão de que o agir ilegal da senhora Z. seja sintoma da histeria. E também a questão da responsabilidade deve ser vista sob outra luz; voltaremos a isto mais adiante.

460 A questão da crença em Baumann, apesar de discutida mais a fundo, também não encontra solução satisfatória neste parecer. Contudo, graças à maior profundidade alcançada agora, vemos com mais clareza que esta questão não tem maior importância para a liberdade do agir. Antes que esta ideia surgisse, a indiciada mentiu, enganou, cometeu excessos sexuais e, no caso do delito mencionado no parecer B., agiu com plena consciência de querer defraudar. Por isso quer-me parecer estar excluída de antemão qualquer compulsão patológica oriunda dessa ideia.

461 Talvez se possa dizer que a ideia geral do agir fraudulento dependa da crença na existência de Baumann, pressuposto que esta crença realmente exista. Seja como for, é certo que a indiciada executou os detalhes da fraude com consciência lúcida. (Viajou, por exemplo, para K., dando a impressão de que o dinheiro era para pagar o bilhete da loteria, mas voltou alguns dias depois usando roupas novas e carregada de presentes.)

462 A conclusão a ser tirada deste parecer é que a indiciada, devido à sua deficiência moral, agiu contra a lei. Temos que concordar, porém, com o parecer quando afirma que a histeria, sem dúvida alguma existente, teve grande influência sobre o agir.

III. Parecer final

463 A partir do material reunido por A. e B. parece não haver dúvida de que a senhora Z. é pessoa moralmente deficiente e histérica.

464 A *deficiência moral* (insanidade moral) é um estado congênito que se caracteriza pela ausência de sentimentos morais. A *histeria* jamais causa o surgimento de uma deficiência moral; pode no máximo simular a existência dela ou levar ao exagero as influências da deficiência moral já existente sobre o agir. A histeria é um estado patológico congênito ou adquirido no qual as emoções são exageradamente fortes. Por isso, os doentes são mais ou menos vítimas constantes de suas emoções. Mas a histeria em geral só determina a *quantidade* e não a *qualidade* das emoções. Esta última é dada pelo *caráter*. Quando histérico, alguém de coração sensível cairá mais facilmente em lágrimas, o de coração duro ficará mais duro ainda, alguém dado a excessos será vítima cada vez mais indefesa de suas inclinações. É desse modo que devemos considerar a influência da histeria sobre o agir criminoso.

465 Por isso, um deficiente moral, que é ou se tornou histérico, tem menos força de resistir do que um *apenas* deficiente moral. O parecer de B. mostra muito bem este comportamento na indiciada. Logo que libertada da prisão, sucumbe sempre de novo à tentação de fraudar. Executa com maestria seus golpes e, ao que tudo indica, exerce uma influência muito grande sobre a vítima. Como observa muito bem o parecer de B., esta grande força persuasiva deve ser atribuída à histeria, pois nela há sempre tal sentimento e tal dote natural de representar que os histéricos, mesmo que mintam e exagerem ao máximo, sempre encontram crédulos. Até médicos já caíram nos contos de histéricos.

466 Nenhum dos pareceres provou que a indiciada agia sob a compulsão de uma convicção doentia, de uma ideia fixa (Baumann) ou de um instinto patológico e irresistível. Ambos dizem que ela tinha noção da imoralidade de seu agir. *Um embotamento da consciência no momento da ação também está excluído.*

467 A indiciada simplesmente cede às suas inclinações. Procede exatamente como qualquer criminoso comum. Sua histeria fomenta seu agir e impede eventuais resoluções em contrário. E isto é assim porque só existem praticamente inclinações ruins. Se houvesse boas, a histeria poderia ocasionalmente também fomentá-las, como aconte-

ce no caso de histéricos que não apresentam deficiência moral. Disso se deduz que o essencial é realmente a deficiência moral.

468 *Por causa da deficiência moral, deve a indiciada ser tida como irresponsável?*

469 Todo criminoso habitual é moralmente deficiente e, portanto, doente no sentido científico. Mas o direito penal de hoje se volta para os indivíduos que têm conhecimento da punibilidade de suas ações e aqueles cujo livre-arbítrio não está sob uma compulsão irresistível.

470 O conceito jurídico de irresponsabilidade abrange, portanto, todos os bem anormais psiquicamente, com exceção dos deficientes morais. Por isso, tratando-se da lei, não deve entrar logicamente em consideração o deficiente moral quando se aborda o problema da *responsabilidade.*

471 *No caso em questão, a histeria sozinha é tão forte que determina a total irresponsabilidade?*

472 Conforme se deduz do parecer B., a indiciada é moralmente deficiente. Se tal deficiência existe e são cometidos delitos, estes devem ser vinculados, naturalmente e em primeiro lugar, à deficiência moral, pois são duas coisas que estão em conexão. Se os delitos provêm da histeria, deve ser mostrado pelo tipo de delito que tem suas raízes na histeria e não na deficiência moral.

473 *Os delitos da indiciada são especificamente histéricos?*

474 Não foi apresentada nenhuma prova neste sentido. Ao que tudo indica, trata-se de ações consciente e intencionalmente fraudulentas, como são usuais entre impostores habilidosos. Sua origem é a má inclinação e a fraqueza de vencê-la. Mas isto nada tem de histérico. O único ponto em que podemos supor uma motivação especificamente histérica é na questão de Baumann. Mas é precisamente aqui que reside a maior desconfiança. Este embuste serve a um objetivo e uma vez quase deu certo (K.). No parecer de B. se diz que a indiciada se manifestou certa vez contra o hipnotismo, pois "não era obrigada a dizer toda a verdade aos médicos". Dessa afirmação é possível deduzir que ela talvez tivesse mais consciência de suas fraudes do que se supunha. Isto nos alerta a precaver-nos quanto ao embuste de Baumann. Por ocasião deste último delito, conversei longamente com a indiciada sobre este ponto e pude constatar que desta vez ela fraudou

de propósito para conseguir dinheiro. Baumann não teve nenhuma participação no caso. Ela garantiu também que não possuía nenhum bilhete lotérico, mas até hoje continua afirmando a existência de Baumann com grande determinação e muitas lágrimas, a ponto de ser difícil livrar-se da impressão de ser fato real. A única coisa de importância prática nesta questão foi que a indiciada desta vez enganou por sua própria conta, de modo bem claro e sem subterfúgios, como o fazia antes de 1900. Disso tudo se conclui que não há motivação histérica que fundamente seus delitos.

475 Seus delitos e sobretudo a impressionante certeza do êxito devem ser entendidos a partir da colaboração entre deficiência moral e histeria, ainda que a esta só possa ser atribuída uma influência estimuladora para o delito. Devido à força de suas emoções, os histéricos são sempre vítimas delas; eles, por assim dizer, não são donos de si mesmos, mas estão entregues à emoção do momento (à disposição momentânea do espírito). Todos sabemos o quanto a emoção pode turvar o julgamento e prejudicar a reflexão. Num grau mais elevado de histeria, como o apresentado pela indiciada, os atos da vontade estão sempre sob influência anormal das emoções, o que não acontece com os normais que podem pesar os prós e contras de seu agir. A histeria, portanto, limita a responsabilidade do sujeito.

476 De acordo com isso, respondemos às perguntas empenhando nosso melhor conhecimento e consciência:

I. *Com base nos pareceres de A. e B., pode ser atribuída à indiciada apenas uma responsabilidade diminuída ou parcial.*

II. O material do parecer de B. foi reunido e organizado com tal cuidado e competência que, para completá-lo, só poderíamos acrescentar detalhes secundários.

477 O ponto de vista do parecer (B) nada mais significa, na prática, do que o abandono da concepção científica da deficiência moral. A consequência desse ponto de vista é a exclusão do deficiente moral do conceito jurídico de distúrbio mental. Na teoria isto pode ser considerado um retrocesso ou concessão feita à psicologia leiga do direito penal, mas, na prática, é uma falta de consideração para com a sociedade. Nós, como médicos de doentes mentais, não podemos ater-nos a nenhuma das duas acusações acima, pois fomos colocados

para zelar antes de tudo pelo bem-estar das instituições estatais que nos foram confiadas. Se colocarmos em prática nossa teoria de que o deficiente moral é doente, o resultado será este: com o incremento da formação psicológica das autoridades judiciárias, nossas instituições ficarão cheias de criminosos, graças aos nossos pareceres altruístas. Assim, em pouco tempo, será insuportável a situação em certas instituições. (Em Burghölzli, atualmente, bastaria apenas mais um criminoso para tornar a situação impossível.) Com isso desvirtuaríamos completamente o caráter e a reputação das nossas clínicas psiquiátricas e não poderíamos culpar nenhuma família honrada se fizesse tudo que está ao seu alcance para não mandar um infeliz parente com distúrbio mental para uma instituição onde reina a caótica barulheira de criminosos. A presença de delinquentes envenena o ambiente e o espírito de um hospital dessa espécie. Além disso, os manicômios preparados para tratar e confinar criminosos são minoria. Quanto mais os juristas se derem conta da inutilidade das aplicações penais na época atual, tanto mais insistirão para se verem livres de seus clientes, eternos incorrigíveis, e interná-los num manicômio, com a alegação, cada vez mais popular, de que é preciso proteger a sociedade. Isto pretende a justiça criminal, mas por que deve a clínica de internação psiquiátrica pagar por isso? Este tipo de clínica nunca deveria ser o órgão executor do direito penal. Pelo fato de aliviarmos a justiça criminal de elementos indesejáveis, não contribuiremos para sua melhoria, mas arruinaremos as nossas instituições. Enquanto a sociedade não quiser mudar as leis pertinentes à justiça criminal, deve sentir que, devido ao rápido incremento do número de pessoas com responsabilidade parcial, os criminosos mais perigosos são jogados contra ela em intervalos cada vez menores. Somente assim é possível demonstrar às massas a necessidade de reformas.

Sobre o diagnóstico psicológico de fatos[1]

Como é do conhecimento do leitor de *Centralblatt, o "diagnóstico psicológico de fatos"* foi, nos últimos tempos, objeto de muita discussão. O essencial deste diagnóstico consiste em que o complexo de ideias de um criminoso é demonstrado por meio de associações. Como se sabe, apresentei, num trabalho feito em colaboração com Riklin, *Experimentelle Untersuchungen über die Assoziationen Gesunder*[2] (Estudos experimentais sobre associações de pessoas sadias), o conceito do "complexo de ideias com carga emocional" e descrevi seu efeito sobre as associações; estes efeitos foram abordados em maior profundidade na minha tese de habilitação: *Über das Verhalten der Reaktionszeit beim Assoziationsexperimente* (Como se apresenta o tempo de reação nos experimentos de associação). A descoberta do complexo com carga emocional nas associações de doentes mentais tornou-se, para nós, há quase dois anos, importante instrumento de diagnóstico como foi exposto em várias publicações de Riklin e minhas. 478

Após a publicação de meu trabalho *Diagnostischen Assoziationsstudien* (Estudos diagnósticos de Associação), apareceu *em Archiv für Kriminal-Anthropologie und Kriminalistik,* vol. XV, editado por Gross, um artigo de Wertheimer e Klein[3]. Essencialmente, os autores discutem a possibilidade de se poder descobrir, através de associações, o complexo de ideias com carga emocional de um crime come- 479

1. Publicado em *Centralbl. f. Nervenheilk u. Psychiat.*, XXVIII, 1905, p. 813-818.

2. Todos os escritos de Jung, citados neste artigo, encontram-se em OC, 2. Os estudos sobre associação de palavras foram publicados em 1904/1905.

3. WERTHEIMER, M. & KLEIN, J. "Psychologische Tatbestandsdiagnostik". *Arch. f. Kriminal-Anthropologie u. Kriminalistik*, XV, 1904.

tido no passado. Uma vez que Wertheimer e Klein são erroneamente apresentados como "descobridores", gostaria de anotar nesta oportunidade, para esclarecer a questão, que a honra do título de descobridores, no que se refere ao experimento, cabe a Galton ou Wundt. Mas o conceito do complexo de ideias com carga emocional e a constatação de seu efeito específico sobre as associações têm origem na clínica de Zurique (Zürcher Klinik) e sobretudo em *Estudos diagnósticos de associação*[4]. Se Wertheimer e Klein tivessem tido mais consideração pelos que os antecederam neste trabalho e tivessem citado a fonte da qual tiraram sua ideia aparentemente original, poderiam ter evitado diversas críticas desagradáveis que lhes foram feitas[5]. (Cf. a crítica de Weygandt no número mais recente do *Aschaffenburgschen Monatschrift*.)[6]

480 O mérito de Wertheimer se limita até agora a ter sublinhado o caso especial do complexo com carga emocional – o crime – e a possibilidade de descobri-lo pelas associações. Tive informações particulares a respeito de experiências que estão sendo feitas neste sentido, mas parece que ainda não ultrapassaram o estágio de experiências de laboratório.

481 Certamente interessará saber que hoje tive oportunidade de experimentar, pela primeira vez, *nosso método de descobrir complexos num delinquente, e obtive os melhores resultados.*

---

4. Publicado em *J.f. Psychol. u. Neur.*, IV, 1904/1905, p. 26-27.

5. Como todos sabem, em diversas passagens de meus trabalhos sobre associação afirmei que Wertheimer baseou em meus trabalhos a ideia de seu diagnóstico dos fatos. Em *Archiv für die gesamte Psychologie*, VII, 1/2, Wertheimer provou que seu primeiro trabalho foi publicado 12 dias antes do meu. Portanto, chegamos separadamente às mesmas constatações. Por isso, retiro como errada minha afirmação anterior. Cheguei da seguinte forma à minha errada convicção:
Bastante tempo depois de publicado meu primeiro trabalho sobre associações, tomei conhecimento do escrito de Wertheimer-Klein. Como ficasse surpreso com a grande semelhança das ideias de Wertheimer com as minhas, procurei informar-me sobre o autor. Recebi da parte de alguém muito relacionado com Wertheimer a inequívoca informação de que o autor estivera sob a influência de minhas ideias ao redigir o seu trabalho. Julguei não poder duvidar da veracidade da informação, uma vez que a referida pessoa tinha, ao menos naquela época, relacionamento com Wertheimer, o que, a meu ver, excluía a possibilidade de informação falsa. (Esclarecimento publicado em *Z. f. angew. Psychol.*, I 1907, fasc. 1/2, p. 163.)

6. WERTHEIMER, M. & KLEIN, J. "Psychologische Tatbestandsdiagnostik". *Arch. f. Kriminal-Anthropologie u. Kriminalistik*, XV, 1904.

482 Uma exposição detalhada desse caso aparecerá num dos próximos números da revista *Schweizerischen Zeitschrift für Strafrecht*[7]. Tomo a liberdade de referir o caso sucintamente.

483 Ontem à noite fui procurado por um senhor idoso em estado de evidente excitação. Contou-me ele que morava com um rapaz de 18 anos do qual era tutor. Há algumas semanas vinha percebendo que vez por outra sumiam de sua caixa quantias maiores ou menores de dinheiro, perfazendo um total de 100 francos até o momento. Havia denunciado o fato à polícia, mas não estava em condições de apresentar prova contra ninguém. Desconfiava de seu tutelado, mas não tinha provas cabais. Se soubesse que o autor dos furtos era o tutelado, gostaria de resolver o assunto em boa paz para poupar dissabores à honrada família dele. Mas para isso precisava saber se era realmente ele o autor. Pediu-me que hipnotizasse o rapaz e o interrogasse sob hipnose. Naturalmente recusei o pedido, mas sugeri o experimento de associações, o que poderia ser facilmente feito na forma de uma consulta comum (o delinquente já quis, há tempos atrás, fazer uma consulta comigo por causa de leves perturbações nervosas). O tutor aceitou a proposta, e hoje de manhã o rapaz apareceu para a consulta. Já havia preparado com antecedência minha lista de palavras-estímulo (100 palavras), apropriadas para atingir o complexo. O experimento correu às mil maravilhas, mas, para determinar ainda mais precisamente as reações do complexo, incluí também meu procedimento de reprodução. A partir das associações ficou tão evidente o complexo do furto perpetrado que pude dizer, depois, ao rapaz com tranquila segurança: "Você cometeu furto". Ele ficou pálido, estava perplexo e confessou, após alguma hesitação e entre lágrimas, o furto praticado.

484 Gostaria apenas de ainda acrescentar a este prévio relato que os efeitos do complexo de furto sobre as associações são exatamente os mesmos que em outro complexo qualquer, com intensidade emocional semelhante. Para maiores detalhes devo remeter à publicação que sairá em breve.

---

7. Vol. XVIII, 1905, p. 369-408. "Die psychologische Diagnose des Tatbestandes".

Referências

A. Relação dos periódicos citados de forma abreviada

Allg. Z. f. Psychiat.: *Allgemeine Zeitschrift für Psychiatrie und psychisch-gerichtliche Medicin*. Berlim.

Ann. méd.-psychol.: Annales médico-psychologiques. Paris.

Arch. f. d. ges. Psychol.: Archiv für die gesamte Psychologie. Leipzig.

Arch. f. Kriminal-Anthropologie und Kriminalistik: Archiv für Kriminal-Anthropologie und Kriminalistik. Leipzig.

Arch. f. Psychiat. u. Nervenkr.: Archiv für Psychiatrie und Nervenkrankheiten. Berlim.

Archs. de Neur.: Archives de Neurologie. Paris.

Brain. A Journal of Neurology. Londres.

Centralbl. f. Nervenheilk. u. Psychiat.: Centralblatt für Nervenheilkunde und Psychiatrie. Berlim/Leipzig.

L'Encéphale.: Journal des maladies mentales et nerveuses. Paris.

Friedreich's Blätter für gerichtliche Medicin und Sanitätspolizei. Nürnberg.

Harper's Mag.: Harper's Magazine. Nova York.

Jbb. f. Psychiat. u. Neur.: Jahrbücher für Psychiatrie und Neurologie. Leipzig/Viena.

J. f. Psychol u. Neur.: *Journal für Psychologie und Neurologie* [antigamente: *Zeitschrift für Hypnotismus*]. Leipzig.

Mind. A Quarterly Review of Psychology and Philosophy. Londres.

Mschr. f. Kriminalpsychologie u. Strafrechtsform: Monatsschrift für Kriminalpsychologie und Strafrechtsreform. Hcidelberg.

Münch, med. Wschr.: Münchener medicinische Wochenschrift. Munique.

Neur. Centralbl.: Neurologisches Centralblatt. Berlim.

Proc. Soc. Psych. Res.: Proceedings of the Society for Psychical Research. Londres.

Progr. méd.: Progrès médical. Paris.

Rev. philos.: Revue philosophique de France et de l'étranger. Paris.

Schweiz. Z. f. Strafrecht: Schweizerische Zeitschrift für Strafrecht. Berna.

Trans. Clli. Phys. Philadelphia: Transactions of the College of Physicians of Philadelphia.

Trib. méd.: Tribune Médicale. Paris.

Union méd.: Union médicale. Paris.

Wien. med. Presse: Wiener medizinische Presse. Viena.

Z. f. angew. Psychol.: Zeitschrift für angewandte Psychologie und psychologische Sammelforschung. Leipzig.

Z. f. Hypnot.: Zeitschrift für Hypnotismus, Psychotherapie, sowie andere psychophysiologische und psychopathologische Forschungen [Continuação como: *Journal für Psychologie und Neurologie*]. Leipzig.

Die Zukunft: Berlim.

B. Bibliografia geral

ASCHAFFENBURG, G. Experimentelle Studien über Associationen. In: KRAEPELIN, E. (org.). *Psychologische Arbeiten*. Vol. I. Leipzig: [s.e.], 1896, p. 209-299.

AZAM, C.M.E.-E. *Hypnotisme, double conscience et altérations de la personnalité*. Paris: [s.e.], 1887.

BAETZ, E. von. "Über Emotionslähmung". *Allg. Z. f. Psychiat.*, LVIII, 1901, p. 717-721.

BAIN, A. *The Senses and the Intellect*. 4. ed. Londres: Longman and Co., 1894.

BALLET, G. *Le Langage intérieur et les diverses formes de l'aphasie*. Paris: [s.e.], 1886.

BAUMANN, J. *Über Willens- und Charakterbildung auf physiologisch-psychologischer Grundlage*. Berlim: [s.e.], 1897.

BEHR, A. "Bemerkungen über Erinnerungsfälschungen und pathologische Traumzustände". *Allg. Z. f. Psychiat.*, LVI, 1899, p. 918-952.

BILLOD, E. "Rapport médico-légal sur un cas de simulation de folie". *Ann. méd.-psychol*, ano 26, n. XII, 1868, p. 53-82.

BINET, A. *Les altérations de la personnalité*. Paris: [s.e.], 1892.

BÖCKER, F.W.; HERTZ, C. & RICHARZ, F. *Reiner Stockhausen, ein actenmässiger Beitrag zur psychisch-gerichtlichen Medicin*. Elberfeld: [s.e.], 1855.

BOETEAU, M. "Automatisme somnambulique avec dédoublement de la personnalité". *Ann. méd-psychol.*, ano 50, t. XV, 1892, p. 63-79.

BOHN, W. *Ein Fall von doppeltem Bewusstsein*. Breslau: Schlesische volkzeitnungs-buchdruckerei, 1898 [Dissertação inaugural].

BOLTE, A. "Über einige Fälle von Simulation". *Allg. Z. f. Psychiat.*, LX, 1903, p. 47-59.

BONAMAISON, L. "Un Cas remarquable d'hypnose spontanée". *Rev. de l'Hypnot.*, ano 4, 1890, p. 234-243.

BOURU, H. & BUROT, P. *La Suggestion mentale et les variations de la personnalité*. Paris: [s.e.], 1895.

BRESLER, J. "Culturhistorischer Beitrag zur Hysterie". *Allg. Z. f. Psychiat.* LIII, 1896, p. 333-376.

BREUER, J. & FREUD, S. *Studien über Hysterie*. Leipzig/Viena: [s.e.], 1895.

BUROT, P. Cf. BOURU

CARDANO, J. *De subtilitate libri XXI*. Nürnberg: [s.e.], 1550.

CELLINI, B. *Das Leben des Benvenuto Celini, Florentinischen Goldschmieds und Bildhauers, von ihm selbst geschriben*. Tübingen: [s.e.], 1803 [Traduzido e editado, com um adendo, por Goethe].

CLAUS. "Ein Fall von simulierter Geistströrung". *Allg. Z. f. Psychiat.*, XXXIII, 1877, p. 153-170.

CULLERRE, A. "Un Cas de somnambulisme hystérique". *Ann. méd. psychol.*, ano 46, t. VII, 1888, p. 354-370. [Comentado por KURELLA, H. *Allg. Z. f. Psychiat.*, XLVI, 1890. Informe bibliográfico p. 356].

DELBRÜCK, A. *Die pathologische Lüge und die psychisch abnormen Schwindler* – Eine Untersuchung über den allmählichen Übergang eines normalen psychologischenVorganges in ein pathologisches Symptom. Stuttgart: [s.e.], 1891.

DESSOIR, M. *Das Doppel-Ich*. 2. ed. ampl. Leipzig: [s.e.], 1896.

DEVENTER, J. van. "Ein Fall von sanguinischer Minderwerthigkeit". *Allg. Z. f. Psychiat.*, LI, 1895, p. 550-578.

DIEHL, A. "Neurasthenische Krisen". *Münch, med. Wschr.*, ano 49, n. 9, 1902, p. 363-366.

DONATH, J. "Über Suggestibilität". *Wien med. Presse*, n. 31, col. 1.244- 1.246, 1892.

______. Der Epileptische Wandertrieb (Poriomanie). *Arch. f. Psychiat. u. Nervenkr.*, XXXII, 1899, p. 335-355.

ECKERMANN, J.P. *Gespräche mit Goethe in den letzten Jahren seines Lebens*. Leipzig: [s.e.], 1884.

EMMINGHAUS, H. *Allgemeine Psychopathologie*. Leipzig, [s.e.], 1878.

ERLER. "Hysterisches und hystero-epileptisches Irresein". *Allg. Z. f. Psychiat.*, XXXV, 1879, p. 16-45.

FLAUBERT, G. *Salammbô*. Paris: [s.e.], 1885 [Edição definitiva].

FLOURNOY, T. *Des Indes à la planète Mars*. Etude sur un cas de somnambulisme avec glossolalie. 3. reimpr. Paris/Genebra: [s.e.], 1900.

FOREL, A. *Der Hypnotismus*. Stuttgart: [s.e.], 1889.

FREUD, S. *Die Traumdeutung*. Leipzig/Viena: [s.e.], 1900 [cf. BREUER].

FÜRSTNER, C. "Die Zurechnungsfähigkeit der Hysterischen". *Arch. f. Psychiat. u. Nervenkr.*, XXXI, 1899, p. 627-639.

______. "Über Simulation geistiger Störungen". *Arch. f. Psychiat. u. Nervenkr.*, XIX, 1888, p. 601-619.

GANSER, S. "Über einen eigenartigen hysterischen Dämmerzustand". *Arch. f. Psychiat. u. Nervenkr.*, XXX, 1898, p. 633-640.

GÖRRES, J.J. von. *Die christliche Mystik*. 4 vols. Regensburg/Landshut: [s.e.], 1836-1842.

GOETHE, J.W. von. *Die Wahlverwandtschaften*. Sttutgart: Cotta XIV, 1858.

______. *Zur Naturwissenschaft im allgemeinen*. Stuttgart: Cotta XXX, 1858.

GRAETER, C. "Ein Fall von epileptischer Amnesie, durch hypnotische Hypermnesie beseitigt". *Z. f. Hypnot.* VIII, 1899, p. 129-163.

GROSS, H. *Kriminal-Psychologie*. 2. ed. Leipzig: [s.e.], 1905.

GUINON, G. "Documents pour servir à l'histoire des somnambulismes". *Progr. Méd.*, XIII, 1891, p. 401-404, 425-429, 460-466, 513-517; XIV, p. 41-49, 137-141.

GUINON, G. & WOLTKE, S. "De l'influence des excitations des organes des sens sur les hallucinations de la phase passionnelle de l'attaque hystérique". *Archs. de Neur.*, XXI, 1891, p. 346-365.

HAGEN, F.W. "Zur Theorie der Hallucination". *Allg. Z. f. Psychiat.*, XXV, 1868, p. 1-113.

______. "Recensão de HECKER: Über Visionen". *Allg. Z. f. Psychiat.*, VI, 1849, p. 285-295 [Informe bibliográfico].

HAHN, R. "Recensão de JUNG: Zur Psychologie und Pathologie sogennanter occulter Phänomene". *Arch. f. d. ges. Psychol.*, III, 1904, p. 26-28 [Informe bibliográfico].

HARDEN, M. "Der kleine Jacobsohn". *Die Zukunft*, XLLX, 1904, p. 370-378.

HAUPTMANN, C. *Die Bergschmiede*. Dramatische Dichtung. Munique: [s.e.], 1902.

HECKER, J.F.C. *Über Visionen*. Eine Vorlesung... Berlim: [s.e.], 1848.

HOCHE, A. *Handbuch der gerichtlichen Psychiatrie*. Berlim: [s.e.], 1901.

HÖFELT, J.A. "Ein Fall von spontanem Somnambulismus". *Allg. Z. f. Psychiat.*, XLLX, 1893, p. 250-255.

JAMES, W. *The Principles of Psychology*. 2 vols. Londres/Nova York: [s.e.], 1891.

JANET, P. *Les obsessions et la psychasthénie*. 2. vols. Paris: [s.e.], 1903.

_____. *Névroses et idées fixes*. 2 vols. Paris: [s.e.], 1898.

_____. *Der Geisteszustand der Hysterischen* (Die psychischen Stigmata). Leipzig/Viena: [s.e.], 1894 [Tradução].

_____. L'Anesthésie hystérique. Conférence... Evreux, 1892.

_____. *L'Automatisme psychologique* – Essai de psychologie expérimentale sur les formes inférieures de l'activité humaine. Paris: [s.e.], 1889 [7. ed. 1913].

JESSEN, P.W. "Doppeltes Bewusstsein". *All. Z. f. Psychiat.*, XXII, 1865, p. 407.

_____. "Über psychische Untersuchungsmethoden. Böcker, Hertz e Richarz: Reiner Stockhausen, ein actenmässiger Beitrag... " *Allg. Z. f. Psychiat.*, XII, 1855, p. 618-632.

JUNG, C.G. & RIKLIN, F. "Diagnostische Assoziationsstudien. 1. Beitrag: Experimentelle Untersuchungen über Assoziationen Gesunder". *J. f. Psychol. u. Neur.*, IV, 1904/1905, p. 24-67.

KANT, I. *Allgemeine Naturgeschichte und Theorie des Himmels nebst zwei Supplementen*. Leipzig: [s.e.], 1884.

KARPLUS, J.P. "Über Pupillenstarre im hysterischen Anfall". *Jbb. f. Psychiat. u. Neur.*, XVII, 1898, p. 1-53.

KERNER, J. *Die Seherin von Prevorst*. 2 partes. Stuttgart/Tübingen: [s.e], 1829.

KERNER, J. (org.). *Blätter aus Prevorst*. Originalien und Lesefrüchte für Freunde des inneren Lebens, mitgetheilt von dem Herausgeber der Seherin aus Prevorst. Karlsruhe [4ª coletânea] 1833.

KRAFFT-EBING, R. von. *Lehrbuch der Psychiatrie auf klinischer Grundlage für practische Ärzte und Studirende*. Stuttgart: [s.e.], 1879.

KRAUSS, A. *Die Psychologie des Verbrechens*. Ein Beitrag zur Erfahrungsseelenkunde. Tübingen: [s.e.], 1884.

LADD, G.T. "Contribution to the Psychology of Visual Dreams". *Mind*, XVII, 1892, p. 299-304.

LANDGRAF, K. "Ein Simulant vor Gericht". *Friedreich's Blätter*, ano 35, 1884, p. 411-433. Resumo em *All. Z.f. Psychiat.*, XLII, 1886, p. 60 [Informe bibliográfico].

LAURENT, A. *Etude médico-légale sur la simulation de la folie* – Considérations cliniques et pratiques à l'usage des médecins experts, des magistrats et des jurisconsultes. Paris: [s.e.], 1866.

LAURENT, E. "Un détenu simulant la folie pendant trois ans". *Ann. méd-psychol.*, ano 46, t. VIII, 1888, p. 225-234.

LEHMANN, A. *Die körperlichen Äusserungen psychischer Zustände*. 3 partes. Leipzig: [s.e.], 1899 [Tradução].

______. *Aberglaube und Zauberei von den ältesten Zeiten an bis in die Gegenwart*. Stuttgart: [s.e.], 1898 [Tradução].

LEPPMANN, A. "Simulation von Geistesstörung umgrenzt von Störungsanfall und Rückfall". *Allg. Z. f. Psychiat.*, XLVIII, 1892, p. 530s.

LOEWENFELD, L. "Über hysterische Schlafzustände, deren Beziehungen zur Hypnose und sur Grande Hystérie". *Arch. f. Psychiat. u. Nervenkr.*, XXII, 1891, p. 715-738; XXIII, 1892, p. 40-69.

______. *Der Hypnotismus*. Handbuch der Lehre von der Hypnose und der Suggestion, mit besonderer Berücksichtigung ihrer Bedeutung für Medicin und Rechtspflege. Wiesbaden: [s.e.], 1901.

LÜCKE, R. "Über das Ganser'sche Symptom mit Berücksichtigung seiner forensischen Bedeutung". *Allg. Z. f. Psychiat.*, LX, 1903, p. 1-35.

MACÁRIO, M.M.A. "Des Hallucinations". *Ann. méd.-psychol.*, 1845, VI, 1845, p. 317-349; VII, 1846, p. 13-45. Recensão *All. Z. f. Psychiat.*, IV, 1847, p. 137s.

MAC NISH, R. *The Philosophy of Sleep*. Glasgow: [s.e.], 1830.

MARANDON DE MONTYEL, E. "Folie simulée par une aliénée inculpée de tentative d'assassinat". *L'Encéphale*, II, 1882, p. 47-61. Recensão em *All. Z. f. Psychiat.*, XL, 1884, p. 337s.

MAURY, L.F.A. *Le Sommeil et les rêves* – Etudes psychologiques sur ces phénomènes et les diversétats qui s'y rattachent. Paris: [s.e.], 1861.

MENDEL, E. *Die Manie*. Viena/Leipzig: [s.e.], 1881 [Monografia].

MESNET, E. "Somnambulisme spontané dans ses rapports avec l'hystérie". *Archs, de Neur.*, n. 69, 1892, p. 289-304.

______. "De l'automatisme de la mémoire et du souvenir dans le somnambulisme pathologique". *Union méd.*, XVIII, 1874, p. 105-112.

MITCHELL, S.W. "Mary Reynolds. A Case of Double Consciousness". *Trans. Coll. Phys. Philadelphia*, X, 1888, p. 366-389. Cf. tb. *Harper's Mag.*, 1860. Apud JAMES, W. *The Principles of Psychology*. 2 vols. Londres/Nova York: [s.e.], 1891, p. 381.

MÖRCHEN, F. "Über Dämmerzustände. Ein Beitrag zur Kenntnis der pathologischen Bewusstseinsveränderungen". Marburg, 1901 [Dissertação].

MOLL, A. "Die Bewusstseinsspaltung in Paul Lindaus neuem Schauspiel". *Z. f. Hypnot.*, I, 1893, p. 306-310.

MÜLLER, E. "Über Moral insanity". *Arch. f. Psychiat. u. Nervenkr.*, XXXI, 1899, p. 325-377.

MÜLLER, J. *Über die phantastischen Gesichtserscheinungen* – Eine physiologische Untersuchung mit einer physiologischen Urkunde des Aristoteles über den Traum, den Philosophen und Ärzten gewidmet. Coblenz: [s.e.], 1826.

MYERS, F.W.H. "Automatic Writing". *Proc. Soc. Psych. Res.*, III, 1885, p. 1-63.

NAEF, M. *Ein Fall von temporärer, totaler, theilweise retrograder Amnesie* (durch Suggestion geheilt). Leipzig, 1898 [Dissertação].

NIETZSCHE, F. "Also sprach Zarathustra". *Werke*, VI. Leipzig: [s.e.], 1901.

NISSL, F. "Hysterische Symptome bei einfachen Seelenstörungen". *Centralbl. f. Nervenheilk. u. Psychiat.*, ano 25, XIII, 1902, p. 2-38.

PELMAN, C. "Über das Verhalten des Gedächtnisses bei den verschiedenen Formen des Irreseins". *Allg. Z. f. Psychiat.*, XXI, 1864, p. 63-121.

PHLEPS, E. "Psychosen nach Erdbeben". *Jbb. f. Psychiat. u. Neur.*, XXIII, 1903, p. 382-406.

PICK, A. "Über pathologische Träumerei und ihre Beziehungen zur Hysterie". *Jbb. f. Psychiat. u. Neur.*, XIV, 1896, p. 280-301.

______. "Vom Bewusstsein in Zuständen sogenannter Bewusstlosigkeit". *Arch. f. Psychiat. u. Nervenkr.*, XV, 1884, p. 202-223.

PINEL, P. *Traité médico-philosophique sur l'aliénation mentale ou la manie*. Paris: [s.e.], 1801.

PREYER, W. *Die Erklärung des Gedankenlesens*. Leipzig: [s.e.], 1886.

PRINCE, M. "An Experimental Study of Visions". *Brain*, XXI, 1898, p. 528-546.

PROUST, A.A. "Cas curieux d'automatisme ambulatoire chez un hystérique". *Trib. méd.*, ano 23, 1890, p. 202s.

QUICHERAT, J. (org.). *Procès de condamnation et de réhabilitation de Jeanne d'Arc, dite La Pucelle...* 5 vols. Paris: [s.e.], 1841-1849.

RAECKE, J. "Beitrag zur Kenn tniss des hysterischen Dämmerzustandes". *Allg. Z. f. Psychiat.*, LVIII, 1901, p. 115-163.

______. "Hysterischer Stupor bei Strafgefangenen". *Allg. Z. f. Psychiat.*, LVIII, 1901, p. 409-446.

REDLICH, J. "Ein Beitrag zur Kenntniss der Pseudologia phantastica". *Allg. Z. f. Psychiat.*, LVII, 1900, p. 65s.

RIBOT, T.A. *Die Persönlichkeit*. Berlim: [s.e.], 1894.

RICHARZ, F. "Über psychische Untersuchungsmethoden". *Allg. Z. f. Psychiat.*, XIII, 1856, p. 256-314.

RICHER, P. *Etudes cliniques sur l'hystéro-épilepsie ou grande hystérie*. Paris: [s.e.], 1881.

RICHET, C. "La Suggestion mentale et le calcul des probabilités". *Rev. philos.*, XVIII, 1884, p. 609-674.

RIEGER, C. *Der Hypnotismus*. Jena: [s.e.], 1884.

RÜDIN, E. "Über die klinischen Formen der Gefängnisspsychosen". *Allg. Z. f. Psychiat.*, LVIII, 1901, p. 447-462.

SCHNITZLER, A. "Der Fall Jacobsohn". *Die Zukunft.*, XLIX, 1904, p. 401-404.

SCHOPENHAUER, A. "Preisschrift über die Freiheit des Willens". *Werke in Auswahl*, II. Leipzig: [s.e.], 1891.

SCHROEDER VAN DER KOLK, J.L.C. *Pathologie und Therapie der Geisteskrankheiten auf anatomisch-physiologischer Grundlage*. Braunschweig: [s.e.], 1863.

SCHÜLE, H. *Handbuch der Geisteskrankheiten*. Leipzig: [s.e.], 1878.

SCHÜRMAYER, I.H. *Theoretisch-practisches Lehrbuch der gerichtlichen Medicin*. Erlangen: [s.e.], 1850.

SIEFERT, E. "Über chronische Manie". *Allg. Z. f. Psychiat.*, LLX, 1902, p. 261-270.

SIEMENS, F. "Zur Frage der Simulation von Seelenstörung". *Arch. f. Psychiat. u. Nervenkr.*, XIV, 1883, p. 40-86.

SNELL, L.S. "Über Simulation von Geistesstörung". *Allg. Z. f. Psychiat.*, XIII, 1856, p. 1-32.

STEFFENS, P. "Über drei Fälle von 'Hysteria Magna'". *Arch. f. Psychiat. u. Nervenkr.*, XXXIII, 1900, p. 892-928.

TILING, T. "Die Moral insanity beruht auf einem excessiv sanguinischen Temperament". *Allg. Z. f. Psychiat.*, LVII, 1900, p. 205-240.

WERNICKE, C. *Grundriss der Psychiatrie in klinischen Vorlesungen*. Leipzig: [s.e.], 1900.

WERTHEIMER, M. "Zur Tatbestandsdiagnostik. Eine Feststellung". *Arch. f. d. ges. Psychol.*, VII, 1906, p. 139s. [Relatório].

WERTHEIMER, M. & KLEIN, J. "Psychologische Tatbestandsdiagnostik". *Arch. f. Kriminal-Anthropologie u. Kriminalistik*, XV, 1904, p. 72-113.

WESTPHAL, A. "Über hysterische Dämmerszustände und das Sympton des 'Vorbeiredens'". *Neur. Centralbl.*, ano 22, 1903, p. 7-16 e 64-72.

WESTPHAL, C. “Die Agoraphobie, eine neuropathische Erscheinung”. *Arch. F. Psychiat. u. Nervenkr.*, III, 1871, p. 138-161.

WEYGANDT, W. “Zur psychologischen Tatbestandsdiagnostik”. *Mschr.f. Kriminalpsychologie u. Strafrechtsreform*, II, 1905/1906, p. 435-438.

WILBRAND, & LÖTZ. “Simulation von Geisteskrankheit bei einem schweren Verbrecher”. *Allg. Z. f. Psychiat.*, XLV, 1889, p. 472-490.

WINSLOW, F.B. *On Obscure Diseases of the Brain and Disorders of the Mind*. Londres: [s.e.], 1860.

ZSCHOKKE, J.H.D. *Eine Selbstschau*. 3. ed. Aarau: [s.e.], 1843.

ZÜNDEL, F. *Pfarrer Joh* – Christoph Blumhardt. Ein Lebensbild. Zurique/Heilbronn: [s.e.], 1880.

Índice onomástico*

---

* Os números normais indicam os parágrafos do texto e os números em expoente se referem às notas de rodapé.

Índice analítico

Vozes de Bolso

EDITORA VOZES LTDA.
Rua Frei Luís, 100 – Centro – Cep 25689-900 – Petrópolis, RJ
Tel.: (24) 2233-9000 – E-mail: vendas@vozes.com.br